THE SCRIBNER SPANISH SERIES
General Editor, JUAN R.-CASTELLANO, *Duke University*

LAS DOS VIDAS DEL POBRE NAPOLEÓN

LAS DOS VIDAS
DEL POBRE NAPOLEÓN

Manuel Gálvez

EDITED WITH INTRODUCTION,
NOTES, EXERCISES, AND VOCABULARY
BY

MYRON I. LICHTBLAU
Syracuse University

87

CHARLES SCRIBNER'S SONS
NEW YORK

To my family

Contents

PREFACE

This text provides the first English language edition of any
of the twenty-seven novels of the noted Argentine writer
Manuel Gálvez, who enjoys an honored place in the literature of his country and of Hispanic America. Hitherto only
a few of his short stories have been edited for classroom use
and made available to students of Spanish. I trust that this
present edition will help to fill that gap. *Las dos vidas del
pobre Napoleón* is one of Gálvez' latest novels, and while
not among his very best works is certainly a significant
one and in several respects quite characteristic of his art.
The work is presented here in its original and complete
form, as published in 1954 by Editorial Losada of Buenos
Aires. A very few minor typographical and linguistic
corrections have been made, the latter with the author's
consent. As a college text it is particularly suitable for second
semester intermediate classes, and may be used as well in
more advanced reading courses and specialized courses in
the Hispanic American novel. For its intriguing theme,
psychological probing, and charm of narration, the novel
should provide an enjoyable and stimulating reading experience. The language employed is standard Spanish, for the
most part free of those colorful but troublesome regionalisms
that often render a Hispanic American novel somewhat
difficult for intermediate students.

The exercises relative to each chapter serve as a measure
of the student's comprehension and analysis of the novel,
and furnish as well useful and interesting classroom activity.
Exercises A and B may be assigned as written homework or

answered spontaneously during discussion of the text. Exercise C suggests themes either for oral presentation or written composition. The footnotes at the bottom of each page have two functions: to identify briefly historical and literary references found in the novel; and to clarify the meaning of those phrases and passages offering syntactical difficulty or needing special explanation. The English renderings aim to get at the core of the meaning rather than to give a stilted, word-by-word translation of the original Spanish. Difficult and unusual words and idioms requiring no clarification other than an equivalent in English are not handled in the footnotes, but treated as vocabulary items.

The introductory remarks relating to Gálvez' life have no pretension of even approaching a complete biography, nor are the account and appraisal of his publications intended to be a formal and comprehensive study of the novelist. Rather, I have indicated salient features of his life and works to introduce the student to the author and provide background material necessary to understand his importance in the Argentine novel. The analysis of the novel itself should lead the student to a better appreciation of the work both as an interesting psychological portrayal and as an artistic, creative piece of fiction. Lastly, I have thought it useful to include a list, by genre, of Gálvez' works and the date of initial publication, as well as a selected bibliography of critical studies.

My indebtedness is extended to Manuel Gálvez, who kindly granted permission to edit his novel, and to Professor Juan Rodríguez-Castellano of Duke University, who as consultant for the publishers carefully read the manuscript and made important suggestions. No less am I indebted to my friends and colleagues at Syracuse University for giving

Preface

of their time and effort to go over portions of the book: to Professor Dean W. McPheeters, who reviewed the footnotes and suggested changes; to Professor Otto Olivera, who clarified and interpreted troublesome vocabulary items; and to Professor Eloy Placer, who assisted in the preparation of the exercises. Finally, a word of gratitude is expressed to Messrs. Ramiro Barrios, Ernesto Galarraga, and Armando Protto, Latin-American students at Syracuse University, who graciously offered their aid on various occasions.

M.I.L.
Syracuse University
April 1962

MANUEL GÁLVEZ

INTRODUCTION

I. Biographical Sketch*

I visited Manuel Gálvez some ten years ago at his modest apartment in the heart of Buenos Aires. He was then about seventy, a time in life when most men are glancing backward at their accomplishments and hardly looking ahead to further work in their career. Yet Gálvez, hardy, agile, and extremely alert, spoke to me not so much of his works already published as of his literary plans for the coming years—a novel dealing with the Jews in Buenos Aires, a series of novels he was finishing, and a revised and shortened edition of an earlier work. In the decade that has gone by since that visit, many of these and other projects have borne fruit and accorded Gálvez added fame. Sensitive and proud, he is ever attentive to the reading public and to critical commentary of his works. In a country where social and economic forces cause the vast majority of authors to seek adequate remuneration from sources other than pure literature, Gálvez stands out as one of the very few professional novelists, one of the few able to live almost exclusively from their pen and devote their greatest energies to their art. The sale of his books has been markedly successful. Not a few have gone through numerous editions and

*For certain data included in this biographical sketch I have consulted the author's book of memoirs *Amigos y maestros de mi juventud* (Buenos Aires, Editorial Kraft, 1944) and Ignacio B. Anzoátegui's recent monograph *Manuel Gálvez* (Buenos Aires, Ediciones Culturales Argentinas, 1961). Furthermore, intermittent correspondence with Gálvez over a period of some fifteen years has furnished me with much information concerning his life and works.

been translated to foreign languages, including French, English, Portuguese, Czech, and Swedish. Second only to his compatriot Hugo Wast in popularity and total volumes published, Gálvez enjoys the esteem of the general public and the more demanding professional critics as well. He has been further honored by appointment as corresponding member of the Argentine Academy of Letters and by two nominations for the Nobel prize in literature.

Manuel Gálvez was born in Paraná, capital of the north central province of Entre Ríos, on July 18, 1882. He boasts a distinguished lineage that includes Juan de Garay, who in 1573 founded the city of Santa Fe and several years later refounded the settlement at Buenos Aires; Gabriel de Quiroga, titled Galician who held an important post in the Inquisition; and Julián de Gálvez, also a high-ranking member of that Holy Office in Santa Fe. In more recent years other members of Gálvez' family have also been prominently associated with Santa Fe or the province of the same name. An uncle, José Gálvez, was head of the national party, governor, senator, and outstanding civic leader; and his father, Dr. Manuel Gálvez, led an active political life in that city, serving as secretary of the treasury and congressman. Among Gálvez' ancestors only one, Floriano Zapata, his mother's cousin, could hold any claim to literary talent. Zapata's work as a journalist, critic, and man of letters apparently helped to awaken and develop in the young Gálvez an interest in literature and writing that soon found expression in his early publications of poetry and essays.

Gálvez received his early schooling at a Jesuit institution in Santa Fe, his secondary school education under the tutelage of Franciscans in the Colegio del Salvador in the Argentine capital, and his professional training at the Law School of the University of Buenos Aires, which granted him his degree in 1905. Yet his real interest lay not in law but in literature, and he clearly showed this inclination upon choosing for his doctoral dissertation a theme which he could expound and narrate both as a legal treatise and a piece of artistic writing as well. The choice of subject, *Trata de blancas* (White Slavery), also indicates Gálvez' early interest in social problems, which later formed the basis of several of his most acclaimed works. As a youth he was intellectually curious and emotionally sensitive, yearning for new and vital experiences and seeking knowledge to understand himself and the world around him. Literature was his passion. He avidly devoured the works of the great masters and was particularly fond of Tolstoy, Darío, and Anatole France. The theater of all ages fascinated him and he spent long hours reading the Spanish Golden Age and romantic dramatists and the plays of Henrik Ibsen. Gálvez engaged in other pursuits of a varied nature: he studied piano, harmony, and composition; he fenced and did gymnastics at a sports club; he learned French and German from private tutors, English with a dictionary, and shorthand at a business school. And this same intellectual vitality and zeal for life have never abated during a long and active literary career.

Over sixty years have passed since Gálvez first set his pen to write professionally. His youthful literary efforts date from around 1900, when he wrote a play entitled *La conjuración de Maza* and published a few miscellaneous articles for a Santa Fe newspaper. Yet his significant entrance into the world of letters took place in 1903 with the appearance of the magazine *Ideas*, which he and a group of young idealistic *literatos* founded as a sort of unofficial spokesman for their generation. We may add incidentally that at the same time he secured a modest position as law clerk in the criminal and correctional court in Buenos Aires. Internal and financial difficulties unfortunately contributed to the early demise of the magazine after only two years of publication, but Gálvez' ardor for literature could not be stemmed. In 1905, to extend his literary and cultural horizon, he traveled widely throughout Europe and came to admire passionately the heritage and grandeur of the Old World. Spain for him was to be revered as the cradle of Argentine culture, as the glorious mother country to which all Argentines should feel spiritually akin—a thesis he set forth at length a few years later in his volume of essays *El solar de la raza* (1913). In Spain he frequented the literary circles and made the acquaintance of Pardo Bazán, Pérez de Ayala, and Valle Inclán; in Italy he met the poet Marinetti; while in Paris his admiration for Rubén Darío increased through personal contact. Gálvez' critical appreciation of art, especially painting, matured fully in Europe through assiduous study and frequent visits to the great museums of Paris, Madrid, Berlin, Rome, and Florence. He subsequently used this knowledge and judgment in many articles and commentaries published in *Nosotros* and other magazines. Shortly after his return to Argentina in 1906 Gálvez was appointed an inspector of secondary schools, a position he held for some twenty-five years. Extensive travel and the routine affairs of this office enabled him to acquire that deep understanding of Argentina which is so clearly evident in his writings.

Gálvez' first two published books were volumes of poetry, largely forgotten today and completely overshadowed by the sheer number and quality of his other writings. In *El enigma interior* (1907) and *Sendero de humildad* (1909) the clear, simple, unadorned stanzas are rich with emotion and sincerity, although in general Gálvez' verse lacks poetic vision and imagery and artistic originality. While the first volume, highly introspective and somewhat ingenuous, tells of the author's youthful illusions and loves, *Sendero de humildad* is more substantial and evokes images of his beloved Argentina in a variety of settings. In these verses the Indians of the northern region and the humble rural folk seem to hold a special place in the poet's heart. This volume of poetry is most important, however, because in it Gálvez professes his return to the Catholic faith, which some years before he rebelliously abandoned. But his true talents are in prose, not poetry, and he must have quickly sensed this. In 1910 appeared his first prose work, *El diario de Gabriel Quiroga*, which is essentially a fervent defense of Catholicism and a personal affirmation of his intense spiritual ardor. This same religious faith is present in several subsequent works of fiction, including *Las dos vidas del pobre Napoleón*. Two other volumes of essays, *El solar de la raza* and *La inseguridad de la vida obrera*, were published in 1913, and the following year the appearance of *La maestra normal* ushered in Gálvez' career as a novelist. The principal theme of *El solar de la raza* proudly proclaims the basically Spanish heritage of Argentine culture and the irrevocable spiritual affinity between the two nations. Within the confines of the Spanish soul, Gálvez affirms, the Argentine soul has as much a place as the Castilian or the Andalusian. The book is a series of vivid and beautifully expressive evocations of things Spanish, from the ageless cities of Segovia and Toledo to the austere central tableland, from the great Siglo de Oro to the anguished generation of '98. Highly praised by Argentine and Spanish critics, *El solar de la raza* represents the first of Gálvez' many editorial successes and greatly increased his literary fame.

II. Gálvez' Career as a Novelist

Gálvez is the author of twenty-seven novels and an equal number of other works of various genres. In the ten-year span beginning in 1914 with *La maestra normal*, he produced his best and most enduring novels and established himself as a fundamentally realistic writer of urban Argentina. With a strong sense of social justice in an imperfect social structure, Gálvez often abandons complete objectivity in fiction to inject his own views and assume a personal interest in the destiny of his characters. A serious writer with a serious mission, he examines such social ills as prostitution, alcoholism, materialism, and cultural insensitivity of the general public. He writes novels of thesis in which an artistic impartiality frequently yields to an impassioned plea for reform. In *La maestra normal*, which remains perhaps Gálvez' most accomplished novel, he paints a masterly picture of provincial life in the northwestern city of La Rioja; in *El mal metafísico* (1916) the anguish and disillusion of a group of young intellectuals of the cosmopolitan capital are captured with unusual perceptiveness and understanding; while in *La sombra del convento* (1917) the author portrays the city of Córdoba caught in the grip of powerful parochial and reactionary elements of the population. The dominant note of realism in these novels takes on a naturalistic bent in two subsequent works, *Nacha Regules* (1919) and *Historia de arrabal* (1922), although Gálvez' naturalism is always tempered by a certain idealistic and at times romanticized treatment of character. The cult of Zola and the strict adherence to the tenets of determinism are never absolute values in Gálvez' fiction. Too many rays of light and hope, too much optimism and faith, and too great a love of humanity peer through the novels to brighten the gloom and despair of the naturalistic elements. Within the framework of this basic realism and limited naturalism is an undercurrent of psychological probing and analysis that seeks to show man at odds with his environment, man in constant struggle to adapt himself to the grim reality of the world about him. In such novels as *La tragedia de un hombre fuerte* (1922), *Miércoles Santo* (1930), and *Cautiverio* (1935), the social milieu is subordinated to a preoccupation with human character, with motives of action, and with interior conflicts. In these psychological studies of love and faith, conscience and duty, and other basic human qualities, Gálvez proves himself an acute observer of man's complex nature, of man burdened with the anguish, anxieties, and frustrations brought about by modern society.

From Gálvez' deep interest in his country's past emerged a considerable number of historical novels. The first appeared in 1928 as the initial volume of a trilogy on the disastrous Paraguayan War (1865–1870), in which the small and ill-equipped Paraguayan army under the fanatical leadership of Francisco Solano López withstood for five years the combined forces of Argentina, Brazil, and Uruguay. The three novels of this group, *Los caminos de la muerte* (1928), *Humaitá* (1929), and *Jornadas de agonía* (1929), rank among Gálvez' most skillfully executed works, in which we find a felicitous interplay of historical background and fictional creation. His most ambitious effort in the historical novel is a long series portraying the Rosas dictatorship that plagued Argentina from 1835–1852. The author's sympathies are with Rosas, whose regime of terror he justifies on two counts: that Rosas defended Argentine sovereignty against French and English intervention; and that he maintained law and order at a particularly critical period in the history of the young Republic. The novels represent a painstaking and detailed reconstruction of a troubled era, but in sheer artistic merit do not match the three works on the Paraguayan conflict. After the first two volumes of *La época de Rosas* appeared in the early 1930's, Gálvez discontinued work on the series for some sixteen years, resumed his efforts in 1948, and finally completed in 1954 the last of the eight novels of the group. Gálvez' interest in history also turned his pen toward pure biography, and in the years between publication of the several volumes of the Rosas series he devoted much of his labor to narrating the lives of such important Argentine figures as Domingo F. Sarmiento, Hipólito Yrigoyen, Fray Mamerto Esquiú, and even Rosas himself. He also portrayed in his biographies prominent men of other Hispanic American countries— the Venezuelan Francisco de Miranda and the Ecuadorian Gabriel García Moreno. The analytic study of character that forms so essential a part of Gálvez' fiction is also one of the notable features of these biographies, in which the subjects are treated both as individuals torn by personal conflicts and as public figures fraught with the obligations and responsibilities of their office.

Gálvez' fecundity is rare; even more so is the sustained intellectual activity of his later years. Since the publication of the last volume of *La época de Rosas* in 1954, when he was seventy-two years old, his writings include several novels, a volume of poetry (the first since his youthful verses some fifty years before), and a collection of essays on famous novelists and the art of fiction. The novels of these recent years are of a most varied nature. *Las dos vidas del pobre Napoleón* (1954), with its highly imaginative and fanciful elements, serves as a much needed counterpoise to the many preceding works which rest heavily on historical setting. In *El uno y la multitud* (1955) he returns to the novel of ideas, of social analysis and interpretation. The scene is Buenos Aires during the tense days of World War II, when the nation was frequently divided in its policy toward the Nazi and Communist regimes and seemed rather hesitant in defining its role and responsibilities in the conflict. Argentina a few years later was to endure its own tyranny under Perón, whom Gálvez bitterly attacks in *Tránsito Guzmán* (1956), a novel born of the author's indignation at the burning and sacking of churches on the night of June 16, 1955, by government partisans. Gálvez, the defender of the dictator Rosas, thus becomes the implacable enemy of his modern-day counterpart. The fervent religious spirit revealed in *Tránsito Guzmán* is again present in his latest novel *Perdido en su noche* (1958), which portrays the doubts and misgivings of a young Jesuit who finally makes the difficult decision to abandon the order.

III. Literary Evaluation of Manuel Gálvez

Such is Gálvez' literary career—successful, fecund, significant. His fame and prestige rest on a well-disciplined narrative skill and sure novelistic technique, coupled with a judicious selection of interesting and many times vital subject matter taken from the complex reality that is Argentina or from man's inner psychological core that is his eternal onus. Gálvez' art of fiction is based on directness of presentation, clarity and simplicity of idea, and ease and conciseness of narrative development. In matters of style he is completely natural and lucid, and always direct. His is a simple, straightforward prose, devoid of literary artifice. He avoids rhetorical effects except when they enhance the effectiveness of the verbal picture. His writing is almost too easy for the highly sophisticated and pretentious reader, who may equate simplicity of thought with barrenness of idea, and clarity and neatness of phrase with stylistic immaturity. Yet under the apparently effortless style lies a prodigious labor. The reader rarely feels that Gálvez is writing to impress, yet his language is rich, varied, and when necessary quite forceful.

In technique Gálvez has much of the exactness and orderliness of the French realists and naturalists, of such writers as Flaubert, Balzac, and Zola, whose works he eagerly absorbed as part of his literary apprenticeship. A certain neat structure and narrative precision are seen clearly even in his early novels, and with few exceptions and minor modifications these same qualities have remained as essential characteristics of his fiction. He followed closely on the heels of the nineteenth-century Latin-American realists, but even as a young writer was far ahead of them in narrative skill, plot development, and psychological insight. Gálvez has always preferred the traditional novel and has steadfastly shunned the innovations in fictional technique that many of his contemporaries have employed in the past few decades. He is proud of the success he has achieved along the old established routes of fiction and feels no desire or need to veer from that path to keep up with the onrushing vanguard. Such writers as Eduardo Mallea, Jorge Luis Borges, Carlos Manzanti, and

Adolfo Bioy Casares represent original and refreshing values for our author, but at the same time they in no way influence his traditional art.

In the story of Argentine fiction Gálvez' place is well anchored and needs no defense in the presence of new but often less successful patterns of literature. He is no longer in the forefront, but his importance in the development of the national novel cannot be overlooked or minimized. And it is only by considering Gálvez over the span of some fifty years and in relation to his predecessors and contemporaries that a true measure of his worth can be gauged. He is the first novelist to offer a comprehensive, realistic picture of Argentina in a spirit that captures the uniqueness of the American scene as distinguished from the Old World. It is true that Carlos María Ocantos (1866–1938) predates our author by at least a generation, for he had already published eighteen works in his ambitious series of novels on Argentine life before Gálvez' first novel appeared in 1914. But Ocantos' style and language were so cast in the traditional Spanish mold, so devoid of a truly American savor, that his identification with the Argentine national novel was never fully accepted. And while it is also true that Carlos Martínez Zubiría (1882–), better known as Hugo Wast, began in the early 1900's to present in fiction many aspects of Argentine life, his works suffer from a lack of profundity and over-all aesthetic effect. There is little doubt that Wast is a highly entertaining novelist, a master storyteller able to charm a wide audience, but his literary limitations prevent him from being considered as a serious interpreter of modern Argentina. Nor can the gaucho novels of Ricardo Güiraldes and Benito Lynch, excellent portrayals of an important but nevertheless limited cultural group, be said to mirror a cross section of Argentina or represent its essential nature. With Manuel Gálvez, then, the Argentine novel fully emerged. His importance stems from the fact that he has combined for the first time breadth of vision, creative artistry, social and psychological depth, and a genuinely national feeling cogently expressed in theme and language.

IV. Analysis of
Las dos vidas del pobre Napoleón

In theme *Las dos vidas del pobre Napoleón* differs from all of Gálvez' previous works, but in fictional approach and technique it is quite similar to many of them. The novel departs from Gálvez' common base of realism and enters into the world of the subconscious, the imaginative, the fanciful. It makes a metaphysical inquiry into the meaning of human existence. Although many of his works are psychologically oriented, in this novel his probing of man's mind extends to the realm of the speculative and even the unknown. In calling his work a *capricho literario* Gálvez hit upon an appropriate appellation that captures well the tone and mood of the novel; for although the philosophic note runs deep and is readily apparent throughout the book, there is a constant undercurrent of whimsy, lightness of touch, wit, and at times even mock seriousness. He is playing ingeniously and somewhat provocatively with the fundamental philosophic issues he sets forth; to a degree he is entertaining us, captivating us with enigmatic and conjectural situations. They are serious and intriguing problems of ontology, deftly handled within the restricted framework of fiction and not through the more usual medium of a philosophic or psychological essay. The novel poses the question of man's identity and his concept of what that identity is or may be. Napoleón Machuca is a quiet, unassuming, middle-aged man who suddenly embarks upon a reckless and frivolous life in imitation of the protagonist of a novel he has just read. So completely does he become immersed in the character of this novelistic creation, Alejandro Magno Pacheco, that he gradually loses the ability to distinguish his own being from that of his fictional counterpart. The two identities, the one fictional and the other real, merge and blend in the confused mind of Napoleón. Perhaps Alejandro is his own conscience, or his true self, or his baser instincts? Perhaps he and Alejandro form one entity?

When Napoleón commits fraud, he at first casts the blame on this fictional being, Alejandro, but at a later point places the ultimate responsibility on Alejandro's creator, Pedro Roig. To readers of Spanish literature this rather whimsical question of the relationship between an author and his characters calls to mind Miguel de Unamuno's famous novel *Niebla* (1905),[1] where in the closing pages the protagonist, who finds himself on the point of suicide, consults directly with the author concerning his ultimate fate. Unamuno tells him firmly that he has no real existence, but is a mere fictional creation, a product of a writer's vivid imagination and therefore incapable of determining for himself any course of action.

The story of Napoleón's character transformation, his unsuccessful attempts at forgery, and his ultimate mental

[1] See Donald F. Brown's very interesting and perceptive article "An Argentine *nivola*: Unamuno and Manuel Gálvez," in *Hispania*, December 1959, pp. 506–510.

derangement are narrated with the clarity and simplicity so characteristic of Gálvez' art. There are no turns, no digressions, no long descriptive passages, no superfluous material of any sort. The action is set mostly in Buenos Aires, but detailed description of either external environment or interior scenes is extremely scanty. Physical attributes of the characters are briefly but graphically delineated; with a few well-chosen and picturesque phrases Gálvez supplies an image which is enriched by appropriate dialogue or action. The directness of the plot is maintained to a large measure by the novel's neat division into many short chapters, each one adding a small but significant piece to the over-all picture of Napoleón's strange dementia. From an aesthetic point of view the novel pleases through its charm of narration, grace of style, frequent felicity of phrase, and a skillful blending of comic and tragic elements. Gálvez' accepted merits of telling a story well and creating interesting incidents in the body of the narration are clearly recognized in *Las dos vidas del pobre Napoleón*, especially because of the compactness of the work and the undeviating course of the plot. Our attention is quickly caught in the opening pages as we read with surprise and no little amusement of Napoleón's bizarre behavior at the bookstore. The presence of this little, insignificant man with the small mustache is at first more comic than pitiable, but Gálvez gradually unveils the picture of his mental unbalance until he becomes an almost tragic figure toward the close of the work.

Gálvez' artistry in presenting the metamorphosis of Napoleón's character through successive stages of his illness constitutes one of the principal merits of the novel. We perceive the extent of this illness by degrees, through a combination of revealing incidents, effective dialogue, and

Introduction

apt narrative exposition. Pathos, emotional sensitivity, and keen psychological understanding are the elements with which the author builds up and sustains the portrayal of the confused and tormented Napoleón. Yet even in its final stages his unbalance is never an absolute quality, never a clear-cut, black and white picture of mental deterioration. It partakes more of the intermediate shades of gray, of the indeterminate zone between reality and unreality, between sanity and insanity. Gálvez' thesis in part may well be the rejection of the commonly accepted sharp dichotomy between a healthy mind and a sick one. The author's strong religious feelings no doubt influenced the final consideration of the problem of Napoleón's identity and the reality of life: the protagonist, in the solitude of a mental institution, finds God and believes that in Him resides the only true existence.

NOTE

After this book had gone to press I learned of the death of Manuel Gálvez, on November 14, 1962. An outstanding literary career thus ends. His passing represents a great loss to the field of Hispanic-American letters.

Works of Manuel Gálvez

Selected Critical Studies on Manuel Gálvez

ALEGRÍA, FERNANDO. *Breve historia de la novela hispanoamericana*. México, Ediciones De Andrea, 1959, pp. 107–112.

ANZOÁTEGUI, IGNACIO B. *Manuel Gálvez*. Buenos Aires, Ediciones Culturales Argentinas, 1961.

BARBAGELATA, HUGO D. *La novela y el cuento en Hispanoamérica*. Montevideo, 1947, pp. 89–97.

BONET, CARMELO M. "La novela." Chapter in *Historia de la literatura argentina*, Vol. IV, ed. Rafael Alberto Arrieta. Buenos Aires, Ediciones Peuser, 1959, pp. 260–269.

GARCÍA, GERMÁN. *La novela argentina*. Buenos Aires, Editorial Sudamericana, 1952, pp. 117–125.

OLIVARI, NICOLÁS and STANCHINA, LORENZO. *Manuel Gálvez: ensayo sobre su obra*. Buenos Aires, Agencia General de Librería y Publicaciones, 1924.

SPELL, JEFFERSON REA. *Contemporary Spanish-American Fiction*. Chapel Hill, The University of North Carolina Press, 1944, pp. 15–63.

TORRES-RÍOSECO, ARTURO. *Grandes novelistas de la América Hispana*, Vol. II. Berkeley, University of California Press, 1943, pp. 137–160.

apt narrative exposition. Pathos, emotional sensitivity, and keen psychological understanding are the elements with which the author builds up and sustains the portrayal of the confused and tormented Napoleón. Yet even in its final stages his unbalance is never an absolute quality, never a clear-cut, black and white picture of mental deterioration. It partakes more of the intermediate shades of gray, of the indeterminate zone between reality and unreality, between sanity and insanity. Gálvez' thesis in part may well be the rejection of the commonly accepted sharp dichotomy between a healthy mind and a sick one. The author's strong religious feelings no doubt influenced the final consideration of the problem of Napoleón's identity and the reality of life: the protagonist, in the solitude of a mental institution, finds God and believes that in Him resides the only true existence.

NOTE

After this book had gone to press I learned of the death of Manuel Gálvez, on November 14, 1962. An outstanding literary career thus ends. His passing represents a great loss to the field of Hispanic-American letters.

Works of Manuel Gálvez

NOVELS

Works of Manuel Gálvez

Selected Critical Studies on Manuel Gálvez

ALEGRÍA, FERNANDO. *Breve historia de la novela hispanoamericana*. México, Ediciones De Andrea, 1959, pp. 107–112.

ANZOÁTEGUI, IGNACIO B. *Manuel Gálvez*. Buenos Aires, Ediciones Culturales Argentinas, 1961.

BARBAGELATA, HUGO D. *La novela y el cuento en Hispanoamérica*. Montevideo, 1947, pp. 89–97.

BONET, CARMELO M. "La novela." Chapter in *Historia de la literatura argentina*, Vol. IV, ed. Rafael Alberto Arrieta. Buenos Aires, Ediciones Peuser, 1959, pp. 260–269.

GARCÍA, GERMÁN. *La novela argentina*. Buenos Aires, Editorial Sudamericana, 1952, pp. 117–125.

OLIVARI, NICOLÁS and STANCHINA, LORENZO. *Manuel Gálvez: ensayo sobre su obra*. Buenos Aires, Agencia General de Librería y Publicaciones, 1924.

SPELL, JEFFERSON REA. *Contemporary Spanish-American Fiction*. Chapel Hill, The University of North Carolina Press, 1944, pp. 15–63.

TORRES-RÍOSECO, ARTURO. *Grandes novelistas de la América Hispana*, Vol. II. Berkeley, University of California Press, 1943, pp. 137–160.

LAS DOS VIDAS DEL POBRE NAPOLEÓN

Dedico este "capricho" literario a María del Pilar Bescós Isasi de Siboni, prima mía, escritora elegante y ágil y mujer de gran corazón.

Ya Shakespeare, en la maravillosa estructura de Macbeth, ha demostrado cómo una imaginación influíble puede justificarse a sí misma un crimen que le ha sido predicho. Es evidente que, de no haberse realizado el encuentro[1] en el páramo, entre Macbeth y las brujas, probablemente el asesinato de Duncan jamás se le hubiese cruzado por la mente . . . Al principio, su conciencia se detiene y titubea ante el asesinato de un huésped; pero él se repite a sí mismo que no puede escapar a su destino, y la mala acción se realiza. Es éste, sin duda, el estado de ánimo que provoca en uno la predicción del futuro. Y el peligro está en que un crimen predicho y hecho posible, en un momento dado pueda convertirse, de pronto, en un hecho consumado, como resultado de la profecía. No ha sido pronosticado porque se va a realizar, sino que se realiza porque ha sido pronosticado. (BEDE JARRET, *Meditaciones para laicos.*)

[1] **de no haberse realizado el encuentro** if the meeting had not taken place

UNO

ESA HORA, las tres de la tarde, la librería estaba desierta. Los libros se aburrían en los anaqueles. Algunos se inclinaban hacia el vecino, cayéndose de sueño. Otros se reían de los empleados. Ninguno parecía esperar que alguien viniese a buscarlo, a sacarlo de aquel vertical cepo en que pasaban los días y los días, apretados unos contra otros, sin poder salir por el mundo para llevar a los hombres todo lo que ellos contenían en ciencia y doctrina o para divertirlos o para hacerlos soñar. Ellos pensaban en la riqueza que allí debía permanecer estancada. ¿Por qué los seres humanos no se interesaban más por ellos? Aquel tomo ancho y alto aguardaba a un hombre sabio o ansioso de saber. Aquel otro, de aspecto melancólico, esperaba a una mujer de alma romántica que llorase sobre sus páginas. ¡Ah, qué lindo ser tocado, manoseado, tal vez besado por una bella mujer de mirada llena de sueños y de temperamento ardoroso! Y aquel otro libro, alto y de lomo delgado, desesperábase porque no venía un niño a llevárselo, e imaginaba una preciosa cabecita rubia inclinada sobre sus páginas, un corazoncito que se apenaba o se alegraba convencido de ser ciertas las bellas, las fantásticas historias que un hombre bueno para ellos había escrito.

Los empleados recorrían con los ojos la librería, desde la entrada hasta el fondo, como si buscaran al comprador que tal vez hubiese entrado sin ser visto por ellos, dispuestos a llamarlo con una sonrisa suave e igual para todos: sonrisa hecha desde tiempo atrás, algo melosa, tradicional, casi esculpida en los rostros. Pero de pronto, uno de ellos se explicó la soledad de esa tarde y exclamó:

5 —Fin de mes.

—Claro, nadie tiene con qué comprar libros. . .[2]

Al instante, rompióse la soledad. Un señor, a quien nunca vieran[3] en aquella casa, había entrado.

Era bajito, más de lo común en materia de parvedad de
10 estatura,[4] y flacucho en extremo. Representaba unos cuarenta y cinco años. Vestía bastante bien, y su traje, un terno de dibujo cuadriculado y color oscuro, no debió ser comprado hecho, evidentemente, sino mandado hacer[5] por un buen sastre. Pero no alcanzaba el probable cliente de la
15 librería a tener aires de elegancia, ni de distinción, ni menos de fortuna.[6] Debía ser un empleado del Gobierno, de categoría regular, algún oficial segundo, o inspector de cualquier cosa; o un corredor de avisos; o un procurador o tal vez un empleado de banco. Su mirada era un tanto
20 ansiosa, pero esa ansiedad no debía ser en él permanente sino momentánea, acaso efímera. En su persona correcta, de aspecto burocrático, llamaban la atención el bigotito, que era como un delgado cordón pegado junto al labio, pues le habían rebanado la parte que lindaba con la nariz;
25 la negrura de las cejas, harto gruesas y de pelos rebeldes;

---

[2] **nadie tiene con qué comprar libros** nobody has any money to buy books

[3] **a quien nunca vieran** whom they had never seen before (**Vieran** *is imperfect subjunctive, which Gálvez uses frequently as a substitute for the pluperfect indicative.*)

[4] **más de ... estatura** unusually short

[5] **no debió ser ... hacer** didn't look like a ready-made suit, but one custom-made

[6] **ni menos de fortuna** much less of prosperity

los ojos, muy adentrados y oscuros; el mentón algo huyente y puntiagudo; el rostro palidísimo; y unas orejas grandes, casi asnales. Y no menos llamaban la atención el sombrero,[7] de magnitud exagerada para la pequeña cabeza, y el modo de andar del hombrecito, que levantaba los pies 5 como si pisara sobre huevos y temiese romperlos.

El homúnculo se había detenido y, como si por primera vez entrase en el salón vastísimo y muy alto de techo, tapizadas de libros las paredes de arriba abajo, ponía sus ojos en un trozo de la anaquelería y luego en otro. En tanto, se 10 tironeaba los escasos y cortos pelos de su bigotito, como quien está nervioso. Miró después a los tres o cuatro empleados, que lo esperaban y que lo contemplaban con cierto asombro. Tal vez no sabía por cuál de ellos decidirse. Hasta que, al cabo de sus evidentes vacilaciones, y acaso 15 temores, avanzó con timidez hacia uno de ellos y, mientras se retorcía el bigotito con movimientos bruscos, susurró, más que habló:

—Vengo a... Este... Quiero un libro.

Su voz tenía algo de destemplada o clueca.[8]   20

—¿Qué libro, señor?

—No me interrumpa —chilló ahora el hombrecito, excitado incomprensiblemente—. Ya se lo diré.[9]

—Pero, señor, me parece que...

El empleado miró a sus compañeros, como pidiéndoles 25 sus testimonios.

Mas como el cliente había fruncido el entrecejo, la mirada

---

7 **Y no menos ... el sombrero** And to no less a degree did his hat attract attention

8 **Su voz tenía algo de destemplada o clueca.** His voice was somewhat discordant or rasping.

9 **Ya se lo diré.** I'll tell you soon enough.

adquiriese una expresión casi dramática y el bigote corriese el riesgo de ser arrancado pelo a pelo, y todo esto mientras los labios callaban, el empleado se animó a proferir:

—¿Qué libro desea el señor? Estamos a sus órdenes.

5 Otro de los empleados sonrió, y un tercero, lo mismo que dos clientes que hojeaban libros ahí cerca, escondieron, aunque sin habilidad, comprometedoras risitas. El hombrecito, que hasta entonces pareciera tímido, salió de sí repentinamente, como si diera un salto, para increpar a los

10 burlones, cuyas sonrisas había advertido:

—¿De qué se ríen, eh? No permitiré que nadie...

Los interpelados se apartaron cautamente o metieron la nariz dentro de un libro cualquiera. Pero uno de ellos, cuando creyó que el hombrecito no lo veía, se atornilló la

15 sien. El otro, con temerosa prudencia, se tapó la boca con una mano.

—Quiero un libro... Es una novela... Se titula *Un hombre respetable*.

—¿El autor, señor?

20 —¿Y no lo sabe? —barbotó el hombrecito, furioso—. ¿No sabe usted que Pedro Roig, el famoso novelista, comprovinciano mío, ha escrito ese libro? ¿O será usted capaz de ignorar[10] quién es el gran Pedro Roig, una gloria nacional?

—No, señor, no lo ignoro —contestó el empleado con

25 modestia y aun con algún temor—. Pero todavía no tenemos noticia de ese libro. ¿Quién lo edita?

—Tiene el tupé de preguntarme quién lo edita... ¡Está bueno![11] ¡Veo que no conocen ni de nombre a Pedro Roig, a ese astro! ¿Qué, lo duda? Y si no, ¿por qué sonríe? Es

---

[10] **¿O será usted capaz de ignorar...?**   Is it possible that you don't know...?

[11] **¡Está bueno!**   That's a good one!

8

capaz de estar ocultando el libro, de no querer vendérmelo. Si se imagina que tengo un interés personal, se equivoca de medio a medio. Conozco a Pedro Roig, tengo ese alto honor. Somos del mismo pueblo. Lo he tratado cuando éramos muchachitos y hasta puedo decir que somos amigos. Sepa que él mismo me anunció su novela,[12] hace unos seis meses. La noticia de su inminente aparición salió en los diarios, hará cosa de dos semanas.[13] Y ustedes, libreros, nada saben de esa noticia sensacional. . .

En este momento, un cliente se aproximó al empleado y le pidió cierta obra. El empleado, con su amabilidad untuosa, le dijo al homúnculo:

—Disculpe, señor, tengo que atender a una persona. Ya sabe que ese libro no ha salido. Si quiere dejar el número de su teléfono, le avisaremos en cuanto lo recibamos.

—¿Mi número del teléfono? ¡Jamás! Volveré todos los días, o día por medio. Y si no quieren venderme esa novela, con el fútil pretexto, sí, fútil, de no haber aparecido, yo haré lo que corresponda.[14]

Súbitamente, y casi como dando un salto, dió media vuelta. Se dirigió hacia la salida, sin mirar los escaparates. De pronto, se volvió, buscó al empleado que lo atendiera y le espetó:

—Sepa usted que no me interesa el libro porque yo aparezca en él. No hay tal cosa.[15] Es mucha malicia la suya. . .[16] ¿Qué dice?

---

[12] **Sepa que él . . . su novela** I'll have you know that he himself told me of his novel

[13] **hará cosa de dos semanas** about two weeks ago

[14] **yo haré lo que corresponda** I'll do something about it

[15] **No hay tal cosa.** That's not the case at all.

[16] **Es mucha malicia la suya.** You are presuming too much, and wrongly so.

—Nada, señor, no he abierto la boca — dijo el empleado, compungido.

—Creí... Pues sepa que quiero leerlo porque soy amigo y admirador de Pedro Roig, mi comprovinciano célebre. Nada más. Y al que piense lo contrario, estoy dispuesto a...

—Nadie piensa nada,[17] señor. Déjeme trabajar... Han entrado clientes, y esperan que se les atienda.[18]

—Está bien. Me quejaré.

Y después de tironearse las cómicas guías de su bigotito y de gesticular con la boca y los ojos, arrancó instantáneamente y salió, como si el Diablo se lo llevase.

[17] **Nadie piensa nada**   Nobody has any such opinion
[18] **y esperan que se les atienda**   and they are waiting to be served

DOS

DURANTE un mes se repitió la escena, en la misma o en otras librerías. Pero ahora el hombrecito no se presentaba con timidez, sino que entraba arrogantemente, exigiendo, con maneras destempladas y voz clueca, el libro de Pedro Roig. En alguna ocasión, un tanto humanizado, contó haber [5] leído en un diario que la novela de Pedro Roig, *Un hombre respetable*, sería puesta en venta el primer día de la Primavera, o sea el veintiuno de setiembre, y ya estábamos a veinte de octubre.[1]

—¿Por qué habrán escrito esa noticia falsa? No puede [10] ser sino con mala intención, para engañar a la gente, para engañarme a mí, sabiendo, como tienen que saber, que yo busco el libro. ¡Canallas! Tuve ganas de ir a ese diario y partirle la cabeza al autor del suelto.

En las librerías habían comenzado a divertirse a costa [15] del extraño cliente. Porque se había convertido en verdadero cliente: compraba novelas francesas, o traducidas de ingleses, rusos y norteamericanos, diciendo que eran para su mujer. Pero los empleados no osaban tomarle el pelo, porque el sujeto, aunque chiquitín, parecía ser de mucho cuidado.[2] [20] Él no hablaba gran cosa, y, desconfiando de todo el mundo,

---

[1] **y ya estábamos . . . octubre** and it was already the 20th of October
[2] **parecía ser de mucho cuidado** could put up quite a fight

no pronunciaba una palabra sin mirar a su alrededor, en busca de risitas. Debía sospechar que se burlaban de él, y esto le retenía y le moderaba.

El veinte de octubre por la mañana se produjo el más grave incidente de todos cuantos hubieron[3] entre el homúnculo y los empleados de las librerías. Era en la casa de la calle Florida,[4] a donde había ido la primera vez. Como al salir se detuviera un instante, oyó a dos jóvenes, que también abandonaban ese comercio, hablar de la reciente novela de Pedro Roig; y lo que debió ser más irritante para el hombrecito, uno de ellos la llevaba en la mano. Ver el título del volumen, volver al interior de la librería y precipitarse hacia el empleado, fué todo uno.

—¡Me engañan, me están engañando vilmente! —exclamaba, chillando y apuntando al empleado con el dedo rígido—. ¡He visto el libro, lo llevaba uno que salía de aquí, de aquí mismo!

—No lo compró en esta casa, señor. ¡Deje de amolar![5] — exclamó el vendedor, sulfurado y aburrido.

—¿Y de yapa me insulta?[6] Usted no es nadie para tratarme con insolencia. Estoy dispuesto a. . .

Se habían acercado varias personas, unos con espíritu conciliatorio y otros por pura curiosidad.[7] Un empleado quiso echar al hombrecito, que estaba hecho un energúmeno,[8] pero los demás circunstantes lo impidieron. Él seguía chillando y afirmando que lo engañaban miserablemente.

---

3 **se produjo ... hubieron** there arose the most serious incident of all
4 **la calle Florida** One of the most fashionable commercial streets in downtown Buenos Aires.
5 **¡Deje de amolar!** Stop bothering us!
6 **¿Y de yapa me insulta?** And you insult me to boot?
7 **por pura curiosidad** out of sheer curiosity
8 **que estaba hecho un energúmeno** who was seething with fury

Las dos vidas del pobre Napoleón

Y como el escándalo arreciara, se presentó el director, un hombre alto, de pomposa barriga y ancha sonrisa.

—¿Qué sucede?

En este preciso momento, un cliente, al reconocer al hombrecito, se le acercó, le puso la mano en el hombro y le preguntó, con cierta reservada afectuosidad:

—¿Qué le pasa, amigo Napoleón?

Al oír este nombre, que parecía poco apropiado para el protestador, es decir, para su pobre aspecto físico, no para su combatividad, todos sonrieron. Alguna risa sonora fué a ocultarse a cierta distancia. Napoleón explicó al recién venido que se negaban a venderle una novela, ya aparecida, de Pedro Roig, coterráneo de ambos.

—No le han negado nada, amigo Napoleón. Precisamente, acabo de encontrar a Pedro, y me ha dicho que el libro será hoy llevado a las librerías. Ya ve que. . .[9]

Intervino el director para preguntar al hombrecito su nombre y el número de su teléfono.

—El señor Napoleón Machuca — lo presentó el amigo al director.

—¿Por qué da mi nombre? ¿Qué le importa a nadie cómo me llamo? — refunfuñó Napoleón, sin tomar la mano que le tendía el director del negocio y mientras los circunstantes sonreían, alguno con lástima.

—Disculpe, señor Machuca —explicó el librero—, pero mi intención era avisarle a usted cuando llegase el volumen, para que usted viniera a buscarlo, pues no enviamos mercadería a domicilio.

Napoleón, entonces, sin renunciar a sus desplantes belicosos, se quejó del empleado, sin indicarlo.

—¡He sido agraviado, y no puedo perdonarlo!

[9] **Ya ve que. . .** So you see that. . .

13

—¿Quién le agravió, señor? — preguntó el director, mirando en redondo, como si buscase al agresor.

—Ése, ése que quiere esconderse.

El empleado negó, aunque reconocía que, en cierto momento, él había perdido la paciencia. El señor Machuca, según parecía llamarse el cliente,[10] iba cada día, o poco menos,[11] a exigir un libro no aparecido, e insistía en que se lo negaban por gusto,[12] que lo querían engañar y en que él no tenía interés personal en ese libro.

—Insistía, insistía, señor, y diariamente. . .

Uno de los circunstantes, que parecía español por el acento, dijo, entre las risas de todos, creyendo hacer un buen chiste:

—El señor, por lo que hemos oído, no Machuca sino que machaca. . .[13]

Saltó Napoleón hacia el gracioso, pero su coterráneo lo agarró de un brazo y, como quien arrastra una bolsa, lo sacó de la librería.

[10] **según parecía llamarse el cliente** which apparently was the customer's name

[11] **o poco menos** or a bit less often

[12] **e insistía . . . por gusto** and he insisted that they took delight in refusing him the book

[13] **El señor . . . machaca** *Word play on the name Machuca and the verb* **machacar:** *"to persist annoyingly," which well characterizes the protagonist's actions and words at the bookstore.* **por lo que hemos oído** judging from what we have just heard

TRES

APOLEÓN MACHUCA pertenecía a una antigua familia provinciana, y descendía de un capitán Machuca, oficial del Ejército de los Andes.[1] Napoleón, aunque no exactamente distinguido, tenía, más o menos, el aspecto y los modales que correspondían a los hombres de la clase ⁵ elevada. Su padre, fanático de las glorias militares, únicas que reconocía como auténticas glorias, había puesto a su hijo el nombre de Napoleón, como a los dos mayores les había endilgado, respectivamente, los de Washington y Aníbal.[2] Creyó que Napoleoncito saldría con el genio militar ₁₀ de Bonaparte. Y resultó lo que los libreros habían visto.

Pero Napoleón Machuca no fué siempre tal como se presentó en aquel comercio, ni se condujo jamás de igual manera. Por el contrario, había sido serio, discreto y hombre de pocas palabras. Como casi todos los bajitos y flacuchos ₁₅ hacen sonreír a la gente, Napoleón, para evitarlo, adoptó, desde joven, un modo de hablar sobrio y aun enérgico y un semblante de quien no aguanta pulgas.[3] Y logró así, en años, con paciencia y método, crearse una segunda naturaleza.

[1] **Ejército de los Andes**   Reference to José de San Martín's army that perilously crossed the Andes into Chile and on February 12, 1817, defeated the Spaniards at Chacabuco.

[2] **como a ... Aníbal**   just as he had given to his two eldest sons, respectively, the names of Washington and Hannibal. (*San Martín's feat of crossing the Andes is frequently compared to the Carthaginian general's daring march across the Alps.*)

[3] **de quien no aguanta pulgas**   of one who puts up with no nonsense

Machuca había cambiado de carácter en los últimos seis meses. Lo notaron, casi desde el principio, su mujer, sus escasos amigos y sus compañeros del Ministerio de Obras Públicas, donde tenía un empleo de mediana importancia. Le habían hecho cambiar unas pocas palabras de Pedro Roig,[4] el famoso novelista, comprovinciano suyo. Roig le había dicho, al encontrarle en la calle Florida, que en su próxima novela lo iba "a sacar." El escritor se lo dijo mitad en serio y mitad en broma; pero Machuca había sufrido tal trastorno al oír esas palabras, que no advirtió lo que en ellas había de amable zumba.

Pedro Roig no era, exactamente hablando, amigo suyo. Se conocían del pueblo provinciano, y nada más. Jamás habían tenido una conversación de siquiera diez minutos. Un apretón de mano, dos o tres frases cordiales, y eso era todo. Pero Roig poseía un grave secreto de Napoleón, un pecado que sólo él conocía en el mundo entero, él y nadie más, absolutamente nadie más porque Roig no lo había divulgado.

¿Cuál era este secreto enterrado en dos almas? Pasaba que Napoleón, a la edad de dieciocho años, había falsificado la firma de un tío con el cual vivía desde la muerte de sus padres, y había presentado el cheque en la ventanilla del banco donde estaba empleado Roig, también un muchacho, pero de veintidós años. Napoleón quería ese dinero, al parecer, para escaparse a Buenos Aires con una corista de una compañía española de género chico.[5] La firma del tío había sido hábilmente imitada, pero no tanto como para que

---

[4] **Le habían ... Roig** A few words of Roig had brought about this change of character

[5] **género chico** Popular theatrical productions, including sketches, farces, short dramatic pieces, and the **zarzuela**, a type of musical comedy.

Las dos vidas del pobre Napoleón

Roig no sospechara el fraude.[6] El novelista, que, sin duda, ya apuntaba en el empleadito Roig,[7] procedió de modo harto diferente de como hubiera procedido otro empleado. Autorizó el pago del cheque, y decidió comunicar la novedad al tío del delincuente: criollo[8] de alguna fortuna, buen 5 gaucho, benévolo, amigo de chungas y jaranas, y que, muy seguramente, no se enojaría por perder unos pocos centenares de pesos, ni metería en la cárcel al hijo de su hermano, por pillastre que fuese. Así ocurrió. El tío, después de escuchar el cuento de Roig, que también hallábase 10 enterado del amorío con la corista, se desbarató en carcajadas y dijo:

—Este Napoleón no servirá para la guerra, pero es una fiera, ahí donde lo ves,[9] para las guerrillas amorosas, para los entreveros de zaguanes. Me persigue a las sirvientas, 15 con escándalo de mis hijas.[10] No me hacen mella los centavos que me raspa.[11] Que se vaya. A enemigo que huye. . .[12] Y como le hace falta una lección, espero que la reciba en Buenos Aires, en donde aprenderá a ser hombre.

Napoleón llegó a la capital de la República. Falto en 20 absoluto de recursos, la corista, a la que él engatusara

6 **pero no tanto . . . el fraude**   but not to the extent that Roig did not suspect the falsification
7 **El novelista . . . Roig**   The author, whose novelistic inventiveness began to show up even in his early years as a bank employee
8 **criollo**   The term generally refers to a person born in Argentina, brought up in the simple and unaffected ways of life of the rural regions or interior provinces.
9 **ahí donde lo ves**   just as he is (in spite of his outward appearance)
10 **Me persigue . . . mis hijas.**   He molests the servants, and this behavior scandalizes my daughters.
11 **No me hacen mella . . . raspa.**   The money he steals from me doesn't faze me in the least.
12   The complete proverb reads: **A enemigo que huye puente de plata.** The idea involved is that of making it easy for a fleeing enemy to get away.

17

mintiéndole una inexistente fortuna que le administraba su tío, apenas lo aguantó una semana.

El muchacho padeció pobrezas, soledades y trabajos. Conoció días de no probar bocado,[13] de andar por las calles con el estómago apretado de hambre y con el cuerpo abatido de cansancios. Pero no quiso recurrir a su tío. Como un hidalgo de los viejos tiempos, tenía honor y dignidad, aunque estos términos no fueran estrictamente aplicables en su caso. Aprendió a ser hombre. Se endureció su carácter. A fuerza de buscar y pedir consiguió un empleíto. Se condujo correctamente. Fué exacto, puntual, caballeresco, buen cumplidor. Lo ascendieron, y entonces comenzó a vincularse con familias distinguidas de su pueblo, trasplantadas a Buenos Aires. Acabó por renunciar a las conquistas amorosas. Y un buen día se casó con la hija única de un alemán de fortuna.

A la rubia Margarita, él la había conquistado fácilmente, hábil, como lo fuera,[14] en lides amatorias. Cuando el padre de Margarita murió, dejando enormes deudas, su hija heredó solamente una casa de departamentos. Con esta propiedad, bastábale a la pareja para vivir. Pero Napoleón, que nada tenía de parásito[15] y era hombre digno, continuó con su cargo en el Ministerio.

Marido y mujer se soportaban bien. Algunas diferencias se levantaban entre ellos. Margarita era loca por la canasta[16] uruguaya y Napoleón amaba el truco y el pócker. El hombrecito debió aprender la canasta, único invento, que

---

[13] **Conoció días de no probar bocado**   There were days he had nothing to eat

[14] **como lo fuera**   in a manner of speaking

[15] **que nada tenía de parásito**   who refused to live off his wife's wealth

[16] **canasta**   popular card game akin to rummy. Originating in Uruguay, the game spread rapidly to other countries and became the rage of thousands.

se sepa, debido a los uruguayos. No se arrepintió de tan
útil y elegante aprendizaje: la canasta les sirvió mágicamente
para relacionarse algo en la mejor sociedad—en los aledaños
de la aristocracia—, en la que Margarita, por su madre,
una cordobesa distinguida, tenía lejanos parientes. Cuando   5
el alemán reventó, por causa de un exagerado consumo de
chucruts y de cerveza, y los Machuca vinieron a quedar casi
en la pobreza —el viejo le pagaba a la hija vestidos, sombreros, teatros y otros alfileres—, la canasta les valió para
seguir flotando en la sociedad. Agarráronse a ella, aunque   10
la canasta tuviese agujeros, como se agarra el náufrago a una
tabla.

CUATRO

E N SU CASA, la mañana del alboroto en la librería,
Napoleón no abrió el pico. Generalmente, apenas pronunciaba tres o cuatro frases mientras almorzaba o comía. Almorzó
con su mujer, como siempre. Pero esa mañana era tal su
5 mudez, que Margarita se asombró:

—No hablás una palabra, Napoleón. Ni contestás[1] a mis
preguntas. Parece que te has tragado el silencio, como se
dice.

Él continuó en su ensimismamiento y renuncia a toda
10 conversación. Y cuando hubo bebido el café, dió el beso
ritual a Margarita y se marchó a su oficina.

Margarita estaba intrigadísima. ¿Qué le sucedería a
Napoleón de un tiempo a esta parte?[2] Al principio, supuso
una mujer de por medio: no ignoraba que Napoleón había

---

[1] **hablás . . . contestás**   The subject of these two verbs is **vos**. In Argentina the word **vos** frequently replaces **tú** as a subject pronoun and **ti** as a
disjunctive pronoun. The use of **vos** is very extensive in rural regions and in
everyday speech, but is common even among the cultured class of Buenos
Aires. In form, **vos** is second person plural, but is used as well with a second
person singular verb. Our text has many examples of the use of **vos** with a
second person plural verb, where in the present indicative the "i" of the
first and second conjugations is dropped. Thus, **habláis** becomes **hablás**,
and **contestáis** becomes **contestás**. Likewise, **pretendéis** gives **pretendés**,
and **debéis** gives **debés**.

[2] **¿Qué le sucedería . . . parte?**   What could have happened to Napoleón
recently?

sido en sus mocedades no menos conquistador que el corso.[3]
No cabía duda: el hombrecillo, como casi todos los hombres
bajos de estatura, interesaba a las mujeres. En la calle había
observado alguna vez que ellas lo devoraban con los ojos,
y en reuniones sociales había visto cómo lo estudiaban, lo
contemplaban, lo picoteaban con miradas un tanto pecaminosas. Pero como en el amor él se portaba igual, o poco
menos, que en los primeros días del casorio —y ya habían
resbalado, desde entonces, la friolera de quince añitos—,
era forzoso pensar que las inquietudes napoleónicas no
tenían carácter amatorio. A no ser que al homúnculo le
afligiese la desdicha de una pasión no correspondida, lo
cual, a Margarita, no le parecía posible.[4] Sus finanzas iban
mediocremente bien, sin altibajos, y en las luchas canasteriles
él siempre salía con unos billetes en el bolsillo: algo más,
generalmente, de lo que ella perdía. ¿Política? No se metía
en eso este Napoleón. ¿Disgustos con algún amigo? Se lo
hubiera contado. ¿Temor de enfermedades? Harto aprensivo,
no habría guardado el secreto ni por veinticuatro horas.

¿Qué podría ser? Desde seis meses atrás, más o menos,
Napoleón era otro.[5] Habíase vuelto irritable, hasta un poco
rabioso. Siempre fué relativamente tranquilo, pero ahora
se exaltaba de pronto, con ex abruptos ilógicos o que a
ella así lo parecían.[6] Su sequedad y semiadustez de toda la
vida eran ahora una hostilidad hacia ella, hacia la sirvienta,

[3] **no menos conquistador que el corso** No less a conqueror than the
Corsican (*alluding to the great Napoleon, born in Corsica*). *Word play on* **conquistador**, *which refers to amorous conquests in Machuca's case, and to military conquests
in Napoleon's.*

[4] **A no ser que . . . posible.** Unless the little man might be afflicted by the
misfortune of an unrequited love, which Margaret did not consider possible.

[5] **Napoleón era otro** Napoleón was a different sort of person

[6] **o que a ella así lo parecían** or which appeared so to her (*referring to
the groundlessness of his emotional outbursts*)

aun hacia las cosas. Nunca fué locuaz, pero desde hacía una semana parecía atacado de mudez.

Poco se veían durante la jornada. Por las mañanas, él se levantaba tempranito y se iba al Club Hípico, en donde elegía un caballo —casi siempre el mismo— y salía, por un par de horas, a pasear por el bosque de Palermo.[7] Mientras tanto, ella, en la cama, tragaba alguna novela y luego marchábase a la calle Florida, más para ser admirada que para hacer compras, como solía pretextar. Por las tardes, él volvía del Ministerio al anochecer, con un diario en la mano, cuya lectura terminaba antes de la comida; o regresaba temprano para ir con ella a jugar a la canasta, en la casa de algunos amigos. Todas las preguntas de Margarita para averiguarle algo habían resultado inútiles. Napoleón no largaba prenda, y hasta mostraba desagrado y erizamiento por las indagaciones de su cónyuge, por lo común maquiavélicas.

La tarde del veinte de octubre —por la mañana había sido la pelotera en la librería—, Napoleón se apareció en su casa, aunque no había reunión canasteril, muy temprano. Le dolía "ferozmente" la cabeza y traía su diario de siempre, al que sólo a medias había leído. Mientras ingería una providencial aspirina y decía tener ganas de acostarse,[8] Margarita se puso a leer el diario.

De pronto, inocentemente, sin pensar en que la noticia inquietaría a su marido, exclamó:

—Ah, ¡cuánto me alegro! Tendremos algo bueno que leer. Dice el diario que hoy ha comenzado a ser repartida la

---

[7] **Palermo** beautiful suburban section of Buenos Aires containing a wooded area, park, and lake.

[8] **y decía tener ganas de acostarse** and remarked that he felt like going to bed

Las dos vidas del pobre Napoleón

nueva novela de tu amigo Pedro Roig, *Un hombre respetable*. Título irónico, evidentemente...

Napoleón se estremeció como tocado por una corriente eléctrica. Margarita lo miró estupefacta. Jamás había visto a su marido con tanta excitación. Y su asombro se convirtió [5] en pasmo cuando él, apoderándose del sombrero, que había arrojado sobre una silla, se precipitó hacia la puerta, diciendo que iba a comprar el libro.

—No vayas, querido. Es inútil. La librería ya estará cerrada.[9] ¿Y por qué tanto apuro? ¿Qué interés tan tre- [10] mendo puedes tener? ¿Y no es un disparate...?

Como ella se había puesto delante de la puerta y sujetaba a su marido de un brazo, él no podía zafarse sin ejercer alguna violencia contra Margarita. La última palabra de ella había desatado la lengua de Napoleón, que, interrum- [15] piéndola, soltó atropelladamente esta retahila:

—¿Interés? Ninguno. Pero quiero demostrarles a esos canallas de la librería, que han querido chunguearse de mí... Interés, tengo. Soy amigo del autor. Quiero leer su obra... Se puede agotar... Pero interés de otra clase... [20] ¿por qué? ¿Pretendés insinuar algo desfavorable para mí, eh?

—Querido, no estás bien... Debés acostarte...

Apenas Margarita acabó de pronunciar estas palabras, cuando su marido la empujaba y se largaba a la calle.

Margarita quedó preocupada y triste. Como no hallaba [25] relación ninguna entre el hecho de que Roig hubiera publicado una nueva novela y la vida de Napoleón, juzgó mal del caletre a su marido.[10] ¡Qué horror si se enloqueciera! A lo mejor, le entraba por querer matarla...[11]

[9] **La librería ya estará cerrada.** The bookstore must be closed by now.
[10] **juzgó mal del caletre a su marido** she thought that her husband lost his senses
[11] **A lo mejor ... matarla.** Perhaps he would take a notion to kill her.

Esta preocupación la sumergió en una sima de cavilaciones. Llevaba más de una hora en este desolado ejercicio cuando Napoleón retornó.

—¿Cerrada la librería?

5 —Cerrada.

Napoleón, que entrara en la casa con el sombrero metido hasta las orejas, se lo arrancó enérgicamente y lo arrojó con fuerza sobre una silla. No soltó una palabra más, y empezó a pasearse por el cuarto. Ya daba un taconazo en el suelo,

10 ya alzaba el puño, ya gesticulaba con ojos y labios. Margarita, que le examinaba con ojos chiquitos, mejillas cansadas y un continuo morderse los labios, le aconsejó, casi llorosa:

—Debías acostarte, querido. Estás nervioso. ¿Y no

15 podré saber yo, tu mujer, lo que te pasa[12] para poder consolarte?

—¡No me pasa nada! — exclamó Napoleón con voz estrangulada por el furor, y se fué a su cuarto.

Cuando al otro día Margarita se despertó, su marido no

20 estaba. Supuso que hubiera ido al Club Hípico. O, más probablemente, a comprar ese libro que tanto le desasosegaba. ¡Lástima que ella no conociese a Pedro Roig! Porque lo visitaría para preguntarle si había una conexión cualquiera entre su libro y Napoleón. No imaginaba que en

25 esa novela apareciese su marido, pues nadie era menos personaje de novela que él:[13] hombre prosaico, de vida rutinaria, mediocre, sin talento ni personalidad. El pobre Napoleón no era ni pintoresco... Si no se tratase de su marido, ella lo consideraría como "un gato"...

---

[12] **lo que te pasa** what is troubling you
[13] **pues nadie era ... él** for no one could be less suitable for novelistic portrayal than he

24

Las dos vidas del pobre Napoleón

Pero a fuerza de estrujarse el magín[14] llegó a esta conclusión: seguramente su marido, años atrás, le había contado a Roig algún grave secreto de una persona conocida, cuya divulgación podía hacerle quedar muy mal;[15] y ahora Roig, indiscreto como todos los novelistas, había convertido en novela el suceso. Sí, eso debía ser.[16] Y Napoleón, que era caballeresco y digno, sufría de pensar que le juzgasen desleal, chismoso, charlatán, y que, por su culpa, quedase arruinado el honor de "un hombre respetable," como sería ahora, después de años borrascosos, el personaje cuya anterior vida de vicios iba a ser exhibida ante el mundo...

[14] **Pero a fuerza de estrujarse el magín**   But by dint of racking her brain
[15] **podía hacerle quedar muy mal**   might do him considerable harm
[16] **Sí, eso debía ser.**   Yes, that's how it must have happened.

CINCO

NAPOLEÓN se había levantado a la madrugada y había ido a la librería. El comercio no estaba abierto: eran, apenas, las ocho menos diez. Esperó en la puerta, y, como pasaran las ocho y no abriesen,[1] decidió ir a tomar un café con leche y volver a las ocho y media. No le venía mal,[2] pues estaba sin desayunarse. A las ocho y media, en pie junto a la puerta, vió cómo los empleados iban ocupando sus puestos. Pero el público no podía entrar aún. Otras dos personas esperaban también, siendo una de ellas una señorita. Napoleón se preguntó si esas personas irían por el mismo libro que él y las miró con impertinencia.

Por fin entró. El empleado que lo atendiera otras veces debía haberlo visto y reconocido, porque lo esperaba con el libro en la mano y en alto. Risueñamente, dijo, al tener delante a Napoleón:

—¡Albricias, señor Machuca! ¡Aquí está el tan deseado libro!

Napoleón, sin proferir palabra, entregó un billete, esperó con impaciencia el vuelto y se echó a la calle, como huyendo. Vió que la señorita llevaba también el libro y tuvo ganas de insultarla.

Corrió a un café, no a aquél en que estuviera un rato antes,

[1] **como pasaran las ocho y no abriesen**   since it was past eight and the store was still closed

[2] **No le venía mal**   It (cup of coffee) was quite timely

sino a otro. Pidió un cuchillo para abrir las hojas del volumen y un café solo, que apenas probó. Cortó, con mano temblante, algunas hojas y hundió su mirar ansioso en la primera página del texto.

Leyó precipitadamente, con desasosiego, buscando al personaje que sería su retrato. Deseaba que el autor hubiese sido sincero para que el retrato resultara exacto. Quería saber cómo era él, cómo le veían los demás. Pero, por otra parte, pensaba en que no le convenía la mucha exactitud. Todo el mundo sabría que se trataba de él,[3] y si Roig refería aquello de la falsificación de la firma de su tío, iba a quedar desprestigiado para siempre, sería mirado como un ladrón, si bien muchos exclamarían: "Era una criatura, que no se daba cuenta de lo que hacía."

Todo esto pensaba en la suposición de que el novelista lo "sacase" realmente. Porque si sólo había una alusión a su persona, su andamio de pensamientos, ya sin razón de existir, vendríase abajo. Lo extraño era que ahora, con las ambiciones que le habían nacido,[4] no se conformaba con una alusión. Anhelaba realmente salir en el libro, ser personaje de novela. Ya que no lo fué en la vida, le ilusionaba la idea de serlo en una novela. Eso, a su juicio, significaba la celebridad y acaso la gloria, y era, por cierto, la única forma de gloria accesible para él. No se asombre nadie de que[5] Napoleón desease la celebridad, aun a costa de su buena reputación. Es algo muy humano. Los grandes criminales se envanecen cuando los diarios publican sus retratos y les hacen reportajes:[6] se creen héroes, personas importantes, merecedoras de que el mundo se ocupe de

---

[3] **que se trataba de él**   that he was the one being portrayed
[4] **que le habían nacido**   which had been awakened in him
[5] **No se asombre nadie de que**   It should surprise no one that
[6] **y les hacen reportajes**   and print stories about them

ellos. Hay quien, por el deseo de que se hable de él, se pega un tiro[7] o busca una forma de muerte más espectacular todavía.

Esto de entrar en la celebridad era uno de los motivos que tenían a Napoleón convertido en una pila eléctrica desde que Roig le anunció que lo "sacaría" en su novela. ¿Cómo no ponerle nervioso el pensar que iba a salir de la oscuridad en que viviera hasta entonces para entrar en la luz?[8] Aun imaginaba que el aparecer en un libro —en un libro que se haría famoso, seguramente— era también como vivir otra vida, una vida superior a la pobre cosa de vida que él conocía desde su juventud. Acordóse de su mala acción, allá en su pueblo, y pensó que eso había sido tal vez una tentativa para huir de lo monótono, de lo fatalmente cotidiano, de lo desesperantemente igual.

Pero. . . ¡ah! Ahí estaba su "otro yo," su propio yo. El corazón le golpeó fuerte y empezó a traspirar. Figuraba él con el nombre de Alejandro Magno Pacheco. Napoleón se descubrió por la semejanza entre los apellidos Machuca y Pacheco, y luego porque a un conquistador, Napoleón, el novelista lo había sustituído por otro conquistador: Alejandro Magno. Menos mal que su "otro yo" no usaba el ridículo Magno, al que reemplazaba con la inicial.

Permaneció en el café tres horas, devorando páginas. En tal cual ocasión protestaba entre dientes, como si el novelista hablase de él, Machuca, y no de su ente de ficción, Alejandro M. Pacheco; y a veces lo hacía en voz alta, acremente, y aun golpeando la mesa con el cuchillo.

---

[7] **Hay quien . . . un tiro** There are those who would even commit suicide to achieve notoriety

[8] **¿Cómo no . . . luz?** Should not the thought of going from obscurity to fame make him nervous?

Las dos vidas del pobre Napoleón

Como era natural, llamaba la atención de los parroquia-
nos. Unos se reían de ese prójimo que hablaba solo, pero a
otros, que estaban tratando de cosas "importantes"
—negocios, coimas, fraudes— les reventaba el tipo que les
interrumpía. El mozo le exigió pedir otra cosa,[9] o la misma,   5
pues no podía pasarse el día entero pegado a la mesa,
quitándosela a otros clientes. Napoleón juzgó razonable la
exigencia, pagó el gasto y pidió otro café. El mozo, que
sin duda había supuesto que el incómodo cliente se mar-
charía, se apartó moviendo la cabeza a sacudones, al parecer   10
desilusionado.

¿Cómo era Alejandro M. Pacheco? En lo físico, idéntico
a él. Una diferencia existía: Pacheco era rubio y guiñaba
mucho los ojos, y él era moreno y sólo incurría en ese tic
cuando se le encalabrinaban los nervios. Su tic permanente   15
era el tironearse del bigotito, lo que no practicaba a pasto.

En lo moral... Pero ¿de dónde Roig lo conocía tanto?
La propia Margarita no sabía de su alma, de su carácter
y de sus sentimientos lo que Roig.[10] Por ejemplo, él era
desconfiado en extremo, y tenía cierta tendencia a ver un   20
enemigo en cada persona que conocía. Debía luchar contra
esa condición odiosa y, generalmente, vencía. Pero ¿cómo
Roig la había adivinado? ¿Era un genio ese Pedro Roig,
o un adivino, o tenía pacto con Satanás?

En un momento de la lectura[11] dió un salto y resopló: 25
—¡Miente! Yo no tengo pasión por el juego y menos
por las carreras. Jamás he jugado a las carreras. Juego por
pasar el rato, aunque es cierto que me gusta ganar y que
cuando pierdo paso mala noche.

[9] **El mozo ... otra cosa** The waiter made him order something else
[10] **La propia Margarita ... Roig.** Margarita herself knew less of his
soul, his character, and his emotions than did Roig.
[11] **En un momento de la lectura** At one point in his reading

Siguió leyendo y, de pronto, otra exclamación de protesta le salió agarrotada del buche:

—¡Mentira! Nunca me he emborrachado. Bebo muy poco. No tengo costumbre. Me gusta el vino, eso es verdad, y toda clase de alcoholes, pero me hace mal.

¿Y el famoso suceso, el de la falsificación? Ahí estaba... Pero Roig lo refería de modo bien distinto a como fué, y esto tranquilizó bastante a Napoleón. Hablaba el novelista como si Machuca, o, mejor dicho, Alejandro Magno Pacheco, hubiese sido empleado de comercio y, habiendo visto un cajón con dinero, se hubiera apoderado de varios billetes de cien, para poder huir con la corista española. No había ningún tío en la novela. El personaje se vino a Buenos Aires, en el pueblo buscaron sin mayor empeño[12] al ladrón y, con el tiempo, se olvidaron de él. Roig decía en la novela que Pacheco, durante unos años, usó el apellido de Pachano.

Y ahora venía lo peor. En el libro aparecía él, o sea Alejandro Magno Pacheco, ya en Buenos Aires, y al cabo de unos años, como ejerciéndose en el arte de falsificar firmas. ¿Con qué derecho Roig decía eso? ¿Y cómo sabía que él, en la oficina, y sólo por diversión, pues no necesitaba del delito para poder vivir, imitaba firmas? Parecía que el novelista se hubiese informado sobre sus horas en la oficina... A menos que tuviese el don de adivinar las vidas ajenas. No imaginaba quién, entre sus compañeros del Ministerio, pudiese conocer a Pedro Roig. Nunca oyó nombrarlo entre esos individuos, que estaban horros de lecturas.[13] El alimento intelectual de sus compañeros eran

---

12 **sin mayor empeño**   without too great an effort
13 **Nunca oyó nombrarlo . . . lecturas.**   He never heard him mentioned by those people, who did little serious reading.

los diarios, las revistas, sobre todo las de historietas, y acaso, acaso, alguna novela policial.

¡Ese Pedro Roig! No había cosa que no hubiese inventado. A Napoleón se le puso que[14] el novelista intentaba desacreditarle, tal vez porque le odiaba. ¿No se le había ocurrido hacer echar del Ministerio al pobre Alejandro Magno, como si fuese un empleado infiel, o incumplidor o vicioso? ¡Ah, y lo hacía celoso! Y le daba motivos, porque su mujer, la de Alejandro, le ponía cuernos...[15]

Claro que esto no era por Margarita, y si lo fuese no habría en el mundo una mayor calumnia. Roig pintaba una gordinflona casquivana, loca por los hombres, ceceosa y pecosa y con algo de pajarraco, aunque de vistoso y atrayente pajarraco. Margarita era más bien flaca, y no sentía interés por otros hombres —Napoleón estaba muy seguro de ello— que los personajes de sus novelas favoritas. Ella, la pobre, era seria y lo quería con toda el alma a su Napoleón. Lo cuidaba, se preocupaba de sus cosas... No tenía sino dos debilidades: leer novelas y jugar a la canasta.

Era tarde. Pagó y se marchó a su casa. Margarita le esperaba con alguna preocupación, pues su marido, hombre metódico y puntual, si los había,[16] llegaba siempre temprano para el almuerzo. Napoleón entró apretando el libro contra el pecho, como para defenderlo de alguien que se lo quisiese robar,[17] y pidió con urgencia la comida.

—¡Ah, traes la novela! Ya habrás leído algo...[18] ¿Y qué

[14] **A Napoleón se le puso que**   Napoleón imagined that
[15] **le ponía cuernos**   was unfaithful to him
[16] **si los había**   if there ever was one
[17] **como para defenderlo...robar**   as if to protect it from someone who might wish to steal it from him
[18] **Ya habrás leído algo.**   You must have already read some of it.

tal? ¿Es el Pedro Roig de siempre, el gran conocedor de las mujeres?

Napoleón no contestó. Quitóse el sobretodo —ese día, aunque era en octubre, hacía frío—, fué a su escritorio y metió el volumen en un cajón, al que dió llave.

—¿No me lo vas a dejar para que lo lea? Mientras estás en la oficina, yo quisiera...

—No podés leerlo — sentenció Napoleón, secamente y sin mirar a su cónyuge.

—¿Por qué? —suspiró, entristecida, Margarita—. ¿La crees demasiado verde para mí?

Napoleón, recogido en su ensimismamiento, callaba.

Margarita quedó harto intranquila. Miraba a su marido comer silenciosamente, con el ceño tormentoso, abstraído en un pensamiento que debía de obsesionarle. Las manos le temblaban un poco, y dijérase[19] que, a veces, los bocados se le atragantaban. Margarita, en ocasiones, intentó escudriñar si Napoleón la observaba cuando ella aplicábase a comer. Y notó dos veces que él, disimulando, la miró curiosamente y hasta con una pizca de desconfianza.

Cuando terminó aquel silencio, apenas interrumpido por ruidos de tenedores y vasos y las entradas de la sirvienta, Napoleón le dió a Margarita su beso de siempre, pero ahora flojón y, al mismo tiempo, brusco, y escapó a su oficina.

Margarita quedó sumida en suplicantes cavilaciones. Preguntábase, una y mil veces, por qué ella no podía leer la novela de Roig. Ideas de toda suerte, absurdas algunas, le arañaban el espíritu. Jamás pudo pensar que su marido le impidiese leer libro alguno. ¡Y tanto como ella se abrasaba

[19] **y dijérase**   and it could be said

32

en ansia de tragarse sus páginas,[20] soñarlas, comentarlas insaciablemente consigo misma! Una novela de Pedro Roig era como ambrosía espiritual para ella. No podía más de curiosidad.[21] Se vistió y se dirigió a una librería, para comprar otro ejemplar. 5

[20] **Y tanto como ella ... páginas** And how she ardently longed to devour its pages

[21] **No podía más de curiosidad.** Out of sheer curiosity she could not stand it any longer.

SEIS

ᎻASTA ENTONCES, Margarita y su marido se habían tratado con franqueza y confianza, la relativa franqueza y confianza que cabe en las relaciones humanas, pues siempre hay en cada ser un fondo —sea en el subconsciente
5 o en los limbos de la conciencia— que no damos a nadie. Napoleón, fuera de tal cual pecadillo, poco le escondía a su mujer; y ella, fuera de ciertos "inocentes" flirteos, nada creía esconderle a su marido, si bien sabía que su pensamiento de lectora de novelas[1] era una algarabía de
10 recuerdos y sensaciones más o menos pecaminosas, un barullo de caricias y palabras enmeladas, de penetrantes miradas masculinas, de incitaciones al amor. Ahora vivían una existencia en cierto modo extraña, moralmente separados. Algo se levantaba entre ellos, como reja de conventual
15 locutorio.[2]

Napoleón, en el café, no había leído el libro en realidad, sino sólo hojeándolo, buscando lo suyo.[3] Si allí permaneció más de tres horas fué porque el tráfago de sus pensares le amarraba al asiento. Pero el día siguiente comenzó a leerlo
20 palabra por palabra, a conciencia, sin perder una coma,

[1] **de lectora de novelas**   as a reader of novels
[2] **como reja de conventual locutorio**   *Gálvez compares the emotional barrier between Napoleon and his wife to the grating that separates the locutory in a convent from the adjoining area.*
[3] **buscando lo suyo**   looking for those portions of the novel that depicted him

Las dos vidas del pobre Napoleón

interpretándolo todo y meditándolo. Había dejado de ir
al Club Hípico, y pasábase las mañanas encerrado con
llave en su escritorio, con la novela en las manos. Por el
ojo de la cerradura, la curiosa —legítimamente curiosa,
esta vez— de Margarita[4] le vió en alguna ocasión levantarse,   5
pasearse agitadamente, y le oyó palabras sueltas y excla-
maciones de enojo, no siempre pulcras, por cierto.

Margarita había forrado su ejemplar de la novela de
Roig, para que su marido no la reconociese si, por acaso,
la pillaba con el volumen. Alguna vez se arriesgó ella a   10
leerlo por la mañana, en el lecho. Cuando no lo tenía en las
manos, lo guardaba con llave en su escritorio.

Desde el comienzo de la lectura, marido y mujer casi no
cambiaban palabra durante todo el día. ¿Y de qué pudieran
hablar, obsesionado cada cual con lo que estaba leyendo?   15
Aunque tratábase del mismo libro,[5] Napoleón y Margarita
no leían en él las mismas cosas, o las interpretaban de
distinto modo, o esas cosas sugerían a cada uno pensamientos harto diferentes. Napoleón buscaba tercamente lo
suyo, y Margarita buscaba lo que pudiera haber allí   20
relacionado con su marido o que a él le afectase.

Fué una suerte para ellos que, por esos días, aumentasen
las invitaciones para jugar a la canasta. En el juego olvidá-
banse —ella más que su marido, naturalmente— del entripado atroz que soportaban. De ahí que ella jugase más o   25
menos como antes, acaso distrayéndose un poco, y que
Napoleón, en ocasiones, perdiese —él, que era tan vivo
para el juego— como un notorio chambón.

Por cierto que Margarita, al acabar la lectura, no le dijo

---

[4] **la curiosa de Margarita**   that curious Margarita
[5] **aunque . . . mismo libro**   although the same book was under consideration

palabra a su marido. Más aún: en un par de veces en que
alguien, delante de Napoleón, le preguntó si leyera la
novela última de Pedro Roig, ella había contestado, resueltamente, que no.

5 Margarita, sin embargo, y al término de muchas re-
flexiones, pensaba que su marido no tenía razón para
preocuparse tanto. Había concluído por reconocer en Alejandro Magno Pacheco a Napoleón, pero estaba segura
de que, sin estar advertida y sin las recientes rarezas de
10 su cónyuge, no hubiera sido así. A la verdad, y a juicio de
ella, Pacheco y Napoleón sólo tenían de común el ser
bajitos y flacuchos.[6] Pacheco era una fiera para las conquistas amorosas, y Napoleón —según creía ella— no lo era.
Habría tenido aventuras durante su soltería, pero no desde
15 que se casó. ¿Las ocultaba? A ella no le parecía posible.
Napoleón no salía de noche sino con ella, y por las tardes,
por lo general, volvía del Ministerio a una hora más o
menos temprana.

Otras diferencias entre ambos: Pacheco imitaba a la
20 perfección la letra ajena, bailaba el tango compadrona y
sensualmente y jugaba a las carreras; y el "bendito" de
Napoleón[7] nada de eso hacía. Tampoco era aficionado a la
bebida, y no la celaba a ella, como Pacheco a su mujer. Y
en fin, aunque a ella le doliese reconocerlo, Pacheco era
25 simpático y el pobre Napoleón se pasaba de adusto, agrio,
seco.

¿Por qué, pues, preocupábale a su marido, y de modo tan
despótico y afligente, la novela de Roig? ¿Sería por causa
del robo que cometió Pacheco? Pero desde que Napoleón

---

[6] **sólo tenían ... flacuchos**   being short and skinny was the only thing
they had in common
[7] **el "bendito" de Napoleón**   poor innocent Napoleón

jamás robó un centavo a nadie —no existía un hombre más decente— ¿por qué preocuparse hasta convertirse en un chiflado? Y si Pacheco, años después de su primer robo, retornaba a la delincuencia, ahora para falsificar firmas ¿en qué podían semejantes enormidades tocar a un [8] empleado correctísimo,[8] estimado por todo el mundo, y que era incapaz de tan viles acciones, para las que no tenía aptitudes, ni materiales ni morales?

Pero Napoleón, pasados los primeros días, pareció haberse tranquilizado un poco. Si vivía siempre encerrado en su misteriosa obsesión, ya no tenía las nerviosidades, agitaciones y extraños y bruscos movimientos que al principio. Había dejado de ser inusualmente raro para volverse casi casi como todos los hombres. Su única rareza, ahora, aunque harto inquietante, era su sombrío, pertinaz, apretado e indestructible silencio. ¿Estaría irritado con ella? No lo parecía. En ese silencio, tan antipático para Margarita, había, más que enojo, absorción en un pensamiento fijo. Ella sufría mucho viendo así al pobre Napoleón, y no sabiendo interpretar su estado de espíritu, buscaba, en el recuerdo, entre los centenares de novelas que había leído, algún caso semejante. Y no lo hallaba.

---

[8] **¿en qué podían ... correctísimo ...?** How could such an irreproachable employee be involved in such offenses?

SIETE

A NAPOLEÓN, después de pasadas sus nerviosidades y excitaciones, no le disgustaba el saberse personaje de novela. Ya algo de eso había pensado en el café y aun semanas antes del tremendo día de octubre. En cierto modo, esa celebridad le complacía mucho, y, además, pensaba que él debía ser hombre interesante, no un mediocre ni pobre diablo, cuando un novelista de la envergadura de Pedro Roig lo hacía protagonista de uno de sus libros. Pensaba también que si él pudiera decir a voz en cuello[1] "ese personaje soy yo," se enorgullecería. Pero, por causa del robo, o de la estafa, no podía decirlo; y había, además, esa vida postiza de Pacheco, la cual, aun sin semejanzas con la suya, le impedía revelar a nadie que él era ese Alejandro Magno. Que le creyesen bailarín de tangos, conquistador de damas elegantes y jugador a las carreras, no le importaba,[2] pero se sulfuraba y agitaba ante la idea de que pudiesen creerle un ladrón.

Por causa de esto, pensó más de una vez en buscar a Roig y reprocharle su conducta. Después desistió, recordando lo que en varias ocasiones, antes de la aparición de la novela, oyera a Margarita.[3] Según su mujer, todos los

[1] **si él pudiera ... cuello** if he could shout out to the world
[2] **Que le creyesen ... importaba** He didn't care if they thought him to be . . .
[3] **recordando lo que ... a Margarita** recalling what he had heard from Margarita

novelistas, absolutamente todos, creaban sus personajes
tomándolos de la realidad. No los retrataban exactamente,
por cierto, salvo excepciones. Elegían algunos rasgos físicos
o morales del prójimo o la prójima que iba a servir de
modelo, y le agregaban otros rasgos de su cosecha. Margarita   5
afirmaba que era imposible inventar. Precisamente a Roig
le había ella oído esa idea en una conferencia que pronunciara
el novelista, y la había leído cien veces en artículos y libros.
Ahora se sabía que hasta los personajes de *Madame Bovary*[4]
habían salido de la realidad. Agregaba Margarita que casi   10
nunca un ser de ficción era idéntico al modelo. Era como un
pariente próximo: un hermano, un primo. . .

Una tarde, yendo Machuca por la calle Florida, vió
venir a Roig. Se inmutó y el corazón le hizo tuntún.[5] Por
suerte pudo escabullirse entre el gentío, antes que el no-   15
velista le advirtiese. Esto le llevó a considerar lo que haría
si alguna vez se topara con él. Lo mejor sería no darse por
aludido, esperar a que el otro hablase. Tal vez Roig le
preguntara si quedó contento con el pariente que le había
dado. . .   20

Le gustaría charlar con Roig mano a mano, los dos
solos, sosegadamente. Le preguntaría por qué pensó en él,
qué se había propuesto al "sacarlo" en su novela. A pesar
de las ideas de Margarita, él pensaba que Roig procedió
por maldad, por venganza. Y trataba de recordar si alguna   25
vez, aunque fuese en la lejana infancia pueblerina, él le
hizo un agravio cualquiera al futuro célebre novelista.

¿Y ese Alejandro Magno Pacheco? Era curioso lo que

---

[4] **Madame Bovary** Gálvez refers on several occasions to the famous
French novel by Gustave Flaubert (1821–1880). Napoleón's wife has much
in common with this romantic, highly impressionable heroine.
[5] **el corazón le hizo tuntún** his heart started to pound

le ocurría con el tal sujeto: por el momento, no lo consideraba su "otro yo," pero deseaba que lo fuese. Pacheco le fascinaba, le obsesionaba. Le gustaría ser Pacheco, sin las falsificaciones mediante las cuales se enriqueció. Era simpático Pacheco, más brillante que él, mucho más inteligente, mucho más audaz.

En ocasiones, le daba rabia pensar que el otro le superaba, y con exceso, en todo. Pues ¿qué era él, Napoleón Machuca, sino un pobre diablo que llevaba una vida oscura, mediocre, dedicado a cabalgar en Palermo, pasarse las horas entre los papeles de su oficina y jugar a la canasta? Llegó a considerar a Pacheco igual que si fuese un ser viviente, y a tenerle envidia por sus éxitos en el amor y en el juego. Pacheco, en las reuniones sociales, divertía a las damas con su verba espontánea, rica, graciosa, picaresca. Él, por el contrario, no hacía reír ni a Margarita, y era desabrido, áspero, de pocas palabras, sin pizca de gracia para conversar. Sólo servía, en sociedad, para jugar a la canasta... Y si alguna vez soltaba un cuento, su relato no hacía nacer sino[6] risitas menudas, sonsas, incoloras, como de compromiso[7] y que disimulaban intenciones zumbonas.

A fuerza de pensar en Alejandro terminó por pensar en él como si lo estuviese viendo, como si lo viese pasar a su lado, cuando iba de un cuarto a otro de la casa. ¿Eran enfermizas estas visiones, eran alucinantes? Le alarmó la idea de estar enloqueciéndose, y resolvió dejar a un lado a Pacheco, prescindir de su persona. Pero cuanto más luchaba por alejar su imagen, le veía con mayor frecuencia, vida y relieve.

Una vez, cuando habían transcurrido cinco meses de la

[6] **no hacía nacer sino**   only brought forth
[7] **como de compromiso**   (*depending on* **risita** *above*) embarrassing, forced laughter

salida del libro de Roig, Napoleón se sorprendió a sí mismo
hablando con Pacheco. Pero esta vez no se alarmó, y,
encontrando divertido el juego, continuó en el diálogo.

—¿Te parece, Alejandro, que debo seguir esta vida sonsa,
como hasta hoy, o que debo cambiar? 5

Napoleón oyó la respuesta, pero le pareció que no venía
de afuera sino de lo interior de su ser.

—Debes cambiar, hombre, no seas pazguato. Te estás
enterrando en vida, en plena juventud. Aprende a bailar.
Existen academias, más útiles, por cierto, que la Academia 10
de la Historia o la de Letras, que te enseñarán el tango en
tres o cuatro patadas.[8] Aficiónate un poco a la buena
comida, al buen vino. Y a esas lindas y elegantes mujeres
que te están esperando, Napoleón.

—Lo último es difícil, Alejandro. No tengo experiencia. 15

—¿Cómo no?[9] ¿Acaso no conquistaste a una corista?[10]
Y después, aquí en Buenos Aires, cuando empezaste a
prosperar ¿no tuviste cuatro o cinco "programitas" re-
gulares?

—Sí, pero con mujeres de clase inferior y fáciles, no con 20
señoras distinguidas. . .

—Eres un lelo, Napoleón. Las mujeres son todas iguales,
como los hombres somos todos iguales. A ellas les sacas
la ropa y verás cómo se parecen unas a otras.

—Pero unas son cultas u otras no, unas inteligentes y 25
otras estúpidas. . .

—Eres infeliz, cándido, sonsorio, querido Machuca. En
el amor, frente al hombre que les gusta y, sobre todo, que

---

[8] **en tres o cuatro patadas.** in three or four lessons. (**Patada,** *literally*
"kick," is here applied by extension to the act of learning to dance.)

[9] **¿Cómo no?** What do you mean you don't (have any experience)?

[10] **¿Acaso no conquistaste a una corista?** You had an affair with a
chorus girl, didn't you?

las acalora, no hay diferencias. Te aseguro, Napoleón, que en los encuentros corporales todas son idénticas: un compuesto de instinto, deseos, sensibilidad y otras cosas, y en el que no entra para nada la inteligencia,[11] ni mucho menos la cultura. Créeme, Napoleón, que en ciertos momentos de la vida el haber leído a Kant[12] o Shakespeare no vale un pito.

Desde ese día, Napoleón dedicó largos ratos a conversar con quien ya era su "otro yo." No buscaba él las conversaciones: se le aparecían solas, como se aparece un mal pensamiento. No nos asombremos demasiado.[13] ¿No hay, acaso, personas normales que conversan con alguno de sus muertos queridos? ¿No hablamos "solos" en la calle, vale decir, no dialogamos, discutimos y hasta nos peleamos en esos monólogos callejeros? La persona más seria, mejor templada de cacumen[14] ¿osaría, con la mano en el corazón, jurar que no habló "sola" ninguna vez en su vida? A todos nos gusta el diálogo imaginario. Los santos y aspirantes a la santidad conversan con Cristo, con la Virgen. Los demás hablamos con un amigo o con un enemigo. Cuando vamos a tener una entrevista, sobre todo si es importante, la imaginamos antes de que se realice. Lo que Napoleón hacía, no era, pues, tan extravagante como parece. Cierto que Alejandro no tuvo ni tenía existencia, que era un personaje de novela. Pero... hasta por ahí no más,[15] porque Alejandro

---

[11] **y en el que... inteligencia** and where the intellect plays no role at all

[12] **Immanuel Kant** (1724–1804) Important German philosopher.

[13] **No nos asombremos demasiado.** Let's not be too surprised.

[14] **mejor templada de cacumen** most stable and mentally balanced

[15] **hasta por aquí no más** only to that extent (*That is, he lacked real existence only to the extent that he was just a character in a novel. But then Gálvez goes on to qualify this lack of real existence, stating that Alejandro was conceived in part from Napoleón's character and could even be considered as Napoleón himself.*)

Las dos vidas del pobre Napoleón

Magno Pacheco tenía mucho de Napoleón Machuca, y hasta podía considerársele como el propio Napoleón Machuca. De modo que Alejandro había existido y aún existía. No con personalidad enteramente propia, pues buena parte de la persona de Alejandro era la de Napoleón; pero, de todas maneras, existía. Algo más debía ser considerado, y era la posibilidad de que la vida de Pacheco fuese vivida por Napoleón Machuca. ¿Quién podía afirmar que cuanto había en Alejandro no estuviese también en Napoleón, en forma latente, oculta, subconsciente? ¿No sería posible que Roig, a fuerza de estudiar el alma de Napoleón, hubiese desentrañado de ella lo que después encajó en el alma y en la vida de Pacheco?

Muchas veces, los diálogos con el otro se realizaban en un tranvía o en plena calle. En más de una ocasión fué atajado por algún conocido que le decía:

—Le veo hablando solo, amigo Machuca, a menos que sea con los angelitos...

Un día, como Alejandro le hubiera hecho reír mientras en la calle Florida cambiaba con él unas palabras, un desconocido que pasaba a su lado le soltó esta frase y salió matando,[16] perdiéndose en la aglomeración:

—¡Qué divertido que va![17]

Lo curioso era que las conversaciones con Alejandro le hacían bien. Él, tan poco propenso a la risa, ahora reía por causa de ciertos consejos que le daba Alejandro o por cosas salaces que le decía. Eso sí, el Alejandro era una buena pieza.[18] Un sinvergüenza, para hablar claro. Frecuentemente le daba consejos abominables.

---

[16] **y salió matando**   and scurried off
[17] **¡Qué divertido que va!**   What an amusing fellow!
[18] **era una buena pieza**   was quite a nice fellow (*ironical*)

Napoleón solía preguntarse si Alejandro no sería su propia conciencia.[19] Contestóse que no, pues él, hombre honrado y correcto, no podía tener tan mala conciencia. Acaso, más que su conciencia, Alejandro podría ser su instinto, o, mejor dicho, sus instintos inferiores. ¿Sería, pues, el pobre Alejandro, su animalidad, la animalidad de Napoleón Machuca?

Quiso reír de esta idea, pero no pudo. Y quedó largo rato pensativo.

[19] **si Alejandro ... conciencia** whether Alejandro might not be his own conscience

$\mathscr{M}$ARGARITA veía, con siempre renovado estupor, las transformaciones de su cónyuge. Si los días anteriores a la salida del libro fueron para ella de inquietud y curiosidad al asistir a las excitaciones y rarezas napoleónicas, después del suceso le preocuparon sus encerronas y mudeces. Luego, tuvo el hombre un período de calma. Y ahora, ella temía por él, por su cabeza,[1] al sorprenderle hablando solo.

Aparentemente, Napoleón había vuelto a su vida de otros días: el Club Hípico, la oficina, la canasta. Pero esta normalidad no perduró: Machuca empezaba a modificar sus formas de existencia. Tres veces por semana, según venía observando Margarita, su marido llegaba a las nueve de la noche, exactamente a la hora habitual, impuesta desde años atrás por él, de sentarse a la mesa.

—¡Qué tarde estás viniendo, Napoleón! ¿A dónde fuiste?

—Por ahí. . . — respondía él, aunque no con mal modo.[2]

Pero una tarde, mientras, en una casa amiga, estaban por ponerse a jugar,[3] uno de los presentes la dejó a Margarita pasmada al decirle:

—Su marido ya baila admirablemente. Pronto será una fiera para el tango.

---

[1] **ella temía . . . cabeza**   she feared he was losing his mind
[2] **aunque no con mal modo**   although not gruffly
[3] **mientras . . . jugar**   while, at a friend's house, they were getting ready to start a game of canasta

45

Margarita estranguló su sorpresa, y, aunque ignoraba que su marido bailase, simuló, por táctica,[4] saberlo, e inquirió:

—¿Dónde lo ha visto bailar?

5 —En una academia en la que los dos tomamos lecciones.

De vuelta en la casa, y cuando iban a servir la mesa, ella se animó a interrogar a su marido:

—He sabido que estás aprendiendo a bailar, que vas a una academia. ¿Por qué no me lo dijiste?

10 Meses atrás, él le hubiera contestado ásperamente y hasta se habría levantado de la mesa, furioso. Ahora le respondió, tranquilo:

—Quería darte una sorpresa.

Esta incipiente afición coreográfica de Napoleón hizo 15 pensar a Margarita que, sin duda, habían terminado los días de inquietudes y que la novela de Roig comenzaba a pasar a la historia. A ella le gustaba el baile, pero, como su marido era contrario a esa diversión, acaso por anticipados celos, ella no podía bailar.

20 —Entonces ¿bailaremos juntos? — le preguntó.

—Bueno, iremos a cualquier dancing.

Pocos días después, una noche, fueron a uno de los cabarets más elegantes y en boga. Comieron allí, en ese ambiente de hipócrita lascivia y de estupidez de semejantes 25 establecimientos. Damas conocidas, y cocotas más conocidas todavía. Conversaciones de perfecta idiotez. Músicas tontas o mediocres.

Margarita era dichosa entre esas frivolidades. Observó que Napoleón, antes casi abstemio, ahora bebía copa tras 30 copa, como un borrachín cualquiera. Encontraron dos matrimonios amigos. Napoleón, en pareja con Margarita,

[4] **por táctica**   as an expedient

46

bailó superiormente, pero con una de las damas amigas, bien prendido a ella,[5] realizó tales maravillas en el tango que produjo sensación. Margarita bailó mediocremente, por llevar diez años de inactividad coreográfica.[6] A Margarita le gustó que su marido bailase y que lo hiciera con maestría, pero hubiera preferido menos apretura, una migaja de luz, entre él y su compañera. Margarita pensó también que ahora, además de la canasta y de la lectura de novelas, tendría una nueva diversión.

Esta primera exhibición danzante no fué comentada por Napoleón y su mujer. Ella intentó iniciar el tema, pero no halló eco en su marido,[7] que seguía tan silencioso como antes, con la mudez de un muerto que anda. En cambio, apenas empezaron el almuerzo, al otro día, él pidió vino. A la sorpresa de Margarita, pues ellos solamente lo bebían cuando tenían un invitado o en los cumpleaños de Margarita —no en los suyos, porque él siempre se había negado a festejarlos, opinando que eso era cosa de maricas—, contestó:

—En el cabaret me convencí de que el vino es muy necesario para el organismo y la salud. Desde hoy lo tomaremos todos los días.

Así se hizo, y fué preciso proveerse de los mejores caldos, pues el antiguo abstemio los exigía.

Otra curiosidad para Margarita fué que muchas tardes, sobre todo cuando Napoleón llegaba a las nueve, se traía cierto olorcillo a jerez o a whisky. Ella se lo notaba al darle al borrachín el beso habitual, el beso que hasta pocos meses era en la boca y no breve, y que ahora, en la mejilla, tenía mucho de vergonzante, de disimulado.

---

[5] **bien prendido a ella**   very close to her
[6] **por llevar . . . coreográfica**   since she hadn't danced in ten years
[7] **pero no halló . . . marido**   but she found her husband completely unresponsive

Unas semanas transcurrieron sin mayor novedad.[8] Seguían frecuentando las salas de baile que estaban más de moda y abandonando poco a poco la hasta ahora inocente y aburridora canasta, cuando, un día, Napoleón, que sólo fumaba cigarrillos, y apenas dos o tres por día, se trajo de la calle una caja de cigarros habanos. Y los cigarrillos comunes, criollos, casi exentos de verdadero tabaco, fueron reemplazados por cigarrillos egipcios o turcos, que costaban un sentido. Evidentemente —pensaba Margarita con asustada alarma— su marido había comenzado a darse buena vida.

Hasta entonces, el matrimonio sólo había invitado para comer a un compañero de oficina del marido y a tal cual pariente de Margarita. Por excepción, dos o tres veces al año, invitaban los Machucas a uno o dos matrimonios amigos. Ahora Napoleón quería, ante la natural estupefacción de su mujer, dar comidas mensuales o quincenales. Y como no eran ricos, pues apenas tenían para vivir con algunos moderados halagos,[9] ella pensó si su marido se habría sacado el premio grande de la lotería y estaría ocultándoselo, pues no lo consideraba capaz de haber ganado dinero en negocios.

Una tarde, a la hora en que él se hallaba en su oficina, Margarita encontró en el escritorio, en el suelo, una revista de carreras. Le pareció muy extraño, porque Napoleón no jugaba a las carreras. Pensó que la presencia de esa revista en la casa podía explicar el origen del dinero que ahora parecía sobrarle a su marido.[10]

El domingo inmediato, Napoleón no almorzó en la casa.

---

[8] **sin mayor novedad**   with no significant change in the situation

[9] **pues apenas tenían . . . halagos**   since they could barely afford even a few modest luxuries

[10] **que ahora parecía . . . marido**   of which her husband seemed to have more than enough

Las dos vidas del pobre Napoleón

El sábado habíale anunciado a su mujer que debía concurrir
a un paseo de campo, organizado por los empleados de la
oficina; y como no eran muchos, unos veinte, nadie podía
faltar. De cuando en cuando, Napoleón, en esta nueva
época de su vida, almorzaba fuera de su casa con algún amigo,   5
lo que antes nunca hiciera. Pero jamás un domingo. Los
domingos se quedaba en su casa, y si salía era para ir al
cine con Margarita. Aquel domingo, ella, pensando que
su cónyuge le hubiese mentido, telefoneó a la casa de Raval,
uno de los empleados, el que mejor se llevaba con   10
Napoleón;[11] y por él supo que no había tal paseo. Raval,
buen camarada, no lo había dicho claramente, pero Margarita
maquiavélica y sutil como casi todas las mujeres sobre todo
si son lectoras de novelas, tuvo la maestría de sacar de mentira
verdad.[12] No le quedó la menor duda: Napoleón jugaba a   15
las carreras. Y así era. Napoleón había empezado por comprar boletos por medio de algún cómplice, sin ir al Hipódromo. Ahora, evidentemente, había ido allí.

Al entrar en su casa, de regreso del Hipódromo, y como
pareciese contento, Margarita, quejosa, le reprochó dengo-   20
samente:[13]

—¿Por qué no me llevaste al Hipódromo, ingratón?
Descubrí que no hubo tal paseo. . . No había necesidad de
engañarme. Nunca he ido a las carreras y me gustaría ir.
¿Me llevarás, querido?   25

—Bueno.

Pero Margarita no quedó contenta, ni aun tranquila, a
pesar de la condescendencia marital. Porque el caso era que
venía observando cómo Napoleón iba pareciéndose cada

[11] **el que mejor ... Napoleón**   the one who got along best with Napoleón
[12] **tuvo la maestría ... verdad**   was skillful enough to get at the truth
[13] **le reprochó dengosamente**   she reproached him with a smile

día más al[14] sinvergüenza y simpático de Alejandro Magno Pacheco. ¿Por qué su marido, que, hasta antes de aparecer la para él tan perturbadora novela de Roig, no bailaba, no bebía, no jugaba a las carreras, no fumaba cigarros habanos, hacía todas esas cosas desde la salida del libro? Ya no faltaba sino que Napoleón se dedicase a las conquistas amorosas, que tuviera celos tremendos de su mujer y que cometiera alguna espantosa falsificación.[15]

A juicio de Margarita existía en la vida de Napoleón un incomprensible, un indescifrable misterio. ¿Por qué se había puesto a imitar al personaje de Roig, a ese supuesto Alejandro Magno Pacheco, al que ya ella odiaba como a un ser viviente? ¿Sería posible que un ente de ficción, sin existencia real, estuviese destruyendo su hogar, hasta ayer tranquilo y feliz? Porque ése era el hecho: que Napoleón se desbarrancaba hacia la vida peligrosa, se alejaba de su mujer cada día más. Temía ella que, por esos turbios caminos, llegara al libertinaje, al vicio, aun al mismo crimen. ¡Y todo por seguirle los pasos al inexistente cuanto diabólico de Alejandro Magno Pacheco![16]

Era grotesco e increíble. Había ella leído muchas novelas que contaban historias extrañas, pero jamás leyó nada semejante al tremendo caso que la afligía. Sólo recordaba una frase de Oscar Wilde,[17] que afirmaba cómo la naturaleza suele imitar al arte de los hombres. Napoleón imitaba al personaje de una obra de arte... Pensó Margarita que no

14 **iba pareciéndose cada ... al** was getting to be more and more like ...
15 **Ya no faltaba ... falsificación.** All Napoleón had to do now (to be like Alejandro) was to seek love affairs, to be extremely jealous of his wife, and to commit some awful forgery.
16 **¡Y todo por seguirle ... Pacheco!** And all because he followed the ways of the nonexistent as well as diabolical Alejandro!
17 **Oscar Wilde** (1854–1900) Celebrated Irish-English poet, novelist, and dramatist.

le quedaba ni el recurso de maldecir a Pacheco, pues no existía. Sus pensamientos, entonces, concentráronse en Pedro Roig. Preguntóse muchas veces si acaso ella podría mirar al novelista como culpable de la situación moral y mental de su marido, y llegó a una conclusión afirmativa. Apenas habían transcurrido diez meses de la aparición de la novela —o sea de la aparición de Alejandro Magno Pacheco en el mundo— y ya el pobre Napoleón era otro hombre, totalmente otro hombre, y no por cierto para bien de nadie, ni de él mismo, sino para mal de todos.

Sólo una cosa buena había traído el irritante libro de Roig, y era que Napoleón habíase vuelto algo más sociable y amable que antes. Ya no tenía las hurañeces de otro tiempo, y hasta parecía feliz. Eso sí, hablaba poco, al igual que siempre, y cuanto hablaba era de las carreras,[18] de chismes de la oficina. También, pero excepcionalmente, refería cosas graciosas y cuentos de color subido. Lo más asombroso era que reía con frecuencia, mientras un año o dos atrás no tenía sino sonrisitas desmayadas, agrias, envenenadas, y muy de tarde en tarde. La primera vez que Margarita lo vió reír de veras se quedó alelada, sin creer en lo que veía. Por desgracia, en ocasiones, y estando ambos en silencio, soltaba Napoleón una risa clueca y algo dislocada.[19] ¿De qué podría reírse? ¿Acaso de algo que estaba pensando? Estas risas de su marido traspasaban a Margarita.

Pero si Napoleón hablaba con ella harto poco, hablaba mucho solo o con su sombra. ¿Hablaría siempre con Alejandro Magno Pacheco? Margarita terminó por convencerse

[18] **y cuanto hablaba ... carreras** and all he talked about was horse racing
[19] **una risa clueca ... dislocada** a throaty and exaggerated, unnatural laugh

de que era así. Una vez, como él se hubiese encerrado en su escritorio, ella acercó el oído a la cerradura. Napoleón hablaba en alta voz. Margarita no lograba entender lo que él decía, quién sabe a quién. Al parecer, estaba disconforme con algo que le proponían. Y en una de ésas le oyó:[20]

—No, Alejandro, eso no puede ser, es demasiado... Semejante consejo...

Una semana después, en el tranvía que la llevaba a su casa, Margarita vió, desde su asiento en uno de los bancos posteriores, delante de ella y a distancia de cuatro bancos, a su marido. Su primera intención fué la de reunírsele. Pero luego le pareció más interesante observarlo. ¿Y cómo no había de ser interesante si Napoleón estaba dialogando con un ser invisible para los demás? Era aquello a la vez cómico y muy triste, y las pocas personas que viajaban en el tranvía iban divertidísimas.

Napoleón, de lado, y con el rostro hacia la ventanilla, tenía el brazo derecho extendido sobre el respaldo del otro asiento de la banqueta. Margarita le veía, pues, de perfil. Había el riesgo, para la desdichada, de que él la advirtiese, pero su interés en la conversación con el otro impedíale mirar hacia atrás y notar a su mujer, como igualmente notar las sonrisas de los demás pasajeros.

—¡Loco lindo! — exclamó uno de ellos.

—Tiene gente en la azotea[21] — recalcó otro.

Comentarios que se clavaron como puñaladas en el corazón de Margarita.

No profería frases en voz alta Napoleón, pero se le veía mantener un diálogo vivo, animado. ¿Sería el aborrecido

---

[20] **Y en una de ésas le oyó** And in one of these (conversations with Alejandro) she heard him say
[21] **Tiene gente en la azotea** He has bats in the belfry

Las dos vidas del pobre Napoleón

Alejandro ese otro, esa sombra invisible? El caso era que Napoleón movía los labios, hacía gestos expresivos con labios y ojos y accionaba con la mano derecha. Evidentemente, discutía con su interlocutor, pero no con fiereza ni atufamiento, ni despecho, sino de modo amistoso. Sonreía 5 en ocasiones, si bien sus sonrisas revelaban incredulidad, como si replicase: "¡Cualquier día me voy a tragar eso!" [22] o mostraban descontento, algún escozor y acaso un poco de amargura. En cierto instante, sacudió la cabeza y, con la mano, agitó el aire levemente, como expresando: "¡Qué 10 desilusión he tenido, ya lo conozco a usted!" y en otro momento, señalando al interlocutor con el dedo extendido, al que meneaba enérgicamente, como *il frate che confessa lo perfido assessin*,[23] parecía amenazarlo o acusarlo de algo verdaderamente feo. 15

Margarita no aguantó más de curiosidad, y, aprovechando la circunstancia de que bajaban unos pasajeros y subían otros, se adelantó y avanzó hasta la banqueta inmediata a Napoleón, del otro lado del pasillo, sin hacer ruido. No había querido colocarse detrás, pues allí él podría 20 verla. Desde su estratégico lugar alargaba el cuello, tratando de pescar alguna palabra. Sin duda el interlocutor se había defendido de los cargos —debían ser varios y graves— que le hiciera Napoleón, pues Margarita pilló a su marido haciendo gestos y ademanes como de quien cede a un 25 argumento irrebatible y le oyó, aunque él había hablado con voz bajísima:

---

[22] **¡Cualquier día me voy a tragar eso!** I'll never be taken in by all that!

[23] **lo perfido assessin** The full Italian verse reads: *Io stava come il frate che confessa lo perfido assessin.* It is taken from Dante's *Divine Comedy*, Canto XIX. Translation: "There I stood like the friar who confesses the treacherous murderer."

—¡Ah! Si es así, Alejandro, te puedo creer, porque si no. . .

En las pestañas de Margarita pintaron dos bellas perlas. Pensaba, la pobre, que su marido estaba loco de remate. Miró con fastidio a los que en el tranvía se habían reído de él, de su horrible desgracia, y, para que Napoleón no la viese, bajó dos cuadras antes de llegar a su casa y por la parte trasera del vehículo.

NUEVE

*L*LEGÓ el verano. A Napoleón, como todos los años, le dieron en su oficina un mes de vacaciones.

La pareja pasaba ese mes, generalmente, en algún hotel barato de Necochea[1] o de Montevideo[2] o de las sierras de Córdoba.[3] Ese año, Napoleón dejó patitiesa a su mujer, largándole a boca de jarro:[4]

—Este año iremos a Mar del Plata.[5]

Como la vida en Mar del Plata, según opinión unánime, era harto cara, Margarita objetó que acaso no pudieran ellos pagar un hotel discreto, de segundo orden, de precios moderados.

—Porque lo que es yo[6] —agregó—, a un hotelucho de mala muerte no voy. Prefiero quedarme en Buenos Aires, donde no se veranea mal. Yo, con el ventiladorcito y una linda novela, estoy en la gloria.

[1] **Necochea** Popular bathing resort, situated on the Atlantic Ocean about 265 miles due south of Buenos Aires.

[2] **Montevideo** Capital of Uruguay, lying about 125 miles east of Buenos Aires on the other side of the Río de la Plata. It is a popular vacation spot for Argentines.

[3] **Córdoba** Important city in north central Argentina, about 375 miles northwest of Buenos Aires. With a population of some 500,000 inhabitants, it is the third largest city of Argentina.

[4] **largándole a boca de jarro** telling her forthright, without mincing words

[5] **Mar del Plata** Very popular resort seaport on the Atlantic, about 230 miles south of Buenos Aires.

[6] **lo que es yo** as for me

—Iremos a uno de los mejores hoteles, a un hotel de lujo. Ha llegado el momento de que nos demos pisto.

—Pero Napoleón... ¿te has sacado la lotería? Porque no imagino que las carreras te den para tanto...[7]

5 —No te preocupés[8] del dinero, querida. No nos falta. Y además, en Mar del Plata jugaré a la ruleta, ¡y ganaré!

—¿Ganarás? ¿No sabés que todos pierden a la corta o a la larga?

—Ganaré, te digo.

10 Margarita ya no tuvo lástima sólo de su marido, sino también de sí misma.

Fueron a Mar del Plata y se alojaron en un hotel de primera categoría y bastante lujoso. Allí, en ese hotel, encontraron a dos matrimonios que ellos conocían y con los 15 cuales habían jugado a la canasta.

Napoleón se largó él solo a la ruleta, en cuanto se instalaron. No quiso ni descansar siquiera del viaje. Margarita se quedó nerviosa, rezándole a la Virgen de Luján.[9]

Después de dos horas, Napoleón volvió riéndose. En su 20 vida, Margarita lo había visto tan contento.[10]

—¿Ganaste?

—¡Claro!

—¿Cuánto?

—Cuatro mil quinientos pesos. Formidable. Debés re- 25 conocer que soy un gran hombre. Gano a la canasta, a las carreras, a la ruleta... El mundo es mío.

Margarita no se liberaba del estupor. Jamás hubiese creído, antes de salir el libro de Roig y de comenzar la

---

[7] **que las carreras ... tanto**   that your winnings at the races can afford you that much luxury

[8] **No te preocupés**   *Imperative form with* **vos**. *Note accent on last syllable.*

[9] **Virgen de Luján**   Patron saint of Argentina.

[10] **En su vida ... contento.**   Margarita had never seen him so happy.

transformación de su marido, que Napoleón pudiese convertirse en hombre de empuje. Porque ella creía que para ganar en todo, y como estaba ganando Napoleón, no bastaba la suerte. Ella pensaba —y acaso no estaba lejos de la verdad— que hacía también falta decisión, arranque, valor, confianza en uno mismo, dominio de los nervios.

Por la noche fueron los dos juntos. Ella, que nunca había jugado a la ruleta, ni siquiera visto un aparato de ésos, colocaba las fichas con vacilación, hasta con un poco de miedo, y perdía casi siempre. A los reproches de su marido, se excusaba:[11]

—Me intimida tanta gente a nuestro alrededor. Me parece que se fijan en mí, que me critican, que se van a reír de mí o se están ya riendo. . .

—Estupideces. Aquí a nadie se le importa sino de lo propio.[12] No tengás miedo, largáte.[13]

Napoleón, por el contrario, tapaba literalmente algunos números con las piezas de marfil, y lo hacía con asombrosa —para Margarita— resolución, espontáneamente, hasta con una cierta grandeza. Era un espectáculo verlo. Con amplios ademanes de sus brazos soltaba las fichas aquí y allí, un poco al desgaire, pero en realidad no en cualquier número sino en los resueltamente elegidos por él. Como era escaso de estatura, a veces necesitaba, para colocar sus puestas, echarse sobre la mesa, o poco menos, y alargar sus cortos brazos cuanto podía. Jamás se le vió titubear. Jugaba con superioridad, en una especie de dictadura sobre su imaginación y sus nervios. Rapidez, movimiento,

[11] **A los reproches . . . excusaba** When her husband reproached her, she said by way of an excuse

[12] **Aquí a nadie . . . lo propio.** Here one watches out for his own interests exclusively.

[13] **No tengás miedo, largáte.** *Imperative forms with* **vos.**

vida, mucho ánimo, pero nunca febrilidad ni agitación.
La gente lo miraba y lo admiraba. Los expertos y los que
no lo eran comentaban su ojo inequívoco, y el señorío y la
serenidad con que cobraba. Los que no acertaban jamás,
5 mirábanle con rabia o con envidia, o sonriendo agriamente.
Dos o tres mujeres —¿por buscar el contagio de la suerte
o con intento de insinuársele amorosamente?—[14] se le
acercaron hasta el contacto corporal, más o menos disimulado. Un sujeto joven, y levemente amariconado, pareció
10 intentar lo mismo, pero una furibunda mirada de Napoleón,
anunciadora de moquetes y de escándalos, lo detuvo.

Un perdedor irremediable se lastimó:

—Este hombrete ha de haber hallado el secreto de ganar,
a menos que tenga pacto con el Diablo. . .

15 Por supuesto que sus ganancias —sus "triunfos," decía
Machuca— le atrajeron montones de admiradoras. A más
de una, que se quedara sin blanca, él le pasó, por debajo de
la mesa, y a escondidas de su mujer, una ficha de cien pesos,
a lo que seguía, también a escondidas y por el mismo conducto,
20 y por parte de la dama o suripanta, una tarjeta o papelito
con sus señas telefónicas. Estas mujeres, por lo general,
eran "mantenidas" o profesionales de alta categoría.
Cuando se trataba de alguna señora —pero esto en los días
siguientes, no estando Margarita,[15] que, por dicha, no quiso
25 volver "a perder plata ni a presenciar un espectáculo que
la ponía nerviosa"— la invitaba a tomar algo y a conversar
un rato. Sabía que su fuerte no era la conversación, y por
eso, en el Casino, prefería los copetines repetidos, con-
dimentados con cositas picantes para comer, y con los

---

[14] **¿por buscar . . . amorosamente?** perhaps to have Napoleón's luck
rub off on them, or to entice him
[15] **no estando Margarita** when Margarita was not present

todavía más picantes tangos, que hacían arder la sangre. Le llovieron, pues, al hasta ayer casto Napoleón las aventuras galantes, que él pensaba terminar con felicidad en Buenos Aires.

—¿No habrá peligro en que te falte alguna vez la suerte? 5
— le preguntó alarmada, en dos o tres ocasiones, Margarita.

—¿A mí?

—Pero... me parece...

—¿Qué?

—No habrás comprado la suerte, supongo. Ni habrás 10
hecho pacto con el Diablo, como dijo aquel perdedor, del que te acordarás.

—¿Con el Diablo? No necesito para nada de ese buen señor, que es un pobre diablo. Más diablo soy yo que él, te lo aseguro. 15

Otra cosa que le asombraba a Margarita era el ver cómo a su marido, silenciosísimo hasta meses antes, se le había soltado la lengua. Ahora le contestaba, de cuando en cuando, con frases largas y, a veces, llegaba hasta mostrar un ápice de ingenio. En muchos años de casados, jamás la 20
hiciera sonreír el pobre Napoleón, al que ella consideraba con menos gracia que un paquidermo. Y he aquí que ahora, en Mar del Plata, la había hecho sonreír, y aun reír, aunque con una risa flojita, una docena de veces. ¡Qué transformación tremenda, Dios mío! ¿Se habría golpeado en el 25
mate su infeliz marido? Porque, de otro modo, era, verdaderamente, como para creer que[16] Napoleón, moderno Fausto,[17] había entregado su alma a Satanás, a cambio de todos

[16] **Porque, de otro modo ... que** Because otherwise we might be led to believe that

[17] **Fausto** The old and popular Faust legend, used as a literary theme by many authors, is that of a human being who sells his soul to the devil in exchange for material things.

los bienes de la vida. Solamente una cosa le faltaba: belleza. O mejor dicho, elegancia, garbo, porque, en los hombres, la belleza del rostro no es cosa que importe mucho. Napoleón, naturalmente, seguía siendo peticito, flacucho, de figura insignificante. Algo, sin embargo, había mejorado el pobre con las ínfulas de arrogancia que se daba. Pero por más que se echase para atrás,[18] asumiese aires de personaje y, además, usara tacos muy altos, no lograría nunca ser un hombre de bella prestancia.

Margarita pensaba que Napoleón no debía tener demasiada seguridad en su suerte: retirábase del juego en cuanto empezaba a perder. Y justamente al mes de haber pasado en el hotel una temporada fáustica —vida social, comidas, paseos y, por parte de él, iniciaciones de aventuras—, una tarde le espetó a su mujer:

—Mañana nos vamos. Ya no ganaré más.

—¿Y cómo sabés?

—Pues... lo sé porque lo sé.

Margarita supuso que hubiese de por medio una aventura amorosa, e insistió en preguntarle sobre su extraña certeza. Napoleón se escamó un poco, lo que no era raro en él, cada vez que su mujer se empeñaba en saber algún secreto suyo. Aunque de un tiempo a esta parte jamás aceptaba discutir con Margarita y parecía indiferente a todo cuanto ella dijese, esta vez consintió en cambiar unas frases que se parecían a una amable discusión. Margarita descubrió sus celos: había visto cómo las mujeres lo miraban cuando estaba ganando...

—Miraban al suertudo, miraban mis pesos...

—No, te miraban a vos,[19] Napoleón, te buscaban...

18 **Pero por más ... atrás** But no matter how much he threw back his shoulders (*i.e.*, assumed a lofty bearing)

19 **vos** *Note here the double use of* **te** *and* **vos** *as objects of the same verb.*

Las dos vidas del pobre Napoleón

Como volviese Margarita al tema de la certidumbre napoleónica de no ganar más, él, olvidándose de la reserva que se había impuesto rigurosamente, exclamó:

—Me lo ha dicho Alej...

Ella lo contempló con asustada estupefacción, y él, entonces, creyendo remediar el descuido, rectificó:

—Digo... mi instinto adivinatorio, mi subconsciencia... No sé cómo llamar a ese ojo de zahorí que tengo para acertar.

Margarita ya no dudó de que su pobre marido se estaba de veras enloqueciendo.

DIEZ

Napoleón se lamentaba de haber lanzado ante su mujer, por tonto descuido, el nombre de Alejandro como el de su inspirador o consejero. Ahora Margarita iba a pensar de él que había bebido con exceso o que estaba a punto
5 de cruzar la frontera de la normalidad, para instalarse en la tierra de confín, en ese triste *borderland*, palabra que él harto conocía porque su cónyuge le hablaba siempre, y le había hecho leer, una novela corta así titulada y muy impresionante de Atilio Chiappori.[1]

10 Si Margarita fuese capaz de comprender, él le descubriría sus pensamientos, ese cofre que guardaba cerrado con siete llaves. Pero le tiranizaba la certidumbre de que ni ella, ni nadie, le comprendería jamás. Era forzoso, pues, mantener en secreto indestructible cuanto se refiriese a sus relaciones
15 con Alejandro Magno Pacheco.

Y sin embargo —pensó alguna vez— no debiera ser así.[2] ¿Acaso Alejandro y él no constituían una sola alma y un solo cuerpo? Alejandro ¿quién era sino él, Napoleón Machuca? Y él, Napoleón Machuca, ¿quién era sino Alejandro Magno
20 Pacheco? Pensando en estas cosas, en esta dualidad de su persona, llegó a imaginar, en alguna ocasión, que acaso el verdadero ser no era él, Napoleón, sino Alejandro. Por lo

---

1 **Atilio Chiappori** (1880–1947) Argentine novelist and essayist, author of *Borderland* (1907), a collection of stories abounding in emotionally unstable and unduly sensitive people, fraught with inner conflicts and neuroses.

2 **no debiera ser así** it shouldn't be like this

pronto, él no había hecho sino comenzar a poner en práctica cuanto Alejandro había realizado primero. Él, Napoleón, había tenido en germen, indudablemente, las ideas e inclinaciones de su "otro yo;" pero si no lo hubiese conocido —lo que ocurrió mediante el libro de Roig— jamás habría él 5 salido de su interioridad y oscuridad. Alejandro era su maestro, su guía, su consejero, su inspirador. Estaba seguro de que en la ruleta, al ponerle una ficha de cien pesos a un pleno,[3] alguien le había dictado el número elegido. Y ese alguien ¿ quién podría ser sino su "otro yo," Alejandro? 10

Preguntábase qué era eso de la inspiración.[4] No podía negar nadie que la inspiración existiese. ¿De dónde puede venir la feliz idea repentina, sea la del que elige el número que ganará en una vuelta de la ruleta, sea la del vate que encuentra una imagen o un verso maravillosos? De adentro, im- 15 posible. La inteligencia es demasiado lenta. Acaso viniese del subconsciente; pero, siendo así,[5] todos tendrían inspiraciones, golpes de genio. El subconsciente y el instinto —cosas no exactamente las mismas— no podían, como algo animal que eran, insuflar bellezas, inventos geniales. No, no. 20 La inspiración venía de afuera. Había una fuerza exterior que le soplaba a uno el número de la ruleta o la imagen literaria, y esa fuerza exterior podría ser... Se le ocurrió que un católico pensaría en el Ángel de la Guarda, si era para bien; o en el Demonio, si era para mal. Una vez, iba él a cruzar 25 una calle y ya había movido el pie para hacerlo, cuando un automóvil pasó junto al cordón de la acera con espantable velocidad. Al mismo tiempo, él sintió como si alguien le agarrara del brazo y le sujetara. Esto le sucedió hace años,

[3] **al ponerle ... pleno**   when he placed a 100 peso chip on a square
[4] **Preguntábase qué ... inspiración.**   He wondered what this concept of inspiration was about.
[5] **siendo así**   if this were so

antes de conocer a Pacheco. ¿Quién había sido? ¿Existiría realmente el Ángel de la Guarda?

En eso de la ruleta, él no era, probablemente, otra cosa que un *médium*. Un espíritu caprichoso empeñábase en hacerle ganar. Pero ese espíritu —se repetía— ¿quién iba a ser sino Alejandro Magno Pacheco? Era verdad —objetábase él mismo— que a Alejandro no podía considerársele un espíritu por no haberse muerto, ya que jamás vivió en este mundo. Se dirá que Pacheco era un personaje de novela, una simple ficción, una ocurrencia de Pedro Roig... No y no. Alejandro era su "otro yo," era él mismo, o, si se quiere,[6] la esencia de él mismo, de Napoleón Machuca. Lo que no podía explicarse Napoleón era cómo Alejandro, siendo el propio Napoleón, podía, sin haberse muerto, ni haberse muerto Napoleón, inspirar los actos de Napoleón, soplárselos, sugerirle ideas.

¿Podría creerse en serio que Alejandro fuese una simple ocurrencia de Roig? ¡Vaya un disparate! Ante todo, era evidente que Roig se había inspirado en él, Napoleón Machuca. Con toda seguridad, alguien le indicó a Roig su persona y le aconsejó retratarla, evocarla, completarla, darle vida literaria y permanente. Roig también debía ser un *médium*. ¿De quién? El que le soplaba ¿sería el Demonio o Dios o algún ser del otro mundo? Esto no significaba negarle a Roig todo mérito. Él había sabido ver y expresar. Él había sido obediente, dócil, fiel a la voluntad extraña, a la voz que le había hablado. No era un simple amanuense que escribía con buena letra lo que le dictaban...

Y aún había otro punto que considerar. Él, Napoleón Machuca, no era literato ni pensador, pero, a fuerza de darle vueltas a las cosas, habíase formado ciertas ideas

[6] **o, si se quiere** or, if you will

sobre el tema de la creación novelística. Él no opinaba como su mujer, la cual creía que todos los novelistas toman
sus personajes de la realidad. Lo mismo, al parecer, opinaba
Roig, y si Margarita albergaba en su magín esa idea era por
habérsela oído a Roig[7] en una conferencia. Él, Napoleón 5
Machuca, aunque sin estudios ni lecturas abundantes, en
disidencia con su mujer y el famoso narrador, estaba
seguro de que los grandes seres novelescos vivían, no
solamente en los libros y con vida propia, sino también
en la realidad, con auténtica existencia terrestre. Podía el 10
autor haber conocido o no a su personaje, pero ese personaje existía en algún lugar del mundo, lo supiese o no el
presuntuoso plumífero[8] que se consideraba su creador. He
ahí, por ejemplo, el caso de Don Quijote.[9] Bien cabía que
Cervantes hubiese retratado, o imaginado retratar,[10] a tal 15
o cual hidalgo manchego,[11] al que conoció o vió y del cual
oyó contar hazañas y empresas, reales algunas, inventadas
por la gente otras, y todas magníficamente absurdas. Pero
también podría no haber sido de este modo. "Yo estoy convencido —decía Napoleón para sí— de que Don Quijote 20
existió realmente, como el personaje de Cervantes, y realizó
en su vida terrestre todo, o casi todo, lo que Cervantes,
por extraño misterio y sin saberlo, le hizo hacer." En otros

[7] **era por... Roig** it was because she had heard it from Roig

[8] **lo supiese... plumífero** whether or not the presumptuous knight
of the plume (author) knew. (*This reference to a writer is obviously made in a
sarcastic and almost disparaging manner. The idea is that an author is quite presumptuous in assuming that his created fictional characters could never have existed
in similar form in real life.*)

[9] **Don Quijote** The immortal protagonist of Miguel de Cervantes'
immortal novel.

[10] **Bien cabía que... retratar** It is conceivable that Cervantes might
have portrayed, or thought that he had...

[11] **manchego** Pertaining to La Mancha, a region in central Spain
immortalized through Don Quijote's adventures.

términos: Napoleón creía que Cervantes, por adivinación o mediumnidad o lo que fuese,[12] había retratado y dado vida literaria a un hombre cuya existencia, carácter y empresas ignoraba pero que eran auténticas.

5   Napoleón llegó a preguntarse si Alejandro y él no serían dos personas y una sola esencia, o una sola persona y una esencia. "Y en cualquiera de los casos —inquiríase— ¿cuál será la verdadera persona esencial? ¿Será él o seré yo? Y si uno de los dos imita al otro, ¿no seré yo

10 él, o sea el otro, Alejandro, y no será Alejandro yo, yo mismo, o sea Napoleón Machuca?

    Por este camino, el torturado Napoleón Machuca, que ya había perdido el resto de su calma y de su contento de los anteriores días, los de su existencia marplatense, alcanzó

15 a proponerse esta singular pregunta, ignorando cómo, antes que él, se la hicieron a sí mismos algunos grandes filósofos: "¿Existo yo, verdaderamente?" Pensó que bien pudiera ser él una continuación de la vida de Alejandro, el "otro yo" de Alejandro, y —¿por qué no?— hasta una

20 creación de Alejandro. ¿O serían ambos, Pacheco y él, creaciones de Pedro Roig? ¿O una sola creación, tal vez?

    Pero si así fuese, Roig sería, más que un genio, un Dios. Creyó necesario Napoleón hablar con Roig. Era preciso preguntarle qué había en eso de la vida de Alejandro y de

25 su propia vida. Sí, hablaría con Roig. Iría a su casa. Y si Roig fuese el autor de todo, su creador y el creador de Alejandro, tal vez podría él resolver el terrible problema de su vida, de sus dudas sobre sí mismo, haciendo desaparecer a Roig, matándolo, sencillamente.

30   Matándolo... Pero al pensar en esto le entraba un verdadero espanto y temblaba todo su cuerpo.

[12] **o lo que fuese**   or whatever it might be

ONCE

E ESTOS pensamientos le aliviaban las aventuras amorosas que había iniciado en Mar del Plata. Previendo el buen resultado de algunas de esas empresas, consultó con Raval, su gran amigo de la oficina.

—Raval —le dijo llamándolo aparte, al patio, y con 5 voz baja y acento misterioso—, quisiera hablarle de un tema trascendental, para el que necesito su consejo. Se trata de cuestiones amorosas, en las que usted es maestro consumado.

—Y usted también ha de serlo, amigo Machuca. Hace 10 tiempo, usted mismo me contó. . .

—No, esos eran "programas" con chinitas, en mi pueblo, o aquí, con mujeres fáciles, a las que generalmente hay que darles plata o hacerles regalos. Ahora tengo en vista tres señoras. . . 15

—¡Al diablo![1] —rió Raval, palmeando a Napoleón—. El amigo Machuca va a dejar chiquito a Don Juan Tenorio.[2]

El flamante conquistador se esponjó, y, con fatuos ademanes y términos, refirió al consejero "el asunto." No omitió pormenor alguno. Relató los encuentros marpla- 20 tenses, las peripecias en las buscadas soledades. Raval, que

[1] **¡Al diablo!** Good work, my friend!
[2] **va a dejar . . . Tenorio** is going to outdo Don Juan. (*Don Juan Tenorio, famed seducer of women, is the hero-villain of Tirso de Molina's drama* **El burlador de Sevilla,** 1630.)

era realmente maestro consumado en lides amorosas, y un tanto consumido[3] por causa de ellas y sus excesos, dió útiles consejos a Napoleón.

Este Raval tenía fama de hombre de aventuras en todo el Ministerio e islas adyacentes, y lo mismo entre sus amistades, tanto las masculinas como las femeninas. Flacuchón, aunque mucho menos que su amigo, tirando a feo[4] —nariz de caballete,[5] boca demasiado grande, piel harto gruesa y como manchada[6]— no parecía que fuese capaz de las eróticas hazañas que se contaban de él. Pero si hablando entre hombres Raval era poquita cosa,[7] aunque no carecía de gracia, frente a una mujer se engrandecía. La oruga convertíase en mariposa. Lo femenino le empujaba al vuelo.[8] Raval dió a Napoleón "buenos malos consejos,"[9] y todo en un sentido burlón —acaso por no creer en las napoleónicas aptitudes conquistadoras— y al mismo tiempo amistoso.

—Ahora falta lo principal —le dijo Machuca—, y es el saber a dónde llevaré a mi dama, que es, se lo repito, de la más alta situación social, el día en que las brevas estén maduras,[10] que se caigan solas, es decir, el día en que ella consienta en encerrarse conmigo.

—Alquílese un departamentito por mes, o, simplemente, una pieza. Si anda con plata, como parece, mejor será un departamentito.

---

[3] **consumido** *Note the word play with* **consumado** *and* **consumido,** *both applicable to Raval as a lover.*

[4] **tirando a feo** almost ugly

[5] **nariz de caballete** A nose similar in shape to a carpenter's horse; that is, a wide, triangular-shaped nose.

[6] **y como manchada** and as though blemished

[7] **Raval era poquita cosa** Raval didn't amount to much

[8] **Lo femenino . . . al vuelo.** With women he was at his best.

[9] **buenos malos consejos** (*In the sense that secretive pleasures could lead only to disaster.*)

[10] **el día . . . maduras** when the fruit is ripe, *i.e.,* when she yields

Las dos vidas del pobre Napoleón

Napoleón se dedicó a buscarlo. Recorrió los avisos de los diarios y las calles de Buenos Aires. Subió en infinidad de ascensores y trepó algunas escaleras. Se enojó discutiendo precios. Los nervios se le pusieron a la miseria.[11] Y al cabo de una quincena de ajetreo, consiguió un departamento tan minúsculo como lujosamente amueblado y por el que le cobraron un sentido. Pero él, que ya alcanzaba al término de la paciencia y estaba agitado por ilusiones y por urgencias carnales, no concedió importancia al precio, pensando en que era dinero bien gastado.

Mientras tanto, el hombre, en momentos perdidos, "se trabajaba" a otras dos señoras. Dedicado a esas tres empresas, menudearon para él las cartas, las conversaciones telefónicas, las entrevistas en lejanos cines de barrio... Y por fin cayó una, y luego las otras dos. Napoleón ya apenas se acordaba de Alejandro Magno Pacheco.

—¡Formidable! — le aplaudían en el Ministerio y lo palmoteaban.

Sabían de sus triunfos por Raval, y luego los refirió el mismo Napoleón, que, de silencioso como fué siempre, se había vuelto locuaz. Pero algunos no creían. Otros, envidiosos, opinaban que debían ser mujeres de mala vida, más o menos elegantes, o señoras que "habían tirado la zapatilla." O mujeres de clase media, encumbradas por la vanidad napoleónica. Y como el conquistador, aunque contase sus milagros,[12] nunca daba los nombres de sus enamoradas, resultaba imposible saber su condición social.

Uno de los empleados en la misma oficina que Machuca, un tal Honorio Vicentini, que nunca pudo tragar a Napoleón, era el más incrédulo entre todos aquellos envidiosos.

[11] **Los nervios ... miseria.** His nerves reached the breaking point.
[12] **aunque contase sus milagros** although he told of his love affairs

—¡Machuca, ese infeliz, ese pobre diablo, seduciendo señoras distinguidas! ¿Son sonsos ustedes, que creen eso?

No obstante su incredulidad, Vicentini rondaba junto al escritorio del conquistador en busca de alguna cartita amorosa o de cualquier otro papel denunciador. Hasta siguió varias veces a Napoleón, al salir de la oficina, acometido por una envidia que le carcomía las entrañas. Y tanto hizo Vicentini, que al cabo logró descubrir la calle en que estaba el departamento y el número de la casa.

—Tiene un "cotorro," fíjense — informó al otro día, entre gozoso y rabioso,[13] a los demás empleados.

Vicentini era el tipo del perfecto tuberculoso: escuálido, piel amarillenta, hombros puntiagudos, cargado de espaldas, ojos hundidos, más que los de Napoleón, y mejillas descarnadas. Tosía con cierta frecuencia y solía esgarrar y escupir. Los demás empleados sentían por él asco y antipatía.

—¿Y qué clase de mujeres van? — le inquirían los otros, ardiendo de curiosidad y deseando fervientemente que las amigas de Napoleón no fuesen damas sino cocotas.

—Lo averiguaré, pierdan cuidado —los tranquilizaba Vicentini—. A mí no se me escapa ese tipo.

A fuerza de pasarse horas en la esquina y de interrogar al portero de la casa de departamentos, del que debió hacerse amigo —¡hasta tuvo que darle unos pesos a ese "odioso" cancerbero!—, Vicentini vió una tarde entrar una mujer. Y como casi detrás de ella entró Machuca, supo lo más importante que necesitaba.

—No es una señora ¡qué esperanza![14] —se refocilaba ante sus compañeros, entre toses y gargajos—. Es una turra, aunque bien vestida. Nos ha engañado el canalla,

---

13 **entre gozoso y rabioso**   half glad and half angry
14 **¡qué esperanza!**   no chance for that!

para darse corte, para humillarnos. Pero esto no quedará así. No quedó así, en efecto. Vicentini se había propuesto dos cosas: una, hacer conocer el adulterio a la mujer de Machuca, y, otra, averiguar de dónde sacaba dinero ese empleadito, para pagarse un departamento de lujo. 5

—Vale la mitad de su sueldo, fíjense. Si no ha robado...

—¿Y a usted qué le importa? —le preguntó Raval, harto de las pequeñeces y escupitajos de Vicentini—. Sepa que nuestro compañero ganó muchos miles de pesos en la ruleta de Mar del Plata. 10

—¡Cuentos! —exclamó el envidioso, con la boca torcida—. Si fuera verdad, habría contado.

—No contó, seguramente, para que usted no lo pechara...

Algunos de los que oían dieron la razón a Vicentini. Todos habían ido alguna vez a Mar del Plata, todos ha- 15 bían jugado y todos habían perdido. ¿Ganar un infeliz como Machuca? Imposible.

Vicentini desistió de lanzarse en averiguaciones inútiles, pero hizo algo "mejor:" llevó el chisme al Director General. 20

—¿Pero es creíble que ese pobre diablo de Machuca haga conquistas amorosas como las que usted dice? Me cuesta aceptarlo,[15] Vicentini. De todos modos, le agradezco la información. Hay que averiguar. Usted comprenderá...

—Sí, señor, comprendo. 25

Vicentini era de aquellos que, por adulación o por exceso de locuacidad, que no les permitía permanecer en silencio, se adelantaban para aprobar lo que el interlocutor —sobre todo si era persona importante— iba a decir.[16] El

[15] **Me cuesta aceptarlo** I find it difficult to believe this

[16] **se adelantaban ... decir** were in the habit of breaking in to approve what the interlocutor was going to say. (*The preceding words of Vicentini,* "*Sí, señor, comprendo," illustrate this type of verbal interruption.*)

Director miró al empleado con extrañeza, pues no lo conocía demasiado, y continuó:

—. . . comprenderá que el Ministerio no puede exponerse al desprestigio tolerando que permanezca en su seno. . .

5 —Sí, señor, es verdad.

—. . . un empleado que dispone de fondos muy superiores a su sueldo[17] y que no posee bienes de fortuna.

Vicentini salió del despacho del Director frotándose las manos.

10 Se dirigió a su oficina, sonriente, instalóse con prosopopeya en su escritorio y se puso a escribir a máquina. Otro empleado se le acercó a preguntarle algo, y él, que ya había escrito unas líneas, las tapó con una mano. Cuando el empleado se apartó, él sacó de la máquina la hoja de 15 papel, la rompió en muchos pedacitos y colocó en su lugar otra. Escribió de nuevo. Dos compañeros viéronle, varias veces, escribir y romper. Al fin, terminado su arduo trabajo, releyó lo escrito, sonrió satisfecho de su obra, escupió, también de satisfacción, probablemente, metió la hoja en 20 un sobre sin el membrete de la oficina, lo cerró y —lo que no vieron los empleados— puso en él, igualmente a máquina, este nombre: señora Margarita S. de Machuca.

[17] **que dispone . . . sueldo** who has money available in excess of his salary

DOCE

ARGARITA no sentía mucho entusiasmo por Napoleón, y probablemente nunca lo había sentido. Se casó, sin embargo, algo enamorada. Pero más enamorada que de los parvos y semiescondidos méritos de Napoleón y de sus harto dudosos encantos, lo estaba de los héroes de las no- 5 velas que leía. Bien estibada su imaginación, y también su corazón, de personajes novelescos, amó a ellos en Machuca. El pobre Napoleón sólo fué un pretexto para querer a un hombre de carne y hueso. La belleza, la generosidad, la nobleza y otras virtudes, ella, que estaba ansiosa de amar 10 y de ser amada, las vió en Napoleón. No hubiera podido hallar en él los defectos contrarios a esas virtudes. Y las hubiera visto en cualquier otro ser con pantalones y que la hubiera festejado. Así son, generalmente, nuestros amores y nuestros odios. Amamos u odiamos lo que tenemos 15 dentro, lo que vive en nosotros. El mundo exterior, hombres y cosas, no son sino proyecciones de nuestro yo.

Naturalmente, ceguera tal no podía perdurar y no perduró. Margarita comprendió pronto que su marido no era un Adonis, sino un sujeto apenas pasable en lo físico. 20 Igualmente advirtió que no tenía talento, ni gracia, ni nada de particular.[1] No le hablaba, por cierto, como Rodolfo

1 **ni nada de particular**   nor anything which might attract attention

73

a Emma Bovary,[2] ni como Wronsky[3] a Ana Karenina, ni como Basilio a su prima Luisa.[4] Era bondadoso, eso sí, y no carecía de alguna nobleza y generosidad. Hasta llegó a considerar al pobre Napoleón como un perfecto mediocre, pues sus méritos, si los tenía, no pasaban de medianísima altura. Y en las expresiones del amor verbal, su vuelo era el de un palmípedo.[5]

Caído Napoleón del pedestal en que Margarita, románticamente, lo había colocado, no le quedó a ella otro recurso que refugiarse en el amor a los héroes novelescos que admiraba. No tenía hijos, y sus amistades con mujeres eran harto pocas y superficiales. Le aburrían las mujeres y la mayoría de los hombres; y por eso jugaba a la canasta. No podía recurrir a Dios porque apenas creía. Tampoco, y a pesar de sus lecturas, le era fácil enamorarse de otro hombre real. Había sido cortejada por más de uno, pero ella, hasta entonces, había sido fiel a su marido. Flirteaba algo, eso sí, pero sus flirteos no pasaban de las tiernas y coquetas miraditas. Eran flirteos puramente oculares, oftalmológicos.

[2] **Emma Bovary** Adulterous heroine of Flaubert's novel *Madame Bovary* (1857). Dissatisfied with her rather staid and impassive husband—a country doctor—she takes up with a series of lovers. Rodolphe Boulanger, referred to here, is a prosperous landowner and the first of Emma's paramours.

[3] **Count Vronsky** Impassioned lover of the heroine of Leo Tolstoy's (1828–1910) famous novel *Anna Karénina* (1875).

[4] **Basilio a su prima Luisa** Protagonists of the novel *O primo Basilio* (1878) by the Portuguese novelist José María Eça de Queiroz (1843–1900). The work, portraying domestic and moral values of a middle class family of Lisbon, narrates the amorous relationship between Basilio and his cousin Luisa.

[5] **su vuelo era... palmípedo** *Gálvez is playing on the word* **vuelo,** *which in its prime sense means flight, but by extension refers to loftiness of speech. Just as the flight of web-footed birds is generally quite restricted, so too is Napoleón's* **vuelo** *or verbal skill extremely limited.*

Las dos vidas del pobre Napoleón

A su marido no había dejado enteramente de quererlo. Pero lo quería como a un primo hermano y nada más. Se aburría con él. Napoleón sólo hablaba —cuando hablaba— de cosas de la oficina, de política, de personas del Club Hípico, de sucesos que a ella no le interesaban. ¿Y cómo habían de interesarle siendo tan femenina —así se juzgaba ella— como era? Pensaba Margarita desde muchos años atrás, casi desde el día en que se casó, que su vida carecía de interés, pues era monótona, vulgar, sin esperanzas de cambio. Y seguía buscando en las novelas lo que no encontraba a su lado.

Todo esto había sido antes de la publicación del libro de Roig. Ahora Napoleón estaba completamente transformado. Ya no podía decirse de él que fuese un hombre igual a todos, ni tampoco un mediocre. Se había vuelto rarísimo, como lo son los chiflados. Era demasiado diferente de todos. Estaba mostrando una anómala viveza. Para ganar en la ruleta como él había ganado, se precisaba no ser tonto ni mediocre. Ya Napoleón no era tímido, ni poquita cosa,[6] ni insignificante. Ahora se revelaba audaz, resuelto, enérgico, exaltado.

Pero era una lástima que todo ocurriese en la anormalidad. Porque si Napoleón no estaba demente, poco debía faltarle. Margarita pensaba en el modo de que algún especialista en enfermedades mentales lo examinase, pero tendría que ser —y esto era muy difícil, si no imposible— sin que él lo advirtiera.

Mientras tanto —dolíase la infeliz Margarita— ya no existía su hogar. Habíase derrumbado. No había entre ellos la menor vida matrimonial. Napoleón se pasaba casi todo el tiempo fuera de la casa. Apenas si iba para almorzar

[6] **ni poquita cosa**   nor someone to be disregarded

y comer, y en la mesa no hablaba ni jota. Parecía contento, sin embargo, y Margarita le advirtió en los ojos, frecuentemente, una expresión de dicha. Y lo curioso era que en su mirada no había noche ni sol, sino algo como luz
5 del alba.[7] ¿Estaría naciendo otro ser en Napoleón?

Pero la transformación mayor de su marido habíase realizado al regreso de Mar del Plata. Margarita estaba segura de que hubiese mujeres de por medio. Napoleón recibía cartas sospechosas —sobres de los que usan las muje-
10 res, algunos ligeramente perfumados— y lo llamaban por teléfono varias veces al día. Cuando atendía ella —casi siempre el llamado era de una mujer—, al oír su voz cortaban. Margarita había interrogado a la sirvienta y a la cocinera, pero las dos, sin duda pagadas por el muy pícaro,[8]
15 no habían querido revelar nada sobre esos llamados telefónicos. Decían, uniformemente, que fué el señor Raval. O la señora de Raval.

Margarita empezó a sentir fastidio, y hasta un poco de rabia, contra Napoleón. Le perdonaba que jugase —so-
20 bre todo porque ganaba—, que ya no saliese con ella sino por milagro y que en ocasiones bebiese más de lo permitido al que no es, ni debe ser, un borrachín. Pero no le perdonaba que se apareciese a la una de la noche, cosa inaudita en otro tiempo, y que se divirtiera en el cine con mujeres,
25 según ella sospechaba fundadamente.

[7] **no había noche ... alba** in the eyes of Napoleón there was neither darkness nor light, but rather the vague, elusive hues of dawn. (*This is a metaphorical reference to the incipiency of Napoleón's mental confusion and emotional unbalance, which will become progressively worse as the story unfolds. This indeterminate zone in Napoleón's personality, indicated here by the* **luz de alba**, *is slowly giving rise to a complete transformation of his own being into that of the fictional entity Alejandro, as we see in the following sentence:* **¿Estaría naciendo otro ser en Napoleón?**)

[8] **sin duda pagadas ... pícaro** no doubt paid off by that very sly creature

Las dos vidas del pobre Napoleón

Lo peor era que, desde la vuelta de Mar del Plata, Napoleón no cumplía con sus más elementales deberes matrimoniales. Hasta se negaba a cumplirlos. ¿Qué mejor prueba de que tenía queridas? Napoleón la desairaba desde varias semanas atrás, y a sus reproches le contestaba, patentemente sin convicción:

—Dejáme tranquilo, que se me parte la cabeza de dolor.[9]

La carta anónima de Vicentini cayó, pues, en terreno abonado. No resultó una bomba sino apenas un simple cohete.

Cuando Napoleón llegó de la calle para almorzar, ella le entregó la carta.

—He recibido esta infamia — se condolió, con gesto de quien está sufriendo, y dispuesta a sacar de mentira verdad, pues no suponía que la acusación fuese falsa.

Napoleón la leyó, la releyó y la volvió a leer. Permaneció inmóvil un rato, con los ojos clavados en el papel. De pronto, rabiosamente, estalló:

—¡Es Vicentini ¡Lo voy a matar! Y en cuanto a los cargos que me hace el canalla en su papel inmundo, no tengo que dar explicaciones a nadie.

—Soy tu mujer, Napoleón —objetó ella, con voz desmayada y asustada.

—Y yo tu marido — tronó Napoleón, despóticamente.

Durante el almuerzo no cambiaron palabra. Napoleón, tanto era su enojo, apenas probó la comida. A veces, movía los labios, como si hablara solo. Margarita pensó que, acaso, le consultaba al inexistente Alejandro sobre su situación. También le pareció oírle decir:

—Lo mataré, lo destriparé.

Minutos después de salir Machuca para su oficina, la

[9] **que se me ... dolor** for my head if splitting with pain

llamaron a Margarita por teléfono. Era uno de sus ena-
morados, un tal Juan María Videra, conquistador profesional, muchacho de menos de treinta años, alto, sólido,
fornido, de anchas espaldas, ojos agacelados y bigotito sobrio[10] y bello rostro redondo y desbordante de sonrisas.
Nada tenía de personaje novelesco, y ni siquiera se dejaba
melenas ni usaba enormes sombreros llamativos. Era un
sujeto perfectamente normal, lo que podía advertirse en
su maravillosa dentadura, de dientes pequeños, blanquísimos
y todos iguales, como mandados hacer[11] o como fabricados
en serie. Videra carecía de talento, como no fuese para
seducir a las mujeres[12] o dejarse seducir por ellas; pero
era inteligentón y leía mucho, especialmente novelas.
Esta comunidad de afición fué lo que encandiló a Margarita.
Él y ella habían leído los mismos libros, admiraban a los
mismos héroes y heroínas, recordaban las mismas frases
poéticas o profundas y soñaban con los mismos paisajes
y las mismas bellas ciudades europeas. Era lógico, por
consiguiente —pensaba Videra— que algún día se acostasen
en la misma cama.

—¿Ah, es usted, Juan María? — se asombró ella, como
si el llamado telefónico del galán, que se repetía cotidiana-
mente desde hacía un par de semanas, fuese una absoluta
novedad.

—Soy yo, mi amada incógnita,[13] que me estoy muriendo
por tenerla a mi lado, apretar su preciosa mano, besar sus
ojos color de cielo en primavera y estrechar. . .

[10] **bigotito sobrio** rather short mustache
[11] **como mandados hacer** as if made to order
[12] **como no fuese. . . mujeres** except for seducing women
[13] **mi amada incógnita** Up to this point Margarita and Juan María
have never met face to face, although she did see him once passing up and
down the street opposite her balcony window. Subsequent paragraphs explain
the beginning of this odd relationship.

Las dos vidas del pobre Napoleón

—¿Cómo dijo? — preguntó ella, que había oído mal o lo fingía.

—Estrechar su mano y tenerla entre las mías, como una palomita herida.

—¡Qué poético está hoy el joven! — se alborozó pifiona- 5
mente la dama.

Juan María no era cursi ni romanticón, sino amigo de bromear. No decía esas cosas en serio, y sabía que tampoco Margarita las tomaría por lo serio. De algo había que hablar, y como él no sentía sino un amorcito galante, liviano, con 10 unas escasas gotitas de ternura y sin la menor dosis de drama, ni de romanticismo, sólo podía enamorar a Margarita con naderías semejantes. No era que la creyese tonta como para chiflarse de él por las cursilerías y futilezas que le cantaba, sino que, a su juicio, el ánimo alegre, bromista y dichara- 15
chero gusta más a las damas en trance de pecado que los amores apasionados, elocuentes y conmovedores. El teléfono, además, no se prestaba a tanto como el balcón de Julieta.[14] No obstante, él pensaba seguir allí colgado como un Romeo muy porteño y harto disminuído, cuando notó en 20
la voz de ella algo inesperado. Sus antenas espirituales, a las que no escapaba ningún matiz de la sensibilidad femenina, le advirtieron la irritación de Margarita contra su cónyuge. Y entonces él, impregnando su acento de mieles, de intenciones confidenciales y de fraternal camaradería, y mezclado 25
todo eso, y algo más, con disimulada decisión, propuso:

—Adivino, adorada Margarita, que tiene algo para contarme. Presiento que necesita de mis amistosas palabras de consejo o de consuelo. ¿Si me lo contara hoy, esta misma tarde? ¿No le parece que el día es propicio para el encuentro 30

---

[14] **El teléfono . . . Julieta.** Besides, the telephone was not as suitable for courting as Juliet's balcony. (*Reference is to Shakespeare's heroine.*)

soñado en que nuestras almas se acercarán y nuestras personas físicas se conocerán?

—Bue...[15]

—Resuélvase, adorada Margarita.

—Y... ¿en dónde, Juan María? Tengo mucho miedo...

—Pero... en mi casita. Usted sabe que vivo solo con mi alma, con mis penas y con mis ensueños.

Margarita pensó en Napoleón y rogó a Juan María que esperase. Pero en seguida vió a su marido chiquito, insignificante, chiflado, aburridor, malo con ella, egoísta y mal cumplidor de sus deberes conyugales. A Juan María lo había visto por primera vez paseándole la calle, frente a su balcón, unos días atrás. Juan María la había llamado por teléfono, fingiéndose conocido de ella;[16] y sin saber de la dama, en realidad, otra cosa que el apellido Machuca y el nombre de Margarita, que había obtenido del portero mediante proficuas retribuciones. A Margarita le impresionó la bella estampa de su adorador, su aire calmoso y distinguido. Después había sabido por teléfono —se lo contó él mismo— que era muy rico, soltero y vivía solo. Y comparando en unos segundos un hombre con otro hombre, movió otra vez los labios junto al aparato del teléfono y susurró:

—Sí, sí, bueno. Esta tarde. Pero pórtese bien, por favor, Juan María...

[15] **bue** *full form would be* **bueno**
[16] **fingiéndose conocido de ella** pretending to be an acquaintance of hers

80

TRECE

Ni MARGARITA ni nadie pudo imaginar jamás lo que iba a hacer Napoleón.

El hombre salió de su casa convertido en una fiera. A un perro que se le cruzó en el camino le encajó una patada tan brutal que el pobre debió alejarse aullando y arrastrándose. Al conductor de un tranvía, que no quiso detenerse en la esquina, lo ensució de improperios y lo amenazó con matarlo y cortarlo en pedazos, mientras el vehículo continuaba su marcha y los que iban en la plataforma reían —más por los ademanes y los gestos del hombrecito que por sus palabras, que ya se quedaban en la esquina con él—, exclamando:

—¡Loco lindo!

Subió al tranvía siguiente, sin dificultad, y todo el tiempo del viaje fué hablando solo, en pie, mascullando algunas palabras injuriosas o amenazantes a media voz, con alarma de sus vecinos.

—¡Ahora verá! — chilló al bajar del tranvía, aspeando el brazo derecho.

Hasta entrar en el edificio del Ministerio anduvo por las calles trastabillando, como un borracho, aunque no había probado ni una gota de alcohol. A un tipo que lo miraba con pegajosidad, le tiró a la cara estas palabras,[1]

---

[1] **A un tipo . . . palabras** He turned upon one fellow who was staring at him with these words

deteniéndose y luego continuando su marcha como si tal cosa:[2]

—¡No estoy mamao! ¿Qué se piensa, so insolente? ¿O le debo algo y por eso me mira? ¡Vaya a mirarle la
5 carátula a su abuela![3]

Penetró en la oficina como alud, llevándose todo por delante.[4] Paseó sus ojos a su alrededor, y, como no lo viese allí a Vicentini, bramó:

—¿Dónde está el supercanalla, el hijo de una grandísima
10 perra que ha escrito esta infamia?

—¿Que ha escrito qué? — le preguntaron sus compañeros, rodeándolo intrigados y curiosos.

—¿De quién habla, amigo Machuca? — inquirió Raval.

—¿De quién he de hablar sino de ese trompeta de
15 Vicentini, que le ha dirigido a mi mujer este anónimo repugnante, vil, asqueroso?

Raval le quitó el papel y lo leyó. Otros leyeron por detrás del hombre de Raval. Todos sonreían del enojo volcánico de Napoleón, aunque muy disimuladamente, por
20 temor a la fiera.

—¿Dónde está ese alcahuete? Lo voy a destripar, como me llamo Napoleón Machuca.[5]

—Sosiéguese, no es para tanto[6] — le aconsejaban.

—No está en el Ministerio. No ha venido — le aseguró
25 Raval.

¿No había ido esa tarde a su oficina? ¿O había escapado al ver o presentir la llegada del tigre?

2 **como si tal cosa** as though nothing had ever happened
3 **¡Vaya a mirarle . . . abuela!** What's the big idea of staring at me! (*Perhaps a more colloquial English expression might be:* So is your old man!)
4 **llevándose todo por delante** rudely brushing everything aside; in all haste
5 **como me llamo Napoleón** as sure as my name is Napoleón
6 **no es para tanto** no need to get all worked up about it

Las dos vidas del pobre Napoleón

—Entonces —sugirió Machuca, examinando a todos, uno por uno, con desconfianza—, quiere decir que ustedes me engañan. . .

—Pero. . . ¿por qué lo vamos a querer engañar, compañero? — le objetó Raval.

—Porque seguramente son cómplices del canalla. Quieren alcahuetearlo porque también son alcahuetes, malos amigos, traidores al compañerismo. . .

Como dos de los empleados comenzaran a amoscarse, Raval, que era diplomático y conciliador, llamó aparte al energúmeno.

—Mire, amigo Napoleón. . . Aquí nadie lo engaña. El canalla, pues lo es, no ha venido. Y si lo engañáramos no sería por complicidad con la acción infame del tísico, sino por evitar un encuentro entre los dos.

—Es que a mí ¡. . .ajo![7]

—Calma, compañero, calma. Usted está alterado. No haga incidentes en la oficina, que pueden ser perjudiciales para usted y para todos los demás. Usted no ignora que el Director es severo y que. . .

—¡Al Director lo exterminaré también, después de liquidar al tísico! Piense que ese miserable ha intentado destruir mi hogar.

—Sea razonable, amigo Machuca. Vicentini es una porquería: ya lo sabemos y no hay para qué repetirlo. Pero quien ha destruído su hogar ha sido usted mismo, compañero. ¿No es verdad que tiene mujeres? ¿No es verdad que el amigo Machuca alquiló un departamentito?

—Pero Margarita lo ignoraba.

[7] **Es que a mí ¡. . . ajo!**   No one deceives me, by heavens!

83

—Y hubiera ignorado sus aventuras eternamente si usted no se las hubiera dejado adivinar.[8]

—¿Yo? ¿Cuándo? Y usted ¿qué sabe?

—Sé lo que usted me ha contado, y eso me basta. ¿Cree
5 usted que su mujer no lo ha visto en Mar del Plata maniobrando alrededor de otras?

—Maniobraban ellas a mi alrededor. . .

—No se dé corte. Maniobraba usted dándoles fichas, llamándolas aparte, convidándolas. ¿Piensa que su mujer
10 es ciega? ¿Y supone que nadie iba a informarle de sus actividades amatorias? Y aunque nadie le llevase cuentos, ella, que es viva, ha debido presentir, barruntar, sospechar. . .

Napoleón quedó un instante pensativo. Raval ya juzgaba la partida ganada cuando, bruscamente, Napoleón chilló:
15 —Será como usted dice, pero al tísico de Vicentini, a ese perverso, ¡lo estrangulo en cuanto lo tenga a tiro![9]

—No insista, Napoleón.

—Insistiré y volveré a la carga hasta que lo mate.

Raval se alborozó pensando en el chiste que iba a hacer:
20 —Siempre fueron tremendas las cargas napoleónicas. . .[10]

—¿También usted se burla de mi nombre?

—No, lo digo porque realmente veo que usted, con semejantes disposiciones guerreras, lo va a despedazar al pobre Vicentini. Yo le aconsejo dejarlo en paz, hacerse el
25 desentendido. De otra manera, esto arderá[11] y volaremos de aquí todos.

---

[8] **si usted no . . . adivinar**   if you had not given yourself away

[9] **en cuanto lo tenga a tiro**   just as soon as I can get my hands on him

[10] **Siempre fueron tremendas . . . napoleónicas**   *The word play by Raval is on* **carga**, *which in Napoleón's remark* **Volveré a la carga** *refers to his persistence in his intent to kill Vicentini, while in Raval's statement it refers to a military attack. In the latter case* **carga** *is modified with the adjectival form of the French general's name, thus producing an additional pun on the name Napoleón.*

[11] **esto arderá**   this will start more trouble

—No me importa que arda el mundo, que volemos todos. Mi venganza. . .

—¡Ta, ta, ta![12] —exclamó Raval, desolado por la since-ridad de su amigo y con ganas de reír, por sus declama-ciones—. Otra vez. . . No acaba jamás. ¿Cómo decirle que no machaque, Machuca?

—¿También hace chistes con mi apellido? Esto no se lo permitiré ¿sabe?

Napoleón había agarrado de las solapas a Raval y lo tironeaba. Como seguía vociferando y excitándose cada vez más, llegó un momento en que las manos pareció que iban a dejar las solapas con el intento de subir al cogote de su interlocutor. Pero se detuvo a mitad de camino, sin que su mala intención hubiera sido advertida por Raval.

—¡No!

Machuca pronunció este monosílabo con voz tenuísima, pero no tanto como para que Raval no lo oyese.

—¿No, qué? — le preguntó, observando luego a Ma-chuca, que se había refugiado en su interior y parecía ha-berse ido lejos, muy lejos, de toda realidad.

Con no poca inquietud, por cuanto acababa de oír[13] y ver y porque el rostro de Napoleón había cobrado una expresión sombría, áspera, de pétrea dureza, Raval se apartó un tanto de él. Y en seguida le oyó estas extrañas palabras:

—Aconséjáme, Alejandro, no me abandonés.

Raval se retiró a su escritorio, pensando que Machuca se había vuelto loco, y Napoleón se refugió en el suyo.

Durante el resto de la tarde, Napoleón no cambió palabra con ninguno de sus compañeros. Realizó su trabajo, o

---

12 ¡**Ta, ta, ta!** *Anticipating Napoleón's constant and annoying reference to his seeking vengeance on Vicentini, Raval interrupts him with these interjections, suggestively imitative of his repetitious pattern of speech.*

13 **por cuanto acababa de oír** because of all he had just heard

fingió realizarlo, agachado sobre los papeles. De cuando
en cuando levantaba los ojos y parecía que refregase sus
miradas en los rostros de los que trabajaban en otras mesas.
Miradas desconfiadísimas, hostiles, hasta amenazadoras.
Ellos, sin la menor protesta, dejábanse mirar, pero con
recelo y temor. Y cuando la mirada escudriñadora de
Machuca se detenía demasiado en un rostro, su dueño se
ponía nervioso e inquieto, y alguno llegó a empalidecer. Y
al terminar la hora de trabajo, todos suspiraron ante el
alivio.

CATORCE

ℰRA ESA NOCHE, precisamente, aquella en que iría a comer a casa de los Machucas el doctor Hornos, primo de Margarita en tercer grado.[1] Ella le había faltado a la verdad a su marido al decirle que había encontrado a su pariente, en la calle, por casualidad. Lo cierto era que le había telefoneado y que luego le visitó en su consultorio para exponerle el desorbitado caso de Napoleón. Hornos era especialista en enfermedades nerviosas y mentales, tenía renombre y poseía, con otros colegas, un magnífico instituto frenopático.

No pudo haber caído la visita en noche peor. Napoleón había vuelto a su casa en deplorable estado de nervios y cuando sólo faltaba una hora para sentarse a la mesa. Margarita pensó, afligidamente, que, en esa hora, Napoleón no tendría el tiempo imprescindible para calmarse y vestirse, y a ella también los nervios acabaron por dislocársele.

—¡Qué tarde has llegado, Napoleón! Te olvidaste que hoy viene a comer mi primo.

—¿Tu primo?

—Pero Raúl de Hornos, el médico.

—¿Médico? ¿Y de qué enfermedades es médico?

—No sé, no me acuerdo... Me parece que es oftalmólogo...

—¿Y cómo invitás a nadie sin consultarme? Aquí donde viene tan poca gente...

—Ya te conté... Andas tan preocupado que de nada

[1] **primo de Margarita en tercer grado**   Margarita's third cousin

te acuerdas. Nos encontramos en la calle. Hacía mil años que no nos veíamos. Cuando chicos jugábamos juntos. Nuestras madres eran íntimas.

Napoleón habíase aplastado en una silla, como sin fuerzas. Margarita notó que le temblaban las manos. Parecía tener dentro algunas copas de más.

—Mirá, Napoleón, te conviene darte un baño bien caliente. Y pronto, porque es tardísimo.

—Preparámelo[2]... Estoy agotado...

Mientras Margarita permaneció en el cuarto de baño, él habló solo un rato. "¡Ese canalla de Vicentini me la pagará! No he visto un perverso igual. ¡Hipócrita, mal amigo! ¿Y qué pretenderá al denunciarme? A lo mejor, intenta separarme de Margarita, vaya uno a saber con qué fin.[3] Él no puede tener intenciones de conquistarla, porque es un esperpento, un tísico asqueroso. Pero ¿no procederá por cuenta de otro?[4] Pudiera ser que estuviese en combinación con Raval, para quien toda mujer es buena, así sea la de un amigo[5] y compañero. ¡Qué chusmas! Y Alejandro que se ha vuelto mudo... ¡Aconsejáme, pues, no me dejés en la estacada, no me dejés solo en esta encrucijada de mi vida!"

Las operaciones de bañarse, vestirse y afeitarse duraron algo más de una hora. Para peor, con la nerviosidad y el temblequeo de las manos, Napoleón se había hecho varios tajitos al afeitarse y demoró unos minutos en curárselos.

A Margarita le satisfizo mucho la demora, pues así podría hablar a solas con su pariente. Napoleón estaba en

---

[2] **Preparámelo.** *Here again the imperative form with* **vos.**
[3] **vaya uno a ... fin** Heaven only knows for what purpose
[4] **¿no procederá por cuenta de otro?** can he be acting on someone else's behalf?
[5] **así sea la de un amigo** even though she may be the wife of a friend

lo mejor de su baño[6] cuando entró en la casa el doctor Hornos.

—Vienes en un buen momento, Raúl. Es decir, en un mal momento...

—¿En qué quedamos?[7] — rió el joven galeno.

Tenía el doctor Hornos un resplandeciente aspecto juvenil: aunque pasaba de los cuarenta años, representaba treinta. A esto contribuían sus risas, su rostro redondo y sin un pelo, su voz cristalina y la exuberancia de sus ademanes.

—Quedamos —explicó ella— que para el pobre Napoleón es un mal momento, porque ha llegado de la calle con los nervios a la miseria, pero tal vez el momento sea muy bueno para el especialista que ha de observarlo. ¡Ah, antes de que me olvide! Me preguntó a qué te dedicabas. Yo le dije que creía[8] fueses oftalmólogo.

—¿Y por qué está tu marido tan excitado esta noche? ¿Algún incidente?

Margarita, aunque ya le había referido al médico, en la visita que le hiciera en su consultorio, las rarezas de Napoleón, le repitió cuanto sabía, agregando lo ocurrido esa mañana por causa del anónimo.

—Salió de casa para su oficina convertido en una furia, resuelto a matar al autor, que es, según cree, un compañero de su oficina, un pobre diablo.

Como ella quedara pensativa, el médico, melancólicamente, le dijo:

—No te he preguntado cómo te va, prima, porque me lo imagino...

---

[6] **en lo mejor de su baño**   right in the middle of his bath
[7] **¿En qué quedamos?**   Well, which is it?
[8] **creía**   *Supply* que

—¡Si supieras lo desgraciada que soy, Raúl! Te aseguro que esto no es vida para mí. Tengo miedo de que cualquier día Napoleón se enloquezca del todo y me mate o incendie la casa. Y ahora ha empezado por tener celos...

—En eso no demuestra ser nada loco, prima... — galanteó el médico.

En este instante se presentó Napoleón. Venía bien vestido y afeitado y con un par de puntitos de sangre en la cara, rojos lunarcitos que habían vencido al alumbre.[9] Saludó con alguna ceremonia al visitante y, como era buena hora para comer, sentáronse inmediatamente a la mesa.

—Deseaba conocerlo, Machuca —se inclinó el médico zalameramente—, y no sólo por ser el marido de mi querida prima, compañera de infancia, sino también por haber oído contar cosas interesantísimas de usted.

—¿De mí? — se sobresaltó Napoleón.

—Sí, me han referido, por ejemplo, que en Mar del Plata ganó usted con una suerte loca, embolsándose cantidades enormes. Parece que la gente lo miraba con estupor. No habían visto un caso igual. ¿Es verdad?

—Es verdad, tuve una formidable suerte.

—¿Y a qué la atribuye? Tal vez a un instinto de adivinación... a...

—No sé.

Margarita y el médico se miraron: indudablemente, el hombre se había puesto a la defensiva. Él no los miraba a ellos. Comía con huraña calma. Las manos le temblaban un poco y su semblante era lóbrego.

—Se me ocurre —insistió el doctor Hornos— que en

_____

[9] **rojos lunarcitos... alumbre** little red spots of blood that oozed out over the styptic

eso de la suerte hay mucho de voluntad, tal vez algún singular poder personal ¿No le parece?

—Ignoro.

Descartado el tema de la suerte, que le hubiera podido conducir a algún descubrimiento valioso, Hornos echó otra vez el anzuelo de sus diversas preguntas. Pero el pez no mordía el cebo. No lograba el galeno sino respuestas monosilábicas, sin valor psicológico alguno. Imposible basar sobre ellas un diagnóstico. No había más elementos de deducción que el rostro harto atormentado del "paciente" y su terco silencio. Esa voluntad de callar, de no entregarse, de permanecer en su yo,[10] como encerrado a cal y canto, indicaba una anormalidad, ciertamente, pero nada más.

Terminaban de comer y el médico dolíase de su fracaso, cuando decidióse a jugar su última carta: la novela de Roig. Tomó como pretexto la afición de Margarita.

—¿Y siempre lees novelas, como antes?

—Siempre. Son el consuelo de mi vida. Me entretienen, me apasionan.

Por no entrar demasiado directamente en el tema de la novela de Pedro Roig, el médico habló de varios novelistas extranjeros en boga. Preguntó a su prima sobre lo que, en general, opinaba de los norteamericanos. Ella contestó que no le entusiasmaban. Aparte de ser malos escritores —ella los leía en inglés—, eran demasiado brutales. Le parecía que no trabajaban sus libros, que improvisaban. Más le gustaban los ingleses.

—¿Y los argentinos? —interrumpió el médico—. Habrás leído, sin duda, la última novela de Pedro Roig...

Margarita empalideció repentinamente. Hornos observó a Napoleón, que se había reconcentrado más aún. Y

[10] **en su yo**   within himself, in the confines of his own little world

como el visitante le hiciera a su prima un gesto con el que la invitaba a opinar algo, ella se atrevió a responder:

—No, no la he leído. El que la ha leído es Napoleón.

El aludido se estremeció, sacudido como por una conmoción.

—¿Ah, sí? ¿Y le ha gustado, Machuca? Desearía co-
nocer su opinión franca, porque he discutido hasta el cansancio sobre ese libro.

Napoleón miró al médico fijamente y luego a su mujer. Sin duda se preguntaba si Hornos pretendería sondearle y si estaría de acuerdo con Margarita.

—¿Qué han discutido? — arrojó al médico, y con tanta brusquedad como si le hubiera tirado un pistoletazo.

—Pues... el argumento... algunas escenas, dos o tres personajes...

Napoleón y Margarita, movidos por distintas razones, parecían querer beberse las palabras del visitante.

—A mí me interesa uno de los personajes, muy especialmente —dijo el galeno con una sonrisa en la que Mar-
garita creyó ver la esperanza del triunfo—. Es el sujeto que se llama Alejandro Magno Pacheco. Al comienzo de la novela aparece como un muchacho absolutamente insignificante, un pobre diablo, sin mérito ninguno, ni capacidad para nada.

Hornos miraba con disimulo a Napoleón, y lamentaba no advertir en él reacción alguna, aunque pareciese haberla por dentro.

—Bueno... El caso es que este infeliz se enamora de una corista de zarzuela, y, para escaparse con ella y traér-
sela a Buenos Aires, roba unos cuantos billetes de cien pesos, en la casa de comercio donde tiene un empleo. Claro es que aquí, en Buenos Aires, se le acaba pronto el

dinero,[11] la corista lo abandona y llegan para el pobre diablo del muchacho días de hambre y de dolor.

Apenas hubo terminado el médico, vióse a Napoleón levantarse a medias y dejarse caer en la silla, como vencido por el cansancio.

—¿Te ocurre algo? — se inquietó Margarita.

Ella, lo mismo que Raúl, habían vivido unos segundos de espectante desasosiego. Imaginaron que Napoleón iba a saltar hacia el médico. Pero ahora parecía un poco tranquilizado.

—Nada me pasa. Siga su cuento, doctorcito.

Esta palabra "doctorcito," dicha con una mueca en los labios y con acento sarcástico, no hirió, naturalmente, a Hornos, que se hizo el desentendido.

—Seguiré. Pues en Buenos Aires se le desarrolla al infeliz de Alejandro una especie de segunda personalidad. Juega a diversos juegos y gana siempre. Él, que nunca bebía, se aficiona a los buenos vinos. Él, que fumaba poco, y sólo cigarrillos, se despacha varios habanos por día. Conquista lindas mujeres... Y bien: todo esto me parece falso. Un pobre diablo no se convierte, de la noche a la mañana, en hombre de empuje, de carácter, de palabra brillante, de seducciones mundanas...

—¡No es falso!

Napoleón, ante el asombro de su mujer y del visitante, había gritado esa frase mientras golpeaba con el puño sobre la mesa. El rostro se le había congestionado, y, los ojos, desde su honda cueva,[12] miraban con odio y a la vez con desesperación.

—¿No es falso, dice usted, Machuca? —preguntó el

11 **se le acaba pronto el dinero** his money soon runs out on him
12 **desde su honda cueva** deeply set

médico melifluamente—. ¿Conoce algún caso parecido?

—Sí, conozco... más de un caso.

Se detuvo un instante, miró a su interlocutor escudri-
ñadoramente y luego a Margarita, y, con agitación y exal-
5 tación, soltó, sin darse cuenta, un poco de su terrible confidencia:

—Más de un caso. Me han referido de un individuo,
cuyo nombre, por cierto, no revelaré, al cual le sucedió lo
mismo. Es decir... no, lo mismo, no... pero casi lo mismo
10 que a ese Pacheco... Era un gato, y, por una razón que...
no interesa... se transformó en un héroe. Otro individuo
le dió inspiraciones, y el pobre diablo dominó a las mujeres, a la suerte, a los hombres, al Destino. Sí, señor. Tuvo
la dicha, que sólo alcanzan los elegidos, de vencer al Destino.

15 Surgió un silencio incómodo, hecho de temores, de
preguntas, de vacilaciones. Inquirió el médico:

—Esa razón, ¿no podría decirnos cuál fué? Es tan
interesante el caso que...

—Moriré antes de revelarla.

20 Margarita sufría. Su corazón parecía achicársele.[13]
Pensaba que el interrogatorio supliciaba al pobre Napoleón,
y miraba al galeno como pidiéndole piedad. Pero Hornos,
implacable, arremetió:

—¿No se habría creído el sujeto ése un personaje de novela?
25 ¿No habría leído algún libro... pernicioso... que...?

Napoleón debió darse cuenta de haber hablado en demasía. Turbóse y se agarró al refugio del silencio.

—Sospecho —cargoseó el doctor— que su amigo, el
individuo ése, pues evidentemente es su amigo, y muy
30 íntimo ¿eh?, muy íntimo... tal vez leyó la novela de
Pedro Roig...

---

13 **Su corazón parecía achicársele.**   Her heart was in her mouth.

Las dos vidas del pobre Napoleón

Se defendió Machuca:

—Pero la novela es reciente, y en tan poco tiempo no puede pensarse que...

—Amigo Machuca, me parece que sí la ha leído su amigo íntimo, excesivamente íntimo, como la ha leído también usted, según reconoció Margarita...

—¡Miente Margarita! —explotó Napoleón, fulminando a su mujer con una mirada colérica—. Yo no he leído esa novela. ¡No la he leído!

Aquí terminó el interrogatorio y la conversación. No se le pudo sacar al "paciente" ni una palabra más. Su expresión había anochecido. Margarita y el médico le contemplaron, pero sin hacer comentarios entre ellos. Napoleón, que se había levantado de la mesa y estaba arrellanado en una silla, tenía los ojos entornados y el cuerpo inmóvil. Casi completamente inmóvil. Sólo de vez en vez sorprendía un instantáneo y brevísimo sacudón de una mano o de un pie. No dormía, ciertamente, y por ello los otros no podían hablar palabra sobre él.

Minutos después, cuando el joven doctor Hornos se despedía, Margarita, ansiosa, lo miró como pidiéndole una opinión sobre el estado mental de su marido. Pero como Napoleón, desconfiado, los había seguido y no se apartaba de ellos, el médico apenas pudo indicarle a su prima, con gestos, que le llamara por teléfono.

QUINCE

AL OTRO DÍA, los empleados del Ministerio discutieron largamente sobre lo que debiera hacerse con Machuca. Unos deseaban que se comunicase al Director lo ocurrido. Algunos opinaban que era mejor callarse. En general, nadie sentía allí el menor afecto por Vicentini. Juzgábanle un venenoso reptil. Pero todos decían: "si permitimos que Machuca lo asesine, seremos cómplices."

Raval era el único disidente respecto a la probabilidad de un crimen. La primera vez que eso oyó a sus alarmados compañeros, les dijo, riendo:

—¿Asesinarlo? Son ingenuos, ustedes. El pobre Machuca es un buenazo, incapaz de matar una mosca. Todo en él es aparatosidad, aspavientos, y nada más. Por lo pronto, ayer, tan enfurecido como parecía, no trajo arma ninguna.[1] Si la hubiera traído me lo habría dicho.

Quedaron en no comunicar el suceso al Director, a lo menos por el momento y mientras no surgiesen novedades anunciadoras de una catástrofe. En cuanto a Vicentini, ya estaba enterado de las amenazas napoleónicas. La misma tarde del incidente le avisaron. Como no había llegado aún a la oficina cuando Machuca irrumpió allí, en estado de furia contra él, uno de los compañeros, caritativo, lo esperó en el patio para prevenirlo. Y Vicentini, que poco tenía de valiente y amaba su pellejo como cualquier cristiano,

---

[1] **Por lo pronto . . . ninguna.** Not even yesterday, when he was so enraged, did he carry any weapon.

huyó, dispuesto a no volver a la oficina en algunos días, hasta que no pasara el peligro.[2]

Napoleón advertía que los empleados conversaban entre ellos apagando la voz cuanto podían y tratando de ocultarse de sus miradas avizoras. Iban al patio de a dos o de a tres,[3] y allí parloteaban. Comprendió que su persona era el tema de los susurrados coloquios, porque, de cuando en cuando, alguno se despegaba del grupito, se asomaba al interior de la oficina, le echaba a él una mirada disimuladísima y luego retornaba con los demás. No tardó Napoleón en saber "oficialmente" lo resuelto.

—Mire, amigo Machuca —se le acercó Raval, afectuosamente—, hemos decidido no comunicar al Director el escandalete de ayer. A los ordenanzas, como a los empleados de otras oficinas, que se enteraron, les hemos también pedido silencio. Pero queremos que usted nos corresponda. A Vicentini, usted sabe, nadie lo puede tragar, pero no es cuestión de que se arme otro escándalo mayor y nos fleten a todos a la calle.

—Bueno, lo mataré afuera, en donde lo pille. Les prometo que aquí no pasará nada.

Pero fué inútil esta promesa, porque al otro día lo llamó el Director. Al enterarse, los empleados comprendieron que Vicentini le había llevado el cuento.

El Director era un oficinista severo, que tenía a los empleados en un puño. En su juventud había sido anarquista, fanático partidario de la libertad, por lo cual ahora no soportaba la menor libertad que quisieran tomarse los demás. Era alto, gordo y antipático. Tenía una barriga puntiaguda, papada de escaso volumen, bigote corto y

---

[2] **hasta que no pasara el peligro**   until the danger passed   (*The word* **no** *is superfluous.*)
[3] **de a dos o de a tres**   in two's or three's

canoso y el cráneo sin un pelo. Enojábase con frecuencia, y en estos casos tartamudeaba un tanto. Sentía un culto casi religioso por la oficina, a la que miraba como a un templo. Por suerte para los empleados, el Director no salía de su despacho, y así, mientras no le informasen los ordenanzas, espías suyos, no se enteraba de muchos desafueros que ocurrían entre el personal a sus órdenes.

—He sabido que hace tres días, usted, Machuca, produjo un grave escándalo en la oficina.

—No es verdad, señor. Yo sólo hablé con los empleados, que son amigos míos.

—Pero levantó la voz, que se oyó en todo el patio. Amenazó a uno de sus compañeros. Se comportó con notoria insolencia. Hasta parece que demostró ferocidad de sentimientos y que insultó a sus compañeros.

El Director hablaba en tono un tanto pedantesco y miraba al infeliz Napoleón como si quisiera anonadarlo.

—Además —agregó—, sé que usted tiene una casa de soltero, a donde van mujeres lujosas. A usted le parecerá que eso a mí no debe importarme. Pero me importa. Porque para sostener un "bulín," como se dice vulgarmente, y hacer conquistas entre las señoras se precisa dinero, y usted, con su reducido sueldito de empleado de segunda categoría, no puede hacer muchas gracias.[4]

—Tengo otros recursos — contestó Machuca, atajando la ira, que amenazaba con salírsele de adentro.[5]

—Sí, también me han dicho que juega. . . De eso me enteré en Mar del Plata.

Napoleón no pudo aguantar más y estalló:

[4] **no puede hacer muchas gracias** can't cut much of a figure, can't make much of a show

[5] **que amenazaba con . . . adentro** which threatened to burst forth from within

98

Las dos vidas del pobre Napoleón

—¿Y usted sabe de la carta que el miserable de Vicentini le mandó a mi mujer?

—No me importa nada de eso, que son cosas privadas.

—¡Ah, ah! ¿De modo que usted protege a semejante canalla?

El Director, airado, se levantó de su asiento y amenazó a Machuca:

—¿Qué ha dicho? ¿Se atreve a insolentarse?

—Sólo he dicho lo que es cierto, lo que es cierto.

El Director, hecho una fiera y tartamudeando de rabia, aturulló al empleadito:

—¡Retírese, so insolente! En seguida pediré su exoneración. De mo...mo...do que puede considerarse en la ca...ca...calle. ¡Fuera de aquí!

—No me iré, sin decirle algunas verdades. Sepa que todos los empleados lo detestan. Y ahora veo que tienen razón, pues quien se pone de parte de un alcahuete y un traidor al compañerismo, bien merece el odio santo de sus inferiores, aunque yo no me considero inferior sino superior a usted. Sí, señor: su - pe - rior. Yo valgo más que usted porque yo me he levantado desde un lugar modestísimo hasta convertirme en un poderoso...

No pudo terminar la frase, porque dos ordenanzas y un empleado lo amarraron de los brazos[6] y luego lo empujaron afuera. Y como Napoleón se quedara en el patio y siguiera con sus gritos y amenazas, el Director, por medio de aquellas mismas personas y algunas más, que por adular al Jefe se prestaron,[7] le hizo llevar a la calle, lo que ocurrió entre golpes y puntapiés al infeliz, que no cesaba de gritar:

—¡El Director es un cornudo, un cornudo, un cornudo!

[6] **lo amarraron de los brazos**   tied his arms
[7] **que por adular ... prestaron**   who helped out to gain favor with the boss

DIEZ Y SEIS

NAPOLEÓN, de un tiempo a esta parte, solía padecer de pesadillas. Despertábase a media noche con sudores y angustias y era preciso encender la luz. A veces, al despertarse, no sabía en dónde se encontraba, y, para tomar
5 conciencia de sí mismo y reconocer su cuarto, necesitaba examinar las puertas, los muebles y algunos objetos. Y a Margarita, a la que veía como formando parte de la noche y de la pesadilla, la miraba como a un fantasma, con ojos asustados.
10 —Tranquilízate, Napoleón. . . Soy yo, tu mujer. Estás en tu casa, en tu dormitorio. No hay motivo para que te asustés tanto.

De este modo, la pobre Margarita lo calmaba. Le hacía beber un poco de agua, le contaba algo para que se distrajese
15 y se olvidara de la pesadilla. Él pasábase la mano por la frente y la cabeza, por los ojos, se incorporaba en el lecho. Y generalmente nada decía, excepto estas palabras:

—Me siento mal. . . Me vuelvo loco. . . Me voy a morir. . .

Margarita dormía en una cama próxima, separada de la
20 del marido por una mesa de noche. Desde allí le alargaba la mano, que era como darle palabras de consuelo; y en ocasiones levantábase para sentarse junto a él, hablarle como a un niño, acariciarle. Pero Napoleón no siempre aceptaba estas consolaciones. A veces las rehuía, y hasta
25 enérgicamente. Esto ocurrió en las últimas semanas,

en que Napoleón había comenzado a celar a Margarita, espiándola y tratando de oír cuando ella hablaba por teléfono.

La noche del incidente con el Director fué terrible para Machuca. Había vuelto de la calle en malísimo estado, peor que cuando comiera allí Raúl de Hornos. Había entrado tambaleándose, con las manos temblorosas, los ojos vidriosos y despavoridos, el traje inmundo, como de quien se ha caído en la calle, la corbata deshecha, los zapatos a la miseria.[1]

—Pero Napoleón ¿qué te ha ocurrido?

Él contestó con un ademán vago, fué al dormitorio y se arrojó en su lecho, tal como estaba. Margarita no había logrado que le explicase lo sucedido.

—¿Por qué sos así,[2] Napoleón? Es espantoso tu silencio. Me ocultás cosas que yo debo saber. Vivo en constante inquietud. Paso horas de angustia. Me siento, por tu culpa, muy desgraciada.

Margarita, sin embargo, no carecía de consuelos, que no eran precisamente sobrenaturales. Eran terrestres, y bien terrestres. Se los procuraba casi todas las tardes el bello Juan María.[3] Cierto que su conciencia le reprochaba ese delito, pero —preguntábase— ¿no tenía ella derecho a vivir? El deber de soportar día y noche al demente, o semidemente, de su marido, le parecía la desgracia más enorme que pudiera ocurrir a una mujer. Porque era preferible la muerte antes que la locura. Napoleón muerto, significaba su viudez, y, acaso, el casamiento con Juan

---

[1] **los zapatos a la miseria**   his shoes in wretched condition

[2] **¿Por qué sos así**   **Sos** *comes from* **sois**, *second person plural, present indicative of* **ser**.   *In meaning,* **vos sois** *is the same as* **tú eres**.

[3] **Se los ... Juan María.**   Handsome Juan María afforded her these moments of consolation almost every afternoon.

María. Y todavía si se enloqueciera enteramente... Si así pasara, el infeliz podría ser internado en un sanatorio, y, a falta de dinero con qué pagarlo, en el manicomio, como huésped distinguido. Pero según su primo Raúl —¡qué buen mozo era Raúl, aunque no tanto como Juan María!— no existía razón bastante para internar a Napoleón, el cual podía "muy bien" seguir viviendo en su casa... ¡Cómo se veía que no era él quien iba a soportar al insoportable chiflado!⁴

A eso de las once de la noche, Margarita consiguió que Napoleón se desvistiera y se acostara. Él se durmió en seguida, pero ella no. Esa tarde había permanecido un buen rato encerrada con Juan María, y, a pesar de la tragedia que la rondaba, no podía apartar de su imaginación las dulzuras de "su primer amor," como decíase. Y menos lograba apartar su pensamiento de Napoleón, que a un paso de ella sufría y que, a lo mejor, podía enloquecerse de pronto y estrangularla...

Mientras tanto, Napoleón soñaba. Solía soñar copiosamente, y era raro que sus sueños fuesen agradables o tranquilos. Casi siempre soñaba con personas que había visto ese día o de las que oyera hablar ese día. Desde poco después de haber leído por primera vez la novela de Pedro Roig, el personaje habitual de sus sueños era Alejandro Magno Pacheco. Aparecíasele noche a noche o noche por medio.⁵ Cuando una noche había faltado en su sueño ese visitante, a la siguiente noche Napoleón, momentos antes de dormirse, y con el fin de verlo aparecer más tarde, pensaba con fuerza, con detenida y honda intensidad, en su "otro yo."

⁴ **¡Cómo se veía ... chiflado!** Obviously *he* was not the one who had to put up with the madman!
⁵ **noche a noche .. medio** night after night or every other night

Las dos vidas del pobre Napoleón

Este procedimiento para soñar lo que uno quiera, para evocar a ciertas personas a las que anhela ver, se lo había enseñado, indirectamente, Margarita hacía tiempo, contándole el argumento de la novela *Trasmundo*,[6] de Carlos Alberto Leumann, en que el protagonista, enamorado de una mujer en un sueño, la llamaba de aquel modo para que volviese a aparecérsele y continuar con él su diálogo amoroso. A Napoleón esta estratagema nunca le había fallado. Le bastaba con entornar los ojos pensando concentradamente en Alejandro, para que él, pocas horas después, durante el sueño, acudiese a su llamado.

Pero Napoléon no veía jamás al otro de igual modo que como lo había retratado el novelista, excepto, naturalmente, si Pacheco se le presentaba estando él todavía despierto. En estos casos, el personaje retratado por Roig era el mismo que él veía, aunque harto mejorado: apolónica belleza, elegancia de figurín, don de la palabra, arrogancia viril y capacidad de seducción como ningún otro hombre la tenía igual. Pero el Alejandro de los sueños, cuando Napoleón estaba bien dormido, el Alejandro de las pesadillas, era un ser fantástico, sobrenatural, de proporciones tan enormes que alcanzaba a los tres o cuatro metros de altura.

Esa noche Napoleón había pensado en Alejandro con toda su alma. Necesitaba su consejo, y, no habiendo logrado verle de día, esperaba que se le presentase en el sueño. Napoleón no distinguía mucho, tratándose de la presencia de Alejandro, entre la vigilia y el sueño.

No bien se hubo dormido, el fantasma se le apareció. Tenía vendada la cabeza y el cuerpo algo encorvado.

6 *Trasmundo*   Argentine novel (1930) of deep psychological insight, written by Carlos Alberto Leumann (1888–1952).

Napoleón le habló, le reprochó sus ausencias; pero Alejandro no quiso contestarle.

—¿Por qué no me decís algo, Alejandro? Siento necesidad de tu consejo. Van a echarme de la oficina y me quedaré pobre, en la miseria, porque desde hace un tiempo no gano en las carreras. En todo me va mal. Dos de las mujeres que afirmaban adorarme, se me fueron. Me queda una, Isolina, que es la mujer del Director. ¿Qué debo hacer?

Una voz oscura, lentísima, que hacía pensar en las voces de ultratumba, salió de los labios del fantasma, a pesar de permanecer cerrados.

—Ese hombre es imbécil y perverso. Es un monstruo de iniquidad. Véngate. Convence a Isolina para que le robe un cheque de su libreta, imítale la firma y cobra el cheque. Nadie lo sabrá y serás rico. Tienes el talento de imitar firmas. Ensáyate primero, y te aseguro que saldrás con felicidad de esta aventura.

Napoleón le escuchaba anonadado. Mientras tanto, Alejandro iba creciendo y él achicándose. Lo horrible era que Alejandro no se agrandaba íntegramente, con sus partes proporcionadas, sino que unos miembros de su cuerpo crecían más que otros. La nariz había llegado a ser un monumento. Se le habían desarrollado la oreja derecha y el brazo derecho y habían quedado, tal como estaban momentos antes, el brazo izquierdo y la oreja izquierda. Y como cada parte lucía un color diverso y había no poco de geométrico en los contornos, el cuerpo de Alejandro parecía un cuadro de Picasso.[7]

—¡Alejandro, Alejandro! — gritó Napoleón, horrorizado.

Pero Alejandro seguía transformándose en un monstruo

[7] **Pablo Picasso**   The renowned contemporary Spanish painter.

verdadero. Ahora, su cara era exactamente la de un cerdo, y los dedos se le habían trasmutado en serpientes. Ya no hablaba: gruñía. Y con gruñidos de espantable horror y ferocidad.

—¡Alejandro, Alejandro! — lloraba ahora el pobre Napoleón, sin poder despertarse.

De pronto, creyó comprender que ese monstruo era su conciencia, la de él, la de Napoleón Machuca. Ya había pensado en la vigilia, muchas veces, que Alejandro no era sino eso. Pero ahora se preguntaba cómo podía ser tan horripilantemente fea su conciencia. Y asqueado, angustiado, imaginando que el monstruo se le acercaba y lo estrangulaba, aulló con desesperación, en un sollozo afligente:

—¡Alejandro, Alej. . .!

Se había, por fin, despertado, liberado del martirio de la atroz pesadilla. Margarita, que oyera el aullido, encendió rápidamente la luz. Quedó consternada al ver el rostro de su pobre marido, torturado por el espanto y empapado por las lágrimas.

—¿Qué tenés, querido? Despertáte del todo, calmáte. No es nada. No es más que un sueño.

Napoleón, con ayuda de Margarita, se había sentado en la cama, pues él solo no hubiera podido hacerlo, y permanecía palpitante en esta posición, respirando con dificultad, mirando con terror a Margarita y a las cosas del dormitorio. Veíase que deseaba decir algo y que las palabras no le salían. Margarita le dió agua, lo acarició, le limpió el sudor del rostro y las lágrimas, se le sentó al lado, y, lo que no hacía desde algunas semanas, lo besó, si acaso no con verdadero cariño, a lo menos con lástima profunda y con caridad.

Por fin, él, con palabra jadeante y cortada, logró balbucir:

—¡Es otro... otro! Me lo han... cam... biado... Ya no podrá... no podrá... aconsejarme... Quedaré solo en el mundo... solo... abandonado!

Llevóse las manos a la cabeza y volvió a sollozar.

5 —¿Quién, Napoleón? ¿De quién hablas, querido?

—De él, de Alejandro... Era mi otro yo... era yo mismo...

Margarita miró a su marido con tristeza y aflicción, y le dió un beso en la frente.

DIEZ Y SIETE

*M*ARGARITA no salía de su asombro, pues era el caso que Napoleón, a raíz de haber sido destituído, estaba mucho mejor. Dormía sin pesadillas y comía con ganas. Inclusive no le faltaban momentos de alegría. Dijérase que hubiese retornado a la realidad. ¿Repetíase en él lo que le 5 sucediera a Don Quijote, que, a punto de morir, recuperó su razón? El tremendo golpe —comienzo de agonía económica— que para él significaba el haber sido puesto en la calle ¿le habría devuelto el juicio? Habían pasado quince días de la exoneración, y casi un mes de la escena con el 10 Director, sin que Margarita observara nada anormal en su marido. Hasta conversaba con ella algo más que antes, aunque sobre bueyes perdidos o por perderse,[1] como era natural. A veces, sin embargo, hablaba de lo suyo, de sus gestiones para que el Gobierno le devolviese, como corres- 15 pondía, el dinero que él había ido depositando, en muchos años, para la jubilación. ¡Dolor, no poder jubilarse! Pues ¿de qué vivirían ahora? La renta de Margarita apenas alcanzaba para el alquiler de la casa y para un poquito más. ¿Dé dónde sacarían dinero para las cuentas de cada 20 mes, para los gastos personales?

Lo único raro en Napoleón, por el momento, era el afán de encerrarse en su escritorio. Ya no iba al Club Hípico

---

[1] **aunque sobre . . . perderse** although their conversation was rather trivial

por las mañanas, y muchas tardes no salía. Clausurábase
de tal modo que ni atendía a los llamados de su mujer y
de la criada. No era posible entrar porque echaba llave a
la puerta. Margarita quiso, como hiciera meses atrás,
mirar por el ojo de la cerradura, pero nunca le oyó palabra
—al contrario que en otro tiempo, cuando hablaba solo o
dialogaba con Alejandro— y evidentemente había tapado con
alguna cosa, tal vez con el pañuelo, ese único punto por el
que ella pudiera enterarse de su misteriosa ocupación actual.

Cuando él se iba a la calle, Margarita registraba lo poco
registrable que había en el escritorio, y no hallaba el menor
indicio de la oculta labor napoleónica.

Mientras tanto, Margarita no recibía dinero para los
gastos de la casa. Pensó en trabajar. Pero ¿en qué? A la
verdad, aparte de leer novelas, ella no había hecho en su
vida cosa alguna. Trató de recordar de qué vivieron, en
análogas situaciones, las ficticias heroínas de los libros.
Acordóse de Emma Bovary,[2] pero le horrorizó la idea de
contraer deudas. Además ¿quién le prestaría? Es decir,
más de uno se complacería en hacerlo, ya que ella era agradable —se imaginaba bonita, interesante, inteligente, distinguida y, sobre todo, con mucho *sex appeal*—, por ejemplo su primo lejano Raúl de Hornos. Pero... no lo haría él
desinteresadamente...

Y desde luego, Juan María, que le había hecho buenos
regalitos. Pero ella, después de haberle contado de pe a
pa todo lo de Napoleón, nada había querido decirle, por
delicadeza, de la espantosa situación económica por que
pasaban.

---

[2] **Emma Bovary** The protagonist of Flaubert's novel incurs enormous
debts and her creditors threaten to reveal her adultery to her husband.
Seeing no way out, she poisons herself with arsenic.

Las dos vidas del pobre Napoleón

Un día, sin embargo, se animó:

—¡No sabés lo que esto me preocupa! Mi marido no me da un centavo. Tengo que inventar pretextos increíbles, para no pagar las cuentas, ¡fijáte, Juan María? Me he vuelto mentirosa, cuentera... Yo sé que cuando Napoleón cobre lo que le debe el Gobierno tendremos con qué vivir muchos años. Pero mientras...

—¿Muchos años? Unos cuantos meses, querrás decir. Pero no te aflijas, Márgara. Tendrás lo que quieras.

—En préstamo, Juan María. Será con esa condición. No quiero que me regalés plata. Pronto podré devolverte...

Juan María fué generoso y Margarita recibió de sus manos un salvador cheque. Por cierto que ella no procedió como las heroínas de muchas novelas con el dinero que le caía: no lo gastó en trapos y zarandajas. Lejos de imitar a la protagonista de Flaubert, gastó los pesos de su amigo en pagar las cuentas de los proveedores.

—¡Qué lindo es no deber a nadie!—exclamó para sí, aliviada.

Napoleón pidió prestado a un banco, a cuenta de lo que el Estado le debía.[3] Pero pensando, y con razón, que ese dinero no le daría sino para vivir unos meses,[4] decidió jugar de nuevo a las carreras. Margarita se enteró de la desgracia —juzgaba así el retorno de su marido a las actividades turfísticas— cuando le vió llegar del Hipódromo, convertido en hombre acabado.[5] Él no le dijo cuánto había perdido, pero ella supuso que la cantidad debía ser grande para sus medios.

---

[3] **Napoleón pidió ... debía.** Napoleón borrowed from the bank against the money the government owed him.
[4] **ese dinero ... meses** that money would last him only a few months
[5] **hombre acabado** brokenhearted, disconsolate man

—¿Por qué jugaste, Napoleón? ¿No pensabas que podías perder?

—Antes jugaba y ganaba.

—Pero ahora andás en la mala, te ha abandonado la suerte...

—¡No! — gritó Napoleón, fuera de sí.

—¿No? Entonces...

—He sido abandonado, pero no por la suerte sino por el espíritu que me inspiraba. He sido abandonado por él. ¡Por él!

—¿Quién es él? —fingió ignorarlo Margarita—. ¿No será Dios, supongo?

—Dios no existe. He sido abandonado por el ser que me aconsejaba, que dirigía mis pasos, por Alejandro.

Tan consternado estaba que parecía fuese a llorar. Margarita escrutábale el rostro con horror, esperando la locura de un momento a otro. Pero no se detenía en sus exploraciones. Lo hacía brevemente, picoteando aquí y allí. Pasaba los ojos con rapidez por las facciones descompuestas de su marido y los alejaba, tanto miedo le producía el rostro atormentado del pobre hombre.

Mas, lejos de sufrir un ataque de locura, Napoleón se calmó. Después de permanecer un buen rato abstraído, exclamó, poniéndose en pie bruscamente y levantando el brazo con el puño bien apretado:

—Pero yo lucharé, venceré al Destino. ¡Me sobran talento y medios!

DIEZ Y OCHO

$\mathcal{M}$ARGARITA no hubiese adivinado jamás, ni nadie, cuáles fuesen los medios de que pensaba servirse Napoleón para vencer a su destino. Él mismo se hubiera sorprendido, días antes, de recurrir a ellos.

En el fondo de su alma, Napoleón era honrado, y sus 5 veintitantos años de vida correcta lo demostraban. Había sido cumplidor, veraz, leal amigo, buen compañero de su mujer. Carecía de vicios y tampoco tenía defectos verdaderamente graves. Y si no había sido un santo, su existencia, aunque mediocre y aburrida, era la de una excelente 10 persona, la de un buen hombre contento con su suerte, o resignado con ella, sin ambiciones, ni envidias, ni maldades.

¿Cómo, pues, se decidió a realizar lo que en su cerebro desquiciado se le venía dando vueltas desde hacía una semana?[1] Es cierto que, desde la aparición del libro de 15 Roig, Napoleón había cambiado fundamentalmente, dejando de ser el hombre casi perfecto de otro tiempo. No por causa del libro en sí mismo, sino de ese Alejandro Magno Pacheco en quien él había visto, y seguía viendo, un como anuncio[2] o prefiguración de su propia vida en lo futuro. 20 Desde su contacto con Alejandro, su "otro yo," Napoleón

[1] **¿Cómo, pues ... semana?** How did it happen that he decided to carry out the plan that had been spinning around in his disordered mind for a week?
[2] **un como anuncio** a sort of indication

había adquirido varios vicios como los del juego, la bebida y los amoríos. Pero lo que ahora trabajaba en su magín era sencillamente el delito. Y Napoleón, en sus raros momentos de lucidez, se preguntaba: "¿Cómo puedo yo. . .?"

5 De aquellos amoríos iniciados en Mar del Plata, sólo tres se habían realizado plenamente, y de esos tres no quedaba ahora sino uno. La dama no valía mucho: era tan vulgar y mediocre de cuerpo como de espíritu. Además, era casquivana, tonta, presumida, inconsciente y chismosa.

10 No obstante, dos cosas había en ella que, en cierto modo, le eran propias, puesto que no abundan: una, la de su absoluta amoralidad, y otra, la aptitud para dejarse dominar por quien quisiese dirigirla, empujarla o amenazarla. Con esto queda dicho que Isolina[3] podría llegar hasta el

15 delito, si se lo exigían o si a ella le conviniese.

El interés único de la dama, aparte de su palmito, pues era bonitilla, no residía en ella sino en el prójimo con quien había tenido la desgracia de casarse. Isolina era nada menos que la mujer del Director de la oficina en que estuvo empleado

20 Napoleón, la mujer del hombre que había echado a la calle al homúnculo.

El encuentro entre Machuca y ella no había sido casual. Por el contrario, era bastante lógico. Ambos pertenecían, dentro de la sociedad, a una clase de segunda o de tercera

25 categoría. Vale decir, que eran ambos, en un sentido puramente social, "gente bien," pero que no andaban en el mundo aristocrático, aunque se encontraran ocasionalmente con personas de ese mundo. Isolina y Napoleón se habían conocido en Mar del Plata, en el hotel en que se alojaban.

30 El Director y el empleado a sus órdenes se saludaron: con displicencia por parte del alto funcionario, que juzgaba a

[3] **Con esto queda . . . Isolina** So it is easily seen how Isolina

Las dos vidas del pobre Napoleón

Machuca muy por debajo de él socialmente. No faltó, en un ascensor, el encuentro fortuito de las dos parejas, y la presentación, por los maridos, de las respectivas señoras. Napoleón se hallaba en el auge de su intacta suerte. La gente lo observaba y lo comentaba. La suerte, y el dinero que ella procura, atraen, sobre todo, a las mujeres. Como Napoleón, con el formidable éxito, se había vuelto simpático y galanteador, Isolina, que cambiaba de amante cada seis meses, fué hacia el hombre a quien tan miríficamente favorecía el Destino. El deseo del empleado de vengarse del jefe, a quien detestaba, y las "facilidades" que le ofrecía Isolina, hicieron lo demás. Tal vez el odio contribuyó al acercamiento. Si la voz de la sangre aproxima a dos seres —como en el terrible caso de *Los Maias*,[4] en que un hombre y una mujer se enamoran sin saber que son hermanos— ¿por qué el odio común a un tercero no ha de acercar también? Porque Isolina aborrecía a su marido tanto como Napoleón a su jefe.

—No te imaginás, Bonapartito —le confesó a Machuca varias veces— cómo me revienta el barrigón de mi marido. Es un hipopótamo. Lo odio con pasión. Si parase las patas, me alegraría. Y te aseguro que le pongo cuernos con infinito placer y sin el menor escrúpulo.

Y pronunciadas estas palabras, poníase a tararear el tango de moda.

Napoleón, cuando se vió en la mala,[5] expulsado del empleo por el marido de su amiga, pensó en pedirle a ella dinero. La idea le repugnó en el primer momento, pero luego resolvióse a ponerla en práctica, a título de venganza. Y así se lo soltó a ella.

[4] *Os Maias* Novel (1880) by José María Eça de Queiroz depicting upper class Portuguese society.
[5] **cuando se vió en la mala** when he realized his sorry plight

—Mirá, tu marido me ha puesto en la calle. Yo creo que debemos vengarnos. Sacále vos cuanta plata puedas y después me la das y la gastamos entre los dos. Haremos lindas farritas. . .

5 —Será muy difícil sacarle plata. No me querrá dar sino muy poco más de la que me da. Cuando mucho, le arrancaría cien pesos. Y tampoco puedo robarle, porque guarda todo su dinero, bajo llave, en la caja de fierro.

—¡Caramba, qué contrariedad![6]

10 Napoleón tenía su idea, pero creyó político hacerse el que pensaba.[7] Simuló reflexionar un breve rato, y luego inquirió:

—¿Y los cheques? ¿Los guarda también en la caja de fierro? Necesito que me traigas uno.

15 —A principios de mes, no los guarda allí. Como él paga todas las cuentas, porque el muy canalla desconfía de mí, tiene las libretas de cheques a mano, para no estar abriendo la caja de fierro a cada rato.

—¿Qué es eso de "a mano"?[8] ¿Sin llave?

20 —Con llave, pero en el escritorio.

—¿Entonces?

Isolina explicó: el escritorio no tenía llave, momentá- neamente, por habérsele roto, y los cheques estaban en un cajoncito interior cuya llave, que no era *yale*[9] sino de las 25 comunes, podía ser reemplazada por otra igual.

—En casa —continuó— hay muchísimas llaves de todos los tamaños imaginables. Trataré de encontrar una con la que pueda abrir el cajoncito. Si no la encuentro, mandaré hacer otra. Pero ¿qué harías con el cheque?

[6] **¡qué contrariedad!** how that spoils things!
[7] **hacerse el que pensaba** to pretend he was meditating
[8] **¿Qué es . . . mano"?** What do you mean "readily available"?
[9] **Yale** a famous make of locks

Las dos vidas del pobre Napoleón

—Imitar la firma de tu marido y. . .

A la atolondrada inconsciente y amoral de Isolina, la idea de su Bonapartito, como le decía, no le asustó. Ni se le ocurrió el pensamiento de que robar un cheque y ser cómplice de una estafa fuese un delito. Si le hubieran preguntado su opinión sobre los dos hechos, habría dicho que ella no cometía delito: el dinero de su marido era también suyo. En cuanto a Napoleón, tal vez pensara que no tenía culpa en la substracción del cheque, y que el falsificar la firma de su marido para robarle unos pesos debía ser considerado como una simple venganza por haberle quitado el empleo. Así veía las cosas el caletre de Isolina y así las juzgaba su conciencia.

—¿Cuándo me vas a traer el cheque?

—Pronto, Bonapartito. Antes de una semana.

—Nos divertiremos —rió agriamente Napoleón— con los pesos de tu marido. Tomaremos *champagne* en su honor y brindaremos por la eterna conservación de sus adornos frontales. . .

—¡Qué gracioso! — se dislocó en carcajadas Isolina—. ¡Ja, ja, ja!

DIEZ Y NUEVE

APOLEÓN, contando anticipadamente con la aquiescencia de Isolina, ensayábase, desde dos semanas atrás, poco después de ser exonerado, en imitar a la perfección la firma del Director. Nunca había dejado en absoluto
5 de practicar tan útil arte. En su casa jamás lo hizo, pero sí en la oficina. Muchas veces, mientras conversaba con algún compañero, entreteníase en echar firmas: las de otros empleados, las del Presidente de la República y de los ministros y diversos personajes. No le salían perfectas,
10 a menos que las tuviese ante los ojos; pero sí muy parecidas. Una tarde, uno de los empleados, que era aficionado a la historia argentina, llevó un volumen donde se hallaban reproducidas las firmas de Don Juan Manuel de Rosas,[1] del general José María Paz,[2] del general Estanislao López[3]
15 y de Juan Facundo Quiroga.[4] Le entregaron el volumen, y, después de ensayar la imitación de cada firma tres o cuatro veces, le salieron idénticas a las de sus dueños.

[1] **Juan Manuel de Rosas** (1793–1877) Argentine dictator from 1835–1852.

[2] **José María Paz** (1789–1854) Argentine general who distinguished himself in the War of Independence.

[3] **Estanislao López** (1788–1838) Military and political leader of the Argentine province of Santa Fe and fervent supporter of the dictator Rosas.

[4] **Juan Facundo Quiroga** (1790–1835) Notorious Argentine **caudillo**, epitome of the ruthless and cunning political leader of the era following Argentine independence. He is vividly portrayed in the classic work *Facundo* (1845) by Domingo Faustino Sarmiento.

Las dos vidas del pobre Napoleón

En su casa guardaba una nota en donde estaba, al pie, la firma del Director. Era una construcción artificiosa, con rasgos inútiles y falsamente decorativos. Evidentemente, el Director, cuando muchacho, debió estudiar con paciencia, durante horas y horas, hasta inventar esa firma y su complicada rúbrica. Era la letra de un farsante. Un hombre honrado, sencillo y franco firma con naturalidad. No trata de fingirse un personaje, de mentir una grandeza que no tiene. Otra curiosidad eran tres puntitos encajados en medio de la rúbrica. ¿Sería masón el Director? Seguramente, pues sin un apoyo como el que da la Masonería a sus cofrades no medra en la vida un pobre diablo como ese individuo.

Napoleón trabajó en imitar la firma del prohombre durante unos quince días. Gastó docenas de hojas de papel, de buen papel satinado. Aspiraba a que la firma de su futura víctima llegara a ser como una segunda firma de Napoleón Machuca, de modo que le saliera espontáneamente, sin dificultad ninguna, sin la menor vacilación. Y debía ser tan idéntica a la del Director, que él mismo la creyese suya.

El día que Isolina aceptó substraerle un cheque a su marido, ya Napoleón estaba colmadamente entrenado. Pensó que sólo el Demonio, si existía, era capaz de fraguar una firma y una rúbrica tan idénticas a las del hombre a quien él consideraba como su mayor enemigo.

Mientras tanto, Margarita había pasado una quincena de inquietud y curiosidad, acaso más de lo segundo que de lo primero. ¿Qué hacía su marido enclaustrado todo el santo día en su escritorio? No era probable que se aislara de semejante manera para leer. Tenía que ser para escribir. Pero escribir ¿a quién? ¿Y sobre qué? En dos semanas de encerrona se puede hasta escribir una novela: ella, enterada

de la vida de sus autores predilectos, sabía que Balzac[5] compuso en ocho días una de sus obras maestras. Napoleón, naturalmente, no se había encerrado para dedicar su tiempo a la literatura. Tenía que ser, forzosamente, para escribir
5 cartas. Pidiendo plata a quienes pudiesen ayudarlo, no le parecía muy creíble. Así, de suposición en suposición, y juzgándolas a todas inaceptables, había llegado al convencimiento de que Napoleón le estaba escribiendo a Pedro Roig. Su misma exagerada morosidad se explicaba por esa hipó-
10 tesis: a un escritor de la alta categoría de Pedro Roig no se le podía dirigir una carta mal redactada, con errores de ortografía, con frases oscuras o incorrectas. Así nació en el cráneo de Margarita la idea de visitar a Roig: tal vez el novelista supiese de Napoleón cosas por ella ignoradas
15 y que, acaso, explicasen su actual estado de ánimo.

Pero antes de dar semejante paso, Margarita intentó sonsacar su secreto a Napoleón.

—Me tenés inquieta con tanto encierro — le confesó una noche, mientras comían, pensando que su marido estaba
20 de mejor humor que otras veces.

—Inquieta. . . ¿por qué?

—Se me ocurre que estás escribiendo. . . — se animó medrosamente Margarita, en el temor de un estallido.

—Es gracioso —rió él, falsamente—. ¿Te da miedo que
25 salga yo ahora con una novela, que sería muy mala, tal vez ridícula? ¿Cómo te imaginás que a esta altura de la vida me voy a poner a escribir novelas, a pretender hacerle la competencia a Pedro Roig?

La miró severamente primero y con aire desdeñoso des-
30 pués, y agregó:

<hr>

[5] **Honoré de Balzac** (1799–1850) The great French novelist, author of *La Comédie Humaine*, a series of works depicting French life and customs.

Las dos vidas del pobre Napoleón

—¡Ni que estuviera loco de atar![6]

Margarita, semiapabullada, se achicó más aún:

—Quise decir... cartas...

—¿Cartas? ¿Y a quién diablos le voy a escribir cartas? ¿Y con qué objeto? Vos debés estar creyendo que me he vuelto loco... ¿eh?

—Entonces, no sé...

Nada más hablaron. Napoleón se recogió en su interior y permaneció en silencio durante el resto del tiempo de la comida.

Margarita le observaba. Parecía muy preocupado. Sin duda la preocupación se relacionaba con las preguntas que ella le hiciera y que ahora le parecían tan inútiles, tan tontas. Díjose a sí misma que había estado impertinente. Arrepentíase de su inquisición, que no había producido otro efecto que el de aumentar su expectación por el tremendo enigma que a su lado tenía y el de hacer sufrir un poco más al pobre Napoleón.

Pero ¿qué escribiría su marido, Señor? Enferma de curiosidad, reflexionó en el tema la noche casi entera, pues durmió muy mal, y, después de dar al asunto mil vueltas, concluyó definitivamente que debía tratarse de una carta y de una carta a Pedro Roig.

Y decidió que al otro día, por la mañana, se presentaría ella en la casa del novelista.

[6] **¡Ni que estuviera ... atar!** One might think I were stark raving mad!

VEINTE

PEDRO ROIG trabajaba con su calma y serenidad habituales, y con su eterna pipa en la boca, en el escritorio, cuando su mujer se le presentó para anunciarle que una señora lo buscaba. Roig, que no quería perder una sola mañana de labor, negábase, por lo común, a recibir visitantes a esa hora. Tanto la sirvienta como su mujer estaban aleccionadas. Siempre era la fámula quien atendía la puerta, pero si el visitante llevaba faldas, ella debía avisar a la señora. Esto, naturalmente, no era orden de Roig sino de su mujer, que sentía perturbadores celos, y con razón, de las visitantes de su marido, sobre todo cuando le parecían bonitas o sospechase que pudieran gustarle a él o engatusarlo.

—¿Qué quiere? —preguntó. Roig desabridamente—. Hoy tengo mucho que trabajar. . .

Esto lo decía por fórmula, para su mujer, pues la verdad era que le complacían mucho —¿y a qué hombre no le pasa igual?— las visitantes agradables.

—No ha querido darme su nombre. Dice que te lo dará a vos. Tampoco he podido sacarle ni media palabra sobre el objeto de su visita. Sólo conseguí saber, si no es mentira, que viene a verte por un asunto muy grave y en el que vos tenés algo que ver. Esto, como comprenderás, me ha intrigado y por eso la he hecho entrar, porque de otro modo, la hubiera mandado con cajas destempladas.

Las dos vidas del pobre Napoleón

— A mí también me intriga. ¿No será alguna vieja maniá-
tica, alguna pechadora?

Esto lo dijo Roig, desmayadamente, para averiguar si
era bonita o fea, vieja o joven.

—No es nada vieja, sino joven y bonita. Es elegante y 5
"bien,"[1] y parece de la mejor sociedad.

—¡Qué clavo![2] Bueno, que pase — consintió el novelista,
levantando los brazos y los hombros como si la visita de
esa mujer joven y agradable, a la que ya se perecía por
conocer, fuese una fatal calamidad. 10

Margarita entró. Roig, galante, le estrechó la mano.
Todavía en pie, se disculpó: la recibía en ropa de trabajo,
de entrecasa, por no hacerla esperar. La dama le contestó
que estaba perfectamente vestido, lo que era verdad. Verla
y gustar de ella fué para el novelista una misma cosa. 15
A la visitante, que había visto a Roig varias veces, el
escritor le pareció tan buen mozo como siempre, con su
distinción natural y sencilla, sus maneras amables, sus
grandes ojos oscuros, su rostro entre ovalado y redondo,
su piel morena, sus mejillas carnosas y bien afeitadas. Ella, 20
que no era baja de estatura, resultaba chica junto a ese
hombre bastante corpulento, de anchas espaldas y sólido
de carnes.

—¿A qué debo el placer de su visita, señora?

Ella comenzó por declararse admiradora de sus libros. 25
Los citó a casi todos y demostró que los conocía muy bien,
no con un conocimiento exterior sino como conoce uno a las
personas de su familia, a las amistades más queridas. Roig
no ocultó su complacencia. Juzgó inteligente, o, por lo
menos, inteligentona a la linda y un poco lánguida mujer 30

---

[1] y **"bien"**   and attractive, of gracious manner
[2] ¡**Qué clavo!**   What a nuisance!

que tenía delante, y se dispuso a escuchar con interés cuanto ella quisiese preguntarle o revelarle.

—Hasta ahora —expresó Margarita— no le he dicho quién soy. Tal vez mi nombre lo asuste. Y espero que, en cuanto lo sepa, comprenderá para qué vengo...

—Mi curiosidad es enorme, señora.

—Soy la mujer de Napoleón Machuca.

—¿De Napoleón Machuca? — exclamó Roig, a la vez asombrado y sonriente.

A ella, aunque no amase a su marido, no le hizo la menor gracia la sonrisa del novelista,[3] que juzgó despectiva para Napoleón.

—¿Por qué sonríe, señor Roig? ¿Le parece cómico que mi marido consiguiese hacer interesar por él a una mujer que no es un esperpento? ¿O le encuentra a él algo de ridículo?

—Señora —contestó Roig, cuerpeándole a la última pregunta—,[4] usted es una linda mujer, y le ruego tenerme por su admirador.

—Con ese vulgar piropo, indigno de usted, agrava usted su situación. Sin duda por ser alto, fornido y sólido no comprende que puedan gustar a las mujeres los bajitos, delgados y de apariencia débil. Tiene que haber para todos los gustos, y me parece raro que un novelista como usted lo ignore...

—Pero, señora... no he dicho nada contra el físico de Machuca. He sonreído porque ...porque sí, no más, tal vez porque la persona de Machuca me trae recuerdos agradables, divertidos... Recuerdos de nuestra infancia y adolescencia...

—Bueno, dejemos eso a un lado. Usted tiene que trabajar y no quiero llevarle toda la mañana. No vengo por pedido de Napoleón sino por mi propia cuenta. Vengo a contarle

---

[3] **no le hizo ... novelista**   the novelist's smile did not please her at all
[4] **cuerpeándole a la última pregunta**   dodging the last question

Las dos vidas del pobre Napoleón

al autor de *Un hombre respetable* que su libro le ha hecho a Napoleón un daño inmenso. En una palabra: lo ha trastornado, llevándole a los límites de la locura, si no es que está ya loco de remate.

Roig quedó pasmado. Cuando salió de su estupor, aseguró a Margarita que Alejandro Magno Pacheco tenía apenas un parecido muy vago con Napoleón.

—Pacheco —agregó— es como un primo segundo o tercero de su marido. Machuca ha sido para mí una inspiración, y nada más. Acaso un punto de partida.

Mitad amable y mitad encalabrinada, le objetó Margarita:

—Y entonces ¿por qué le anunció usted a Napoleón que en su próxima novela iba él a salir?

—Se lo dije un poco en broma. Si Alejandro, en mi intención, hubiese sido exactamente Machuca, no se lo hubiese dicho. Además, le confesaré a usted que en esos días, es decir, seis o siete meses antes de la aparición de mi novela, mi libro estaba apenas en el comienzo. Le quiero decir que yo no sabía, ni podía saber, lo que iba a ser mi personaje de Alejandro. Después que encontré a su marido en la calle Florida, Pacheco tomó vuelo,[5] empezó a vivir con vida propia. Yo nada pude para modificar su existencia. Él prosiguió su camino, espontáneamente, como si yo no le hubiera dado vida. No es imposible que, sin quererlo, y acaso influído por el encuentro con Napoleón, algo más de su carácter se hubiera introducido en el de Pacheco. Escribí la novela con rapidez, lo que nunca he hecho. Tenía cincuenta páginas, y las doscientas cincuenta restantes me salieron volando,[6] en tres meses.

Margarita lo había escuchado absorta y silenciosa.

[5] **tomó vuelo**   assumed a life of his own, became real
[6] **me salieron volando**   were composed very rapidly

Ahora pensaba y, al parecer, sufría. Como no contestase, Roig, después de haber esperado que dijese algo, argumentó:

—De todos modos, no veo que en el hecho de creerse personaje de una novela haya motivo para tanto trastorno.
5 Cuénteme, señora, se lo ruego.

Margarita refirió con palabra entrecortada, suspirando a veces y con un continuo entornar de los ojos, casi todo lo que sabía y le era posible referir. Roig la escuchaba estupefacto, agarrado por el apasionante interés del relato. No
10 la interrumpió en ningún momento, pues no era interrumpir el soltar de cuando en cuando una interjección de asombro.

—¡Es todo un caso![7] —exclamó el novelista al terminar ella su relación—. Un caso novelesco y también novelístico.[8] En mi vida me ha ocurrido nada semejante. Co-
15 nozco bien las biografías de los grandes creadores de caracteres y conozco sus novelas, y no recuerdo de nada parecido. ¡Pobre Machuca! Créame, señora, que deploro la situación de espíritu en que se halla su marido. ¡Qué curioso! Jamás hubiera pensado que la lectura de una novela pudiese
20 llevar a un hombre a la locura.

Le sonrió débilmente Margarita:

—Se olvida usted del *Werther*,[9] que enloqueció a muchos tontos llevándolos al suicidio. Y todo el que se mata es porque está mal de la cabeza...
25 —Es usted erudita.

---

[7] **¡Es todo un caso!**   It's quite a story!

[8] **Un caso . . . novelístico.**   A very unusual case and also one suitable for novelistic portrayal.

[9] *Werther*   Reference to the hero of the German novel *Die Leiden des jungen Werthers* (*The Sorrows of Young Werther*, 1774), by Johann Wolfgang von Goethe (1749–1832). The emotional sensitivity, exalted sentiment, and frustrated passion of young Werther are early manifestations of the romantic literary current that dominated the first third of the nineteenth century. The grief of Goethe's hero is terminated by his tragic suicide.

Las dos vidas del pobre Napoleón

—En novelas, lo soy —jactóse la dama, pero risueñamente, juzgando, al parecer, esa "erudición" como un defecto o un pecado—. He leído millares de buenas novelas.
No policiales ni de aventuras. Cada cual tiene un tema en
su vida ¿no le parece? Hay mujeres mojigatas que tienen
el tema de la pureza, y hombres de imaginación nada limpia
que tienen el tema de la impureza. El tema suyo es el de
escribir novelas; y el mío, el de leerlas. . .

Roig aprobó las palabras de Margarita, a la que con-
sideró ingeniosa. Condujo la charla hacia las novelas. Y
como coincidían en gustos y pareceres, sintiéronse apro-
ximados espiritualmente.

—Bueno —suspiró Roig, al cabo de diez minutos de
hablar sobre novelas y pensando en dos cosas que le esperaban, las cuartillas en blanco y la admonición celosa de su
mujer—, supongo que usted no ha venido sólo a contarme
lo que le sucede a Napoleón. ¿Qué quiere usted de mí?

—Que escriba usted. . .

Interrumpió alborozamente el novelista:

—¿Otra novela para tranquilizar a su marido? ¡Qué
horror!

—No, tanto no pretendo. Me basta con una carta, diciendo que su Alejandro Magno Pacheco no es el retrato de
mi marido, sino algo así como un pariente lejano. Podría
añadir que no ha intentado, puesto que no es adivino ni lo pre-
tende, anunciar o profetizar lo que sería la vida de Napoleón.

—Esa carta — inquirió con alarma y suspicacia el novelista— . . .no será, supongo. . . para ser publicada. . .

—¡Oh, no! ¿Me cree loca?

—Entonces ¿a quién debo dirigirla? ¿A usted?

—No. Él debe ignorar que he venido a su casa. Usted
tiene que escribir al propio Napoleón.

Roig, desconfiadamente, se echó para atrás:

—Pero ...¿con qué pretexto? Es un poco fuerte lo que usted me propone... En este instante, eso me parece hasta contrario a mi dignidad de escritor...

5 —¡Oh, señor Roig —ironizó la dama—, un novelista ilustre declarándose incapaz de urdir un pretexto! Eso sí que es fuerte...[10] No hubiera creído jamás que Pedro Roig tuviese tan escasa imaginación... Me voy a desilusionar de usted.

10 Roig reflexionó un breve rato, y luego, poniendo su recia y grandota mano sobre la de ella, con intención más galante que conciliadora, prometió:

—Bueno, señora. Escribiré esa carta, pero sólo por ser usted quien me lo pide.

15 Abrazó los ojos de Margarita con su mirada amplia y conquistadora. Ella, como sin darse por aludida,[11] y con aire melancólico, le alabó:

—Hará una obra de bien, señor Roig, pues tal vez con esa carta salve usted de la locura a un hombre exce-
20 lente, y de la eterna desgracia a una pobre infeliz que no merece la negra suerte de ser la mujer de un insano.

Se levantó lánguidamente para despedirse. Roig, al tomar la mano, bella y fina, de la dama, se la besó con ceremonia. Luego, le preguntó si podía telefonearla. Ella
25 le dió su número telefónico y el de su casa, le tendió otra vez la mano, que ahora el escritor le apretó virilmente, y salió contenta.

Ya en la calle, sonrió para sus adentros: al cruzar el vestibulito, había divisado a la mujer de Roig, famosa por
30 sus celos, que la miraba con agresiva cara de perro.

10 **Eso sí que es fuerte** That's a good one!
11 **como sin darse por aludida** as if ignoring the fact that she was the object of his attention

VEINTE Y UNO

ISOLINA le llevó, muerta de risa, un cheque de su marido. No el primero de la libreta, sino el quinto. Este rasgo de inteligencia y perspicacia no era de ella, por cierto: se lo había indicado Machuca. Si faltaba el primero, había pensado el candidato a delincuente que el Director lo notaría. 5 Tratándose del quinto, había la posibilidad de que transcurriese acaso una semana sin que él advirtiese el robo.

Al otro día, Napoleón se presentó en el Banco de la Nación a cobrar el cheque. Por suerte para él, una docena de individuos "hacían cola" en la ventanilla. No era fácil, 10 pues, que todos los que iban a cobrar cheques —en seguida se enfilaron varios detrás de él— se dedicasen a observar su persona. Además, y por si acaso, llevó un diario para ocultar su cara. También se ocultó del empleado, hasta que le llegó su turno, detrás de las otras personas. 15 Entregó el cheque no tan fríamente como creyó hacerlo, pues algo, un poquito, le temblaban las manos. Para evitar el temblorcito y que el empleado y las demás personas que esperaban junto a la ventanilla se diesen cuenta de ello, se estuvo refregando las manos sin cesar, como si se 20 sintiera con frío. Y cuando el empleado pronunció en voz alta el nombre del Director, Napoleón se arrimó a la ventanilla temblando como un vejete.

La suma cobrada no era grande. Napoleón, no sabiendo

qué cantidad tenía su víctima depositada en ese banco, se había contentado con estafarle en quince mil pesos. Había pensado que la insuficiencia de los fondos en la cuenta del Director pudiera ser catastrófica para él. Napoleón le había encargado a Isolina fijarse en la libreta qué cantidad tenía en el Banco de la Nación su marido, pero Isolina, atolondrada e ignorante, no había sido capaz de encontrarla.

Nervioso, tanto por la mala acción realizada como por el temor de ser descubierto, Napoleón llegó a su casa en lamentable estado. No había querido permanecer en el centro por miedo de que le robasen los quince mil. Hacía unos días que Margarita no le veía llegar tan excitado. Napoleón encerróse con llave en su escritorio, y allí pasó dos horas largas contando y recontando su botín de guerra contra el Director y forjando planes para el empleo de lo que imaginaba una fortuna.

Terminado todo esto, se enfrentó en una charla con Alejandro.

—He hecho lo que me aconsejabas —susurró casi humildemente—. Resistí cuanto pude a tus insinuaciones porque soy honrado; y si he delinquido es por necesidad, y tú no ignoras que la necesidad tiene cara de hereje.[1]

—¡Qué hipócrita de tomo y lomo! Dices que has resistido... Mientes, Napoleón. Desde hace tiempo pensabas en enriquecerte falsificando la firma de alguien, de acuerdo con mis enseñanzas y mi práctica. No lo hiciste porque te faltó ocasión. Y apenas te dejaron sin el empleo y pudiste contar con Isolina...

—Pero hubo una resistencia interior, de semanas, de meses...

—A mí, que soy tu conciencia, tu "otro yo," no me

[1] **la necesidad ... hereje** necessity makes one do rash things

vas a engañar. Lo que has dicho, nada prueba. Todo criminal pasa por momentos de vacilación, en que la conciencia le habla. No hay quien no tenga su poquito de honradez, aunque sea guardada con alcanfor, en el fondo del baúl de su ser. Yo también luché. . .

—¿Vos, Alejandro?

El "otro yo" no contestó. Hubo un buen rato de silencio, hasta que, por fin, la voz de Pacheco fué de nuevo oída por Napoleón.

—No has hecho, infeliz, lo que yo te aconsejaba. Eres un atropellado. Yo deseaba que me imitases, pero de veras, no a medias. Has leído mi historia en el libro de Pedro Roig. Falsifiqué una firma, y con los trescientos mil pesitos ajenos volé a Montevideo, de donde pasé al Brasil y luego a Europa. Me condenaron a diez años, y los diez años pasaron allá agradablemente, gozando de los placeres de la vida con los dineros de mi víctima; y cuando el tiempo de la condena quedó prescrito volví a la patria, en donde se me recibió muy bien. Nadie se acordaba de mi hazaña, y en cambio veían mi fortuna, que yo se la ponía a todo el mundo delante de las narices y que ahora es grande porque la acrecenté en Europa.

—Alejandro, fuí un cretino. . .

—No te alabes,[2] Napoleón. Fuiste un supercretino, un archicretino. Te ensuciaste, estúpidamente, por quince mil despreciables pesos. Tal vez no te descubran, pues cuentas con la complicidad de Isolina, y tu víctima no querrá que se haga público el suceso ni que vaya a la cárcel su mujer. De Isolina depende tu salvación. Si canta, se pelea con el marido y él la echa de su casa y pide el divorcio, estás

[2] **No te alabes**   Don't give yourself that much credit (*That is, Alejandro considered him not only a fool, but a big one at that.*)

muerto, irremediablemente muerto para toda tu vida. Irás a la cárcel. Tu mujer se divorciará y se casará con otro. Y cuando salgas, nadie aceptará tener amistad contigo.

—¡Es espantoso! —gimió Napoleón, con los ojos en 5 lágrimas—. Aconsejáme algo. Vos, que tenés tanta experiencia de la vida, debes aconsejarme...

—No hay sino una persona con la que puedas franquearte acerca de la inconmensurable estupidez que has hecho, y es Pedro Roig, mi padre.

10 —¿Tu padre?

—Claro, mi padre.

—Pero... no pretenderás que sea también el mío, supongo...

—¡Quién sabe!

15 —Me vas a volver loco de veras, Alejandro. ¿Crees que Roig pueda ser mi progenitor?

—¿Y no es el mío? ¿Y no soy, acaso, tu "otro yo," como me dices siempre? Si yo y vos somos una misma cosa, un solo ser, es evidente que Pedro Roig, siendo mi 20 padre, también es el tuyo...

—Pero vos, Alejandro, no tenés existencia...

—¿Qué estás diciendo? Tengo tanta existencia como vos.

—¡Alejandro! Vos tendrás existencia literaria, pero no 25 real...

—¿Por qué no? Y eso que llamas "realidad" ¿qué es? La prueba de mi existencia real es que Roig, a poco de empezada su novela,[3] quiso obligarme a seguir por determinado camino, que era el de su plan. Y no pudo, porque 30 yo seguí el mío. Él me había dado la vida, un determinado carácter, cualidades y sentimientos, pero yo no podía hacer

[3] **a poco... novela** shortly after he began his novel

lo que él quisiera sino ir por donde debía ir. Lo mío triunfó
contra lo suyo. Roig nada pudo contra mi destino.

—¡Alejandro! Mi cabeza da vueltas. Después de oírte,
ya no sé si existo o no, ya no sé quién soy. Porque si vos
existís realmente, entonces yo no puedo existir. . .   5

—¡Pobre Napoleón! Estás medio mal de la cabeza.
Te conviene hacerte examinar por el doctor Hornos, que
es especialista en enfermedades mentales y no de los ojos,
como te engañó tu mujer.

—¿De modo que Margarita . . .me creía . . .chiflado,   10
quizá demente?. . .

Alejandro no contestó. Napoleón, con los ojos extraviados y las manos temblando, le rogó a su "otro yo," al
que a veces creyó su conciencia, o la representación de
sus malos instintos: 15

—Alejandro ¡andáte, dejáme solo! Estoy enfermo.

VEINTE Y DOS

AL OTRO DÍA por la mañana, la sirvienta fué a llamarlo a su escritorio. La muchacha golpeaba con fuerza, y cuando Napoleón abrió le dijo:

—Una señora lo habla por teléfono. Es muy urgente, parece. He venido a molestarlo porque la señora Margarita no está.

—¡La señora Margarita no tiene que meterse en mis cosas!

Esto se lo gritaba Napoleón a la muchacha, mientras corría hacia el teléfono. Era Isolina, que le comunicaba la más grave de las noticias: su marido había notado la falta del cheque, había interrogado a las personas de la casa y anunció que iría al banco por la tarde, con el fin de averiguar.

—Y vos ¿qué le respondiste?

—Negué redondamente, Bonapartito. Y hasta me declaré ofendida. Le chanté que era una impertinencia preguntarme eso a mí, pues nada podía saber yo. ¿Estuve bien, verdad?

—Bueno. Seguí negando no más.[1] En absoluto. Tenés que contestar siempre eso mismo, exactamente eso mismo, y no agregar una sola palabra más.

---

[1] **Seguí negando no más.** Just keep on denying it. (**Seguí** *is the imperative form used with* **vos**.)

Las dos vidas del pobre Napoleón

—Cumpliré tu voluntad, querido. Pero estoy loca por verte. Si fuera esta mañana misma, mejor.

Como Napoleón tenía resuelto visitar por la mañana a Pedro Roig, dejaron la entrevista para la tarde. Isolina recordó a Napoleón que debía comprar champaña y algunos comestibles para festejar la feliz llegada de los quince mil.

—¡Ah, sí, cierto, de los quince mil! — rió Napoleón, con risa amarilla.

Terminada la conversación, Machuca decidió, antes de hacer la pensada visita a Pedro Roig, estar solo una larga hora. Necesitaba reflexionar sobre la terrible novedad que le había comunicado Isolina.

¿Podría ocurrirle a él algo desagradable? Tal vez no, siempre que la charlatana y tonta de Isolina se mantuviese en terca negativa. Nadie tenía el menor motivo para sospechar de él. Era claro que el Director pensaría en la posibilidad de que su mujer fuese el autor del robo. No ignoraba que era odiado por ella, y, como estaba lejos de ser un imbécil, la conocería muy bien —llevaba dieciocho años de casado— y conocería su amoralidad irremediable. Acaso no tuviera noticia de todos los cuernos[2] que adornaban su cabeza, pero sí sabría, con seguridad, que su mujer era capaz del mayor de los disparates, inclusive de cometer un delito. También parecíale seguro a Napoleón que el Director sospechase de algún cómplice de Isolina. Pero ¿era forzoso que el cómplice fuese un amante? ¿Y por qué demonios habría de ocurrírsele a ese hombre abominable ver en él, un modesto empleado, ese cómplice y amante? Nadie, creía Napoleón, le había visto jamás con Isolina. Por el

[2] **todos los cuernos** *The reference here is to the unfaithfulness of his wife. Gálvez is playing with the idiom* **ponerle cuernos a uno,** *to be unfaithful to one's husband.*

133

hecho inmodificable de ser el Director su jefe, había llevado la aventura con toda la cautela posible. Él se la había contado a Raval, pero guardóse hasta de sugerirle el nombre de la dama.

5 Sonreía satisfecho de esta habilidad suya, cuando, súbitamente, enrojeció. "¡Estoy frito, soy un imbécil!," gimió con voz clueca. Los nervios se le desencajaron. El bigotito soportó el maltrato[3] con que en estas ocasiones lo atribulaban. Napoleón se levantó bruscamente y comenzó
10 a pasearse por el escritorio, aunque el cuarto fuese chico. ¿Qué había recordado? Sus ejercicios de imitaciones de firmas en el Ministerio. Raval nada diría, pero Vicentini llevaría el dato al Director o a las autoridades policiales. Siempre le quedaba el recurso de negar. Podría empacarse
15 en que lo de imitar firmas era un entretenimiento y nada más. En las oficinas nunca faltaba uno que lo hiciera. No había derecho, por esa diversión inocente, de creerle a uno un criminal. Y sus treinta años de vida honrada, ¿no debían ser tomados en consideración?

20 Empezaba a tranquilizarse de nuevo cuando otra vez se asustó. Ahora recordaba sus flirteos con Isolina, en Mar del Plata. El Director los había visto, a él y a ella, conversando briosamente, y hasta con algún amartelamiento, en dos ocasiones. Pero, no sabiendo nada más, ¿por
25 qué habría de creerle amante de su mujer? Además, él, Napoleón Machuca, era chiquito, flacucho y hasta feúcho. El Director, como otros que son grandotes y carnosos, le miraría, seguramente, no como un hombre sino como medio hombre. ¿Y era posible —debía pensar "ese asno del
30 Director"— que Isolina, mujer de temperamento ardoroso,

---

[3] **El bigotito soportó el maltrato** *The idea is that in his very excited state Napoleón twisted and pulled on his mustache.*

insaciable en el amor, fuese a enredarse con un medio
hombre, que jamás le bastaría para sus inquietudes carnales? "Y he aquí por qué me debo alegrar —se consoló
Napoleón a sí mismo— de ser tan poquita cosa en lo físico.
Mi pequeñez me salva. Mi pobreza fisiológica me evita el 5
ser sospechado y el tener que ir a la cárcel."

Y por fin, una singular idea concluyó por sosegar enteramente su ánimo, y era la de que él no tenía culpa alguna en lo que le iba ocurriendo. Todo era obra de Pedro
Roig. Sin Roig, sin su libro, él hubiera seguido siendo un 10
empleado correcto, un hombre falto de ambiciones, mediocre, decente, buena persona. . .

Quedó hasta contento, seguro de que nada malo podría
pasarle. Pero, de todos modos, iría a ver a Roig. Cerró su
escritorio, salió a la calle y subió a un tranvía. 15

En el prehistórico vehículo, tan lento como adornado de
mataduras, Napoleón fué pensando en esa visita a Pedro
Roig. No la hacía con gusto. Roig era socarrón y se burlaba
de él. Le veía de tarde en tarde, en la calle, y cada vez el
novelista le soltaba una zumba, ya referente a su exigua 20
estatura, ya a sus ridículos nombres. Recordaba la última
ocasión en que se encontraron, siete meses antes de aparecer
la novela en que él, Napoleón Machuca, era personaje.

—Pienso en usted sin cesar y con cariño —se chungueó
el escritor— porque voy a sacarlo en mi próxima novela, 25
que saldrá dentro de seis meses.

—¿A mí? — se había él asombrado.

—¿No le encanta, amigo Machuca? Pero ¡qué más
quiere! Hasta va a tener la esperanza de pasar a la historia.
Va a emular a su tocayo, el infeliz que murió en Santa Elena.[4] 30

4 **Santa Elena** Napoleon lived in exile in St. Helena, British colony in
the South Atlantic, from 1815 until his death in 1821.

—Pero ¿habla en serio, Roig?

—¿En serio? Usted sabe que no me gusta hablar en serio. ¿Cómo lo trataría ahora, Pedro Roig, después de su libro? ¿Le habría llegado alguna noticia de sus vicisitudes? ¡Pero ese tranvía que no llegaba nunca! Retornaba el jaleo de los nervios. Por fin, llegó el vehículo al punto a donde él iba. Se bajó, anduvo un par de cuadras, se detuvo ante una casa de departamentos, subió al quinto piso y llamó. A su inocente bigotito le faltaban unos cuantos pelos.

VEINTE Y TRES

PEDRO ROIG, que, como lo había recordado Machuca solía saludar al hombrecito socarronamente —en ocasiones lo hacía con palabras altisonantes y aspavientos en los que se escondía una burla no maligna—, esta vez no tuvo ánimo para hacerlo. Serio, sin pizca de sonrisa, le dijo al 5 verle entrar:

—¡Hola, querido Machuca! ¿Qué le trae por acá?

Cuando la sirvienta, un momento antes, le había entregado la tarjeta de Napoleón, su primer intento fué el de no recibirle. Después había pensado que, sin duda, el 10 pobre hombre venía para agradecerle su carta. Y resuelto a despacharlo pronto, le había ordenado a la fámula que lo hiciera pasar.

—Vengo a tratar con usted de cosas graves, gravísimas, señor Roig — soltó enfáticamente, desde la puerta 15 del escritorio, Napoleón, sin tomar la mano que el novelista, acercándose a él, le ofrecía.

Esta actitud descortés, casi agresiva, y el hecho de ser llamado "señor," dieron mala espina al dueño de casa. Aunque, para él, Machuca era un sujeto pacífico, tales 20 cosas le había contado Margarita que la presencia allí, frente a él, del ahora "peligroso" individuo, le infundió miedo. El pobre Machuca debía estar loco o algo menos, de modo que en cualquier momento, y sin previo anuncio,

podía él ser atacado. Trató, con diplomacia, de conducirse
con su visita lo más amablemente que pudiese. Sonriendo
y palmeándole el hombro, le rogó:

—Siéntese, amigo Machuca. Tengo mucho gusto en
verlo y lo escucharé con el mayor placer.

Mientras esperaba la respuesta de Machuca, Roig se
preguntaba si aludiría a su carta o no. Se la envió el mismo
día en que le visitara Margarita. ¿La habría recibido Napoleón? Decidió que era mejor no demandárselo. Si había
llegado a sus manos, el propio Machuca se lo diría.

De pronto, el visitante se puso en pie, y con ira tremenda
y asustadora para Roig, chilló:

—Lo que usted ha hecho, señor, no tiene nombre. ¡No
me interrumpa! Me ha convertido en personaje de novela,
logrando que la gente me desprecie y se ría de mí. ¡No me
interrumpa! Lo peor es que me ha calumniado, injuriado,
ofendido gravemente, atribuyéndome defectos que yo no
tenía. Sí, que no tenía y que, después de la salida de su
novela, he venido a adquirir. ¡Y por su culpa!

—¿Por mi culpa? — se azoró Roig.

—Sí, por su culpa. Conozco su teoría sobre el novelista
y sus personajes. Mi mujer, que se la oyó en una conferencia,
me la contó hace tiempo. Usted opina que el personaje
es independiente del autor, que tiene vida propia y que
hasta puede seguir un camino distinto al que el autor le
había trazado, cuando planeó su novela. Bien: ¿nada le
dice su conciencia, si la tiene? Empezó por bautizar a su
personaje con un nombre que se parece mucho al mío:
Alejandro Magno Pacheco recuerda demasiado a Napoleón
Machuca. Ambos tienen por nombre de pila los de dos
grandes conquistadores de pueblos. Después, con falta total
de escrúpulos, contraviniendo a la ley de la amistad, de la

cortesía, de la caridad, relata usted el desgraciado error que cometí siendo casi un niño.

—Por favor, permítame que lo interrumpa, Napoleón. De ese suceso no están enterados, en los dos hemisferios, inclusive las islas, sino dos personas, usted y yo. Lo estaba también su tío, pero él no lo contó a nadie, se tragó el secreto, y años después del suceso reventó. Además, lo he desfigurado lo bastante para que. . .

—Pero no me negará que ese Alejandro es, en lo físico, igual a mí. Tal vez usted crea que es igual a mí en lo moral. No lo era cuando usted concibió su novela, ni cuando apareció el volumen, pero llegó a serlo más tarde, hasta el punto de que yo me he identificado con Alejandro. . .

—¿Qué dice usted, Machuca? —exclamó Pedro Roig, fingiendo asombro, pues ya estaba enterado por Margarita de la extraña preocupación de su visitante—. ¿Cómo es posible que usted, un hombre real, de carne y hueso, haya llegado a creer. . .?

—Todo es obra suya, sí señor. Usted tiene la culpa de cuanto me ha sucedido y me viene sucediendo desde el día en que salió su libro. Usted le dió vida a Pacheco, y esa vida era la mía. Pero lo hizo a él más inteligente que cuanto yo puedo ser, le dió más audacia que la escasa que yo tengo, y lo lanzó al mundo, sin pensar que Alejandro era yo mismo y que yo, a la corta o a la larga, tendría que imitar al otro. Usted me puso a Alejandro como ejemplo, me invitó a que hiciese cuanto él había hecho, y. . .

—¡Por favor, Machuca! ¿Yo, invitarle a usted a. . .? ¿Y cuándo? ¿Y cómo?

—¡Ja, ja! —sonó la voz sarcástica de Napoleón, que a Roig le dió frío—. ¡Pues tiene tupé el hombre. . .! Usted, padre de la criatura, no podía ignorar que Alejandro era

otro Napoleón Machuca, que era mi "otro yo," que era yo
mismo, sí, señor, yo mismito. ¡No me interrumpa! Adivino
lo que quiere objetar: que no es culpable, que usted se
limitó a darle vida y que Alejandro, libertándose de usted,
desobedeciéndole, siguió su propio camino. Sé que intenta
defenderse con ese argumento, y yo le haré saber, si es
que no lo sabe, que Alejandro opina exactamente igual que
usted, es decir, que usted se limitó a darle existencia y
que él siguió en la vida por donde quiso, por donde lo
llevó, o empujó, su temperamento.

Roig no pudo impedir que una risita, venciendo a la
conmiseración, saliese a su rostro, y preguntó:

—¿Conque Alejandro opina lo mismo...?

Napoleón no contestó. Se detuvo como para retomar
el hilo de su reflexión interrumpida, y continuó:

—Sí. Usted dirá que no es culpable, que no puede serlo.
Pero yo afirmo que si no es culpable por una parte, sí lo es
por otra.

—No le entiendo.

—¡No me interrumpa! ¿De modo que no entiende? Se
hace el sonso porque su conciencia le reprocha su crimen.
Digo que no es culpable en cuanto, al dar la vida al
satánico Alejandro Magno Pacheco, al infundirle tales y
cuales ideas y sentimientos y hacerle cometer tales y cuales
acciones, usted procedió por inspiración, por dictado.[1] Fué
una especie de *médium*. No tuvo culpa en esto, es verdad.
Tampoco la tuvo en el hecho de que Alejandro se le rebelara.
Pero a medida que avanzaba el libro, usted debió comprender
que estaba escribiendo mi biografía... ¡No me interrumpa!

---

[1] **Digo que ... por dictado.** I say that your guilt does not lie ... in
having proceeded through inspiration, through a suggestive influence
beyond your control.

Las dos vidas del pobre Napoleón

Roig, cuando oyó lo anterior, hizo un movimiento como para protestar. Sus labios llegaron a abrirse a fin de que las palabras surgieran. Pero casi en el mismo instante comprendió lo inútil de su intervención.[2] Y como, por otra parte, Napoleón y su lenguaje le resultaban harto divertidos, resolvió permanecer en silencio, contemplando el curioso espectáculo humano.

—¡No me interrumpa! —repitió el hombrecito, transformado en orador de tres al cuarto—.[3] Sé lo que intenta decir. Cuando he hablado de mi biografía, me he referido a mi biografía en po-ten-cia, a mi biografía latente en mí. ¿Entiende ahora, señor novelista? Usted debió ver que, siendo Alejandro y yo una misma persona, al publicar su libro me ponía en la picota, y, lo que era peor, me imponía los actos de su personaje. Usted me ha obligado a jugar, a ser adúltero, a robar. . .

—¡Formidable! — rió el escritor, saliéndose impensadamente de su propuesto silencio, pero en seguida se tapó con la mano la boca.

—Porque usted sabe —prosiguió Napoleón, que no le había oído ni observado su ademán— que cada cual debe vivir su vida, y mi vida a vivir, la que me faltaba por vivir, era la de Alejandro, mi verdadero "otro yo."

Se detuvo, un tanto fatigado. Roig, estupefacto, pensaba en la dificultad que tendría en contestarle a ese hombre, pues, si bien parecía un insano, razonaba con mucha lógica. Ansiaba terminar el "peligroso," aunque interesantísimo diálogo: acaso más interesante para leerlo que para aguantarlo. Pero ¿cómo librarse de su visitante? ¿Si lo echara. . .? Pensó en que Napoleón pudiera resistir. Siendo,

---

[2] **lo inútil de su intervención**   how useless it was to interrupt
[3] **orador de tres al cuarto**   cheap soap-box orator

como era, chiquito y flaquito, él, grandote y fuerte, lo dominaría. Pero pensó también el novelista que los locos, según recordaba haber leído y oído muchas veces, adquieren, cuando se enfurecen, una fuerza sobrehumana.

Como Napoleón callase y pareciese algo calmado, le preguntó, con curiosidad:

—Vamos a ver, Machuca. . . Y yo ¿qué podía haber hecho para evitar que Alejandro viviese como vivió, dándole a usted tan mal ejemplo y empujándolo a hacer tantas cosas malas?

—Lo he pensado —respondió el hombrecito, con pasmosa seguridad—. Usted, antes que Alejandro empezara su vida viciosa, antes de que se convirtiera definitivamente en Napoleón Machuca, debió matarlo.

—¿Yo, cometer ese crimen? — se chungueó Roig.

—¡No me interrumpa! Sí, debió matarlo, pero no en el libro, porque así se corría el riesgo de matarme a mí también, sino rompiendo el libro, echándolo al fuego purificador.

A Roig se le ocurrió una idea salvadora, con la que pensaba concluir de calmar a su visitante:

—Puedo hacer algo que le complacerá, amigo Machuca, y que me parece la gran solución, y sería escribir otra novela, continuación de la que usted sabe, en la que Alejandro moriría. Con esto, se acabarían sus tribulaciones.

Y agregó con voz debilísima, para sus adentros, pues no deseaba que el otro oyese:

—Y las mías.

Napoleón, sublevado por la propuesta de una segunda novela, se levantó repentinamente del asiento, al par que estallaba:

—¡No! Un millón de veces, no. De ese modo yo moriría también, y no quiero morir. Además, es muy tarde. Yo he entrado ya totalmente en el alma y en la vida de Alejandro y él ha entrado ya totalmente en mi alma y en mi vida.

Y dicho esto, y en la actitud de un hombre agotado, se arrojó en el sofá.

Como Napoleón permaneciera ensimismado, Roig, después de reflexionar un rato, decidió afrontar el lado verdaderamente práctico del asunto, y aconsejó:

—Puesto que usted y Alejandro son una misma cosa, usted, me parece, debe hacer como él y huir.

—¿Huir yo? ¿Y por qué?

—Me es penoso emplear ciertas palabras, mi querido Machuca, pero usted me dijo. . . hace un momento. . . que había . . .robado . . .Por culpa de Alejandro, naturalmente. En este punto veo yo el único peligro para usted. Usted debe huir, como huyó Alejandro cuando se alzó con los trescientos mil que usted sabe. Usted se va al extranjero, y al cabo de unos años, al estar prescrita la . . .irregular acción, vuelve al país, donde no será mal recibido. Si usted es él y él es usted, como asegura, es lógico que le suceda lo mismo. Le irá bien, pues, según podemos y debemos esperar.

Roig, que se había dejado llevar de su imaginación y su instinto de novelista, siguiéndole el tren a Napoleón,[4] no había concluído de arrepentirse de la barbaridad de aconsejarle a un loco la huída, cuando Napoleón se levantó con mayor brusquedad que anteriormente, paseóse unos segundos por el cuarto y, encarándose con quien ya era para él su enemigo, le gritó:

—¡Hombre sin entrañas, perverso, miserable! A Pacheco le hizo robar trescientos mil pesos, una fortuna, y a mí apenas me hizo robar quince mil. . .

[4] **siguiéndole el tren a Napoleón**   following Napoleón's line of reasoning

143

Esta vez Roig no sonrió. La pena le estrujaba el corazón.

—Si huyera al Uruguay o al Brasil me moriría de hambre.
Y usted, sólo usted tiene la culpa de mi desgracia, porque
a Pacheco le dió una inteligencia brillante, hasta para
robar, y no ignoraba usted que yo, pobre diablo, no tengo
inteligencia para nada. . .

Arrojóse otra vez en el sofá y se echó a llorar. Lloraba
con sollozos que a Roig le partían el alma. Intentó consolar
al desgraciado, pero Napoleón, súbitamente, se levantó,
y, sin despedirse, agarró el sombrero con violencia y,
llevándose todo por delante,[5] huyó a la calle.

[5] **llevándose todo por delante**   in all haste

VEINTE Y CUATRO

MARGARITA se asustó apocalípticamente cuando la sirvienta vino a decirle que estaba la Policía. Creyó que Napoleón, en alguna de sus exaltaciones, hubiera trompeado brutalmente a alguien, tal vez al que fué su jefe. Suponía que Napoleón, en el estado actual de su espíritu, era capaz de cualquier atrocidad. Y le desesperaba y afligía el pensar que lo buscasen para llevarlo preso.

Entró en el vestíbulo, con su aire petulante de autoridad de cuarto o quinto plano, un oficialito. Dos vigilantes lo acompañaban.

Erizada de temblores, pálida y condolida, la voz de Margarita apenas se oyó:

—Mi marido no está. No sé a dónde, francamente, puede haber ido...

El oficialete dispuso que uno de los vigilantes se quedara en la casa. E intentaba retirarse, cuando ella, con acento sumiso, le rogó:

—¿Qué ha hecho mi marido, señor oficial? ¿Le ha pegado a otra persona?

El oficial se negaba a contestarle. Por fin, sarcástico, respondió:

—Le ha pegado un golpecito a un alto funcionario, falsificándole la firma y aliviándolo de una buena cantidad de pesos.

Y soltó una cruel carcajada, impávido ante el dolor de Margarita. Ella, con ademanes de teatro, y entre lágrimas, protestó:

—¿Robar él, Napoleón? Pero si es el hombre más honrado que existe. Será chiflado, hasta medio loco, o loco del todo, el pobre, si se quiere, pero es incapaz de quedarse con un centavo ajeno. Aquí tiene que haber un error, un grave error. No puede ser, señor oficial.

—Señora, la Justicia resolverá. Mientras su esposo no haya sido detenido, usted no puede salir a la calle ni telefonearse con nadie.

—¿Por qué? Aunque fuera cierto lo que usted cuenta ¿qué tengo yo que ver?

—No es eso, señora —se irguió el oficialito—. Lo que la Policía no quiere es que la señora le avise por teléfono y él huya. O que lo haga esperar en la esquina por algún amigo, con igual fin. Mi deber es pescar al delincuente, llevarlo detenido.

Hizo una desmayada venia y se marchó, dejando a Margarita en la mayor tortura. La dama intentó mandar a la sirvienta al vecino almacén, para que le telefoneara a Juan María, explicándole el suceso. A Napoleón era imposible hacerlo, por ignorar ella en dónde pudiese estar.[1] Pero el cancerbero policial no permitió que se ausentase la fámula.

El vigilante, que era un chino[2] cordobés, bastante pasable de facciones pero de fiera expresión, canturreó:

—Si quiere pedir algo, hágalo por teléfono desde aquí, pero yo estaré junto al aparato.

---

[1] **por ignorar ... estar** because she did not know where he might be

[2] **chino** In a very broad sense the word includes those inhabitants of Argentina of mixed racial strain—Indian, white, Negro, mulatto, mestizo. Most often, however, the term refers to a person of Indian and white parentage.

Las dos vidas del pobre Napoleón

Margarita comprendió que nada podía hacer contra esa implacable autoridad, y que Napoleón sería detenido en cuanto llegase. Mas no por ello dejaba de seguir buscando algún modo de comunicarse con el exterior. Como el vigilante no le impedía escribir ni moverse dentro de la casa, urdió la estratagema de enviar unas líneas a los habitantes del primer piso. La casa tenía una ventana por la que un papel allí arrojado llegaría necesariamente al piso primero, en donde había un patiecito. Escribió una carta dirigida a la señora de ese piso, a la que conocía. Pedíale que enviara a cualquier persona de la casa a esperar en la puerta, para advertir a su marido que la Policía intentaba detenerlo "injustamente." Este adverbio no era para Napoleón, sino para la señora del primero: ella debía saber que no protegería a un criminal ni a un pícaro. Echó dentro del sobre una llave cualquiera, para que cayese rápidamente e hiciese ruido, y tiró la carta por la ventana. Y para completar su obra, la lectora de novelas, cuya cabeza era un depósito de mil incidentes de toda laya, rogó a la sirvienta que entretuviese al vigilante, que no era feo, y que, para hacer las cosas bien hechas y si ello no le parecía desagradable, le consintiese algunos moderados avances.

Disponíase a esperar el resultado de su estrategia cuando entró Napoleón. El hombrecito, al ver en su casa a un vigilante, quedó petrificado. Pero apenas transcurridos los primeros efectos del azoramiento, preguntó al representante de la autoridad:

—¿Qué hace usted en esta casa honrada? Contésteme. Aquí no hay asesinos ni ladrones. ¿Qué busca usted en mi hogar?

—Vengo a detenerlo y llevarlo al Departamento Central de Policía. Entréguese. Queda detenido.

147

A las voces, harto destempladas, de Napoleón, acudió Margarita al vestíbulo.

—¡Mándese mudar,[3] so insolente! — chillaba el hombrecito, hecho un energúmeno.

El vigilante, que había intentado sujetarlo mientras él se le escabullía, le previno, amoscado:

—¡Va a incurrir en el delito de desacato a la autoridad!

Margarita, al oír estas palabras, se afligió hasta el extremo desconsuelo. Pero había que salvar a su pobre marido de una segunda falta, y, para ello, no se le ocurrió mejor cosa que buscar la mirada del vigilante y atornillarse la sien. El cancerbero asintió con la cabeza. Entonces ella aconsejó al rebelde:

—Entregáte, Napoleón. ¿Qué podés hacer contra la autoridad? Hay que respetarla. . .

Napoleón se calmó. Dijo que aceptaba ir al Departamento, pero en taxi. Pidió al vigilante cinco minutos para arreglar unos papeles y hablar con su señora, a la que necesitaba dejarle algún dinero para los días en que él estuviese "veraneando."[4] Accedió el vigilante. Machuca fué a su escritorio, miró sus quince mil, retiró tres billetes de cien y se los dió a Margarita. No quiso entregarle más, para que ella no creyese que le sobraba dinero.

—Es poco, Napoleón, para tantos días. . .

—No tengo más. ¿O vos también te crees que estoy platudo porque he robado?

—¿Cómo voy a pensar eso, querido?

—Además, no serán tantos días. Mi pureza quedará demostrada, y la semana que viene, a más tardar, me tendrás aquí.

[3] ¡**Mándese mudar!** Go away!
[4] **veraneando** (*here used ironically*) in jail

Las dos vidas del pobre Napoleón

Como el agente apremiaba, hubo que despedirse. Él le dió a su mujer un beso cualquiera, pero ella lo abrazó y besó entre gemidos y lágrimas. Y Napoleón salió en compañía del vigilante, con aire orgulloso y calculado aspecto de persona honrada. 5

Margarita corrió al teléfono. Su marido le había rogado que le buscase un defensor. Ella conocía a varios abogados, pero no les tenía fe: eran hombres de sociedad o jugadores de canasta. Prefirió recurrir a Juan María, la persona más vinculada que en Buenos Aires existiese.[5] 10

—¡No sabés lo que me pasa! Es espantoso. Imagináte que lo han llevado preso. . .

—¿A quién? ¿A tu marido?

—¿Y a quién va a ser?

Juan María quiso enterarse y le pidió datos. Ella le 15 hubiera ocultado algunas cosas, pero comprendió que si quería salvar al pobre Napoleón, no había más remedio que contarlo todo.

—El oficialito de la Policía, un cordobés odioso, dijo que Napoleón falsificó una firma. Pero no ha de ser verdad. 20 No es verdad. Te aseguro que Napoleón es honrado como pocos.

—Yo tampoco creo —contestó la voz acaramelada de Juan María—. Se tratará de un error. En todo caso, tu Napoleón no estará muchos días en el destierro.[6] Ya lo 25 libertaremos de su isla de Elba.

—No hagás chistes malos, Juan María. No es cosa de reír[7] sino de llorar.

---

[5] **la persona . . . existiese**   the person who had the most connections in Buenos Aires

[6] **no estará . . . destierro**   *The analogy is made here between Napoleon's exile at Elba and our hero's pending imprisonment.*

[7] **No es cosa de reír**   It's no laughing matter

Juan María prometió, con la facilidad de prometer que tienen los optimistas, sobre todo si son millonarios, salvar a Napoleón de las garras de la Policía. Buscaría el mejor abogado posible, y, si era el caso, le untaría los dedos al juez.

—¿Y si lo hiciéramos escapar? —sugirió la lectora de novelas—. No ha de ser tan difícil como en *La Cartuja de Parma.*[8] ¿Te acuerdas?

—Igualmente difícil.

—Pero si se puede untar los dedos al juez, como dijiste, mucho más fácil será untárselos a los carceleros. . .

—Tienes la cabeza llena de pájaros,[9] Margarita —rió con ganas Juan María—. Y por eso te quiero, porque no eres como las otras. . .

[8] *La Cartuja de Parma La Chartreuse de Parme* (1839), celebrated French novel by Stendhal (1783–1842). Gálvez is referring here to the daring prison escape of young Fabrice, the adventurous hero of the novel. His aunt, the Duchess of Sanseverina, aided by the jailer's daughter, succeeds in getting ropes to Fabrice to provide the means of escape.

[9] **Tienes la cabeza . . . pájaros** You have some wild ideas

VEINTE Y CINCO

NAPOLEÓN SE lamentaba de su desplante inútil,
y ahora trataba de congraciarse al policía, mientras se
dirigían al Departamento en un taxi. Le ofreció cigarrillos.
Le preguntó, chacotonamente, cómo le había ido con la
sirvienta de su casa, pues al llegar le sorprendiera en entrador   5
diálogo con ella. Y se quejó del error gravísimo que estaba
cometiéndose con él.

En el Departamento Central de la Policía fué el preso
bien alojado. Era por la mañana, y se le llamó en seguida
para declarar. Un individuo corpulento, de nariz torcida   10
y rostro tajeado de arrugas, y que debía ser el comisario,
le hizo preguntas y un amanuense, de cara de lechuza y
expresión de estar oliendo porquerías,[1] las fué escribiendo,
junto con las respuestas de Napoleón.

—Diga el declarante cómo es cierto que[2] falsificó la   15
firma del señor. . .

—¡No falsifiqué nada! — interrumpió el reo, saltando del
asiento y erigiéndose en estatua.

—¡Siéntese y no se desacate! Aquí hay que reportarse —
lo conminó el comisario, con voz de trueno.   20

El amanuense, que se interrumpiera para mirar al reo,

[1] **expresión de . . . porquerías**   twisted, ugly facial expression, similar
to that made by smelling something unpleasant
[2] **Diga el declarante . . . que**   And isn't it true that . . . ? (*phrase used in
legal interrogation.*)

continuó escribiendo. El instructor del sumario volvió a inquirir:

—Diga cómo es cierto que tiene aptitud para imitar firmas, y que en la oficina del Ministerio de Obras Públicas, donde estaba empleado, entretenía a sus compañeros imitando las del Excelentísimo señor Presidente de la República, de los señores ministros, del doctor Alfredo Palacios[3] y de otras personas, entre ellas la del señor Director de su oficina, cuya firma ha falsificado con intención dolosa, llenando un cheque de su víctima, con la suma de quince mil pesos, y cobrándolo después en el Banco de la Nación Argentina.

Al acabar el párrafo el hombre quedó jadeante. Napoleón respondióle con risita sarcástica:

—¡Ah, ah! Es cierto que tengo habilidad para imitar firmas, pero de ahí a cometer un delito hay diferencia. Es grotesco creerme autor de esa falsificación. ¿Cómo iba yo a conseguir un cheque de una persona a quien no conozco y en cuya casa jamás entré? ¡Ridiculez, chifladura!

—¡No se desacate, le he dicho! Si vuelve a hacerlo, irá al calabozo.

—Está bien, puesto que usted manda. . .

El instructor, hábil en el arte de levantar sumarios, preguntó:

—Diga el declarante cómo es cierto que el acusado mantenía relaciones amorosas con mujeres, inclusive con damas de la aristocracia, y que las llevaba a un departamentito situado en la calle. . .

El hombrecito se esponjó, y, muy orondo, dijo:

—He venido a declarar, no a darme corte.

---

[3] **Alfredo Palacios** (1880–) Renowned Argentine statesman, author, and professor of law and political economy.

Las dos vidas del pobre Napoleón

—¡No se desacate! —bramó el policía—. Es la última vez que se lo advierto. A la próxima, irá al calabozo.

—Obedezco. Pero pregunto: ¿qué tiene que ver eso con. . .? Es verdad que tuve aventuras, inclusive con damas distinguidas. . . y que las llevaba a ese departamentito. O no las llevaba porque iban solas. . . Pero no pretenderán ustedes que. . .

—Diga el declarante cómo es cierto que, en Mar del Plata, jugó a la ruleta y ganó sumas ingentes, y cómo allí estuvo muy solicitado por las mujeres, habiendo allí conocido a la esposa del Director de la oficina en que el declarante trabajaba.

Napoleón comprendió, al oír esto, que estaba perdido. Alguien, seguramente, había enterado de todo a la Policía, y ese alguien no podía ser otro que Vicentini. Como permaneciera mudo, turulato, el instructor le ordenó que hablara. Napoleón continuaba abstraído, dentro de sí, como ausente del lugar y de las personas que lo rodeaban. Por fin, ante la amenaza del calabozo y la sugerencia de la tortura, contestó, exaltadamente:

—Sí, todo es verdad, yo, yo, yo, Napoleón Machuca, falsifiqué la firma del Director. Pero no tengo la culpa. Alejandro Magno Pacheco me inspiró ese delito, me convenció de que me iría bien. . . Pero yo, imbécil, estafé apenas quince mil.

El instructor preguntó:

—Diga quién es y dónde vive la persona que ha nombrado, ese tal Pacheco.

Napoleón se destapó con una carcajada estridente. Todos los que allí estaban se miraron con asombro. El comisario se enojó:

—¡Repórtese el declarante! ¡No se desacate!

—Alejandro Magno Pacheco —le arrojó Napoleón al rostro, enfáticamente— es el personaje principal de la última novela de Pedro Roig, titulada *Un hombre respetable*.

El instructor se puso en pie, y, hecho un basilisco, le
5 gritó al declarante:

—No permitiré que se burle de la autoridad. Si no dice quién es ese Pacheco y en dónde vive, será encerrado en el calabozo y lo haremos declarar por la fuerza.

—¡Ja, ja!

10 —Por última vez, lo conmino a que declare sobre lo que le he preguntado. Y no se haga el loco porque lo pasará muy mal.

Sentóse y dictó al amanuense unas palabras.

—Bueno, voy a declarar la verdad. Alejandro Magno
15 Pacheco existe y no existe. Es el personaje de una novela, y soy yo mismo, yo mismito. Es mi "otro yo." Existe con vida tan verdadera como la mía. Hasta podría decirse que él es más yo que yo mismo.

El instructor seguía soplando al amanuense lo que
20 debía escribir en el acta. Cuando terminó esto, el instructor gruñó:

—Voy a hacerle leer su declaración para que la firme.

El amanuense leyó con voz tan monótona, aburrida y lenta, que daba sueño. Napoleón, a cada frase, hacía una
25 mueca, demostrando con ella no estar conforme. Al terminar la lectura protestó:

—¡Es una sarta de mentiras! No debía firmar eso, pero...

—Si no firma, se recurrirá a ciertos procedimientos que sabemos usar con los criminales.

30 Napoleón comprendió que lo amenazaban con la tortura. Había oído decir que entre nosotros, como probablemente en el mundo entero, la Policía empleaba métodos de

los llamados "inquisitoriales" para hacer cantar a los delincuentes. Se levantó, y, con mano temblorosa, firmó al pie de la declaración.

—Llévenselo — ordenó el comisario, contento de su triunfo, a dos vigilantes.

—No es preciso que me lleven, pues puedo ir por mis propios medios —se defendió con empaque el reo—. Pero no será sin antes gritar el nombre del verdadero culpable del delito, del gran culpable, es decir, del novelista Pedro Roig. Él es el padre de Alejandro Magno Pacheco. Él creó a mi "otro yo" sobre la base de mi propio yo. A él debe detenerlo la Policía. A él debe condenarlo la Justicia.

Y salió erguido y manoteando, empujado por los vigilantes.

VEINTE Y SEIS

APOLEÓN no se asombró cuando supo que el sumario policial había sido elevado a la justicia de Instrucción. Era lógico, pues en sus declaraciones había motivos suficientes para procesarle por estafa.

Mientras esperaba que el juez le interrogase, Napoleón pasábase las horas pensando en la triste situación a que había llegado. Se reprochaba el haberse reconocido culpable. Fué una estupidez, y con ella comprometía a Isolina. Pero, a fuerza de dar vueltas al asunto, se convenció de haber obrado plausiblemente. Isolina podría separarse del hombre insoportable y perverso que era su marido; y en cuanto a él, nada importaba el reconocimiento de su falta —de su supuesta falta, pensaba— ya que el verdadero culpable era Pedro Roig. Lo que no sabía con exactitud era si Roig había procedido por medio de Alejandro, o Alejandro por medio de Roig.

En su cerebro descompaginado se había producido una discusión: el culpable principal ¿era Roig o era Alejandro? Roig nada le había aconsejado a él directamente; luego, no era el principal culpable. Quedaba así convencido de la secundaria culpabilidad del novelista. Pero en seguida recordaba que Roig había creado a Pacheco, le había dado una determinada psicología, unas determinadas aptitudes y lo había lanzado a la tragicomedia del mundo, para que en ella viviese y actuase como pudiera. Por consiguiente, Roig era el autor principal del delito. Napoleón permanecía un rato en este convencimiento, cuando de pronto le "iluminaba" la idea de que Roig no había creado a Pacheco de la nada. Lo había creado, si no de una costilla de Napoleón Machuca,[1] por lo menos aprovechando el físico y las características psicológicas de Napoleón Machuca. Alejandro Magno Pacheco era, pues, una derivación de Napoleón Machuca, un hijo suyo. Y más todavía, era él mismo, ¡él mismo!

Le aterrorizó esta consecuencia, que le parecía ser de de una lógica estricta, pues ella demostraba que el delincuente, en resumidas cuentas, era él, Napoleón Machuca. Todo llegó a aparecer, después de esos entreveros raciocinantes, claro como el agua. Alejandro había sido creado por otro, pero con elementos físicos y psíquicos de Napoleón Machuca. La sola cuestión que faltaba por resolver[2] era: ¿había Pacheco, al irse formando y viviendo, seguido la dirección impuesta por el ser de Machuca o se había desviado fundamentalmente? En otros términos ¿había dejado de ser Machuca, de pertenecer a la sangre y a la raza de Machuca, para apartarse de ellas? O también: ¿había dejado de ser un napoleonida para transformarse en un alejandrida,[3] si podía decirse así? A Napoleón le parecía muy difícil resolver el problema. Para ello, necesitaría —pensaba él— ser un filósofo y, además, tener a mano la novela de Roig y volver a leerla cuidadosamente,

[1] **de una costilla de Napoleón** *Reference to the account that Eve came from one of Adam's ribs.*

[2] **que faltaba por resolver** that still had to be resolved

[3] **napoleonida ... alejandrida** *Gálvez is playing with language in his use of these two words.* **Un napoleonida** *refers to a person belonging to the lineage of Napoleón; that is, having the peculiar characteristics of our hero.* **Un alejandrida** *is used in the same way. Translate:* a Napoleón and an Alejandro

pensando y meditando cada palabra. Y no tenía la novela ni querían llevársela.

Una cosa que le hacía reflexionar era que tanto Roig como Alejandro le hubiesen dicho a él que su "otro yo," en vez de marchar por las vías que le señalara el escritor en el plan de su novela, había tomado por otros rumbos, y estos rumbos eran los propios de Alejandro. Napoleón, siguiendo esta idea, se preguntaba si esos rumbos propios no serían el carácter y los sentimientos suyos, los de Machuca.

Otro problema, en cierto modo secundario, se presentaba ante el espíritu del preso. ¿Comprenderían el abogado y el juez sus ideas y sus experiencias? Imaginaba que no. Esos señores, con seguridad absoluta, definitiva, lacrada, eran personas materialistas, que sólo reconocerían como verdades lo que veían y tocaban. También él fué de ese modo durante muchos años. La gente era así. Pero ahora su espíritu se había iluminado. Estaba cierto de ver y entender cosas que los demás, hombres materiales, no podían ver ni entender. Para ellos, como para él en otro tiempo, sólo había una forma de existencia: la de los seres que andan por la calle, comen, procrean, duermen, ganan dinero o lo pierden, luchan, padecen y mueren. Pero él había llegado a saber que había otra forma de existencia. No se refería a la sobrenatural, en el cielo o el infierno de los católicos, sino a una existencia, como la de Alejandro, el cual, siendo un hombre sin carne visible, no por eso dejaba de existir realmente. ¿Y si estos seres que viven en los libros llegasen a vivir después en la realidad de la vida? ¿O si fuesen reencarnaciones, en los libros, de seres que en otro tiempo vivieron en la realidad terrestre?

De estos pensamientos le arrancó la novedad de que debía declarar ante el juez.

VEINTE Y SIETE

No FUÉ el juez, sino uno de los secretarios del Juzgado quien le tomó declaración. Las preguntas fueron más o menos las mismas que en la Policía. Napoleón, desde el primer momento, acaso por saberse perdido y resignado, reconoció habar falsificado la firma de su ex jefe.

El interrogatorio fué breve. El fiscal opinaba que, después de la palabras del acusado diciendo que el culpable era el personaje de una novela, correspondía que los médicos de los Tribunales examinasen a Napoleón Machuca. Pues no cabía duda: el acusado era loco o se hacía el loco, sin contar con que, generalmente, el que se hace el loco es medio loco. Y como allí no se había visto nunca tan extravagante forma de locura, el juez y el secretario optaban por creer que el acusado fuese un vulgar simulador, lo cual se compaginaba muy bien con su arte para imitar firmas ajenas y falsificarlas.

Dos médicos lo examinaron. Uno era flaco, enigmático y sonreía perpetuamente con una sonrisita fina, apenas advertible, y que no se sabía si la causaba el escepticismo o el desdén. El otro, gordo, sudador y medio mulato, parloteaba todo el tiempo y reía caudalosamente, con agitación de papadas y barriga, de sus propios chistes.

Los galenos tomaron por su cuenta a Napoleón. Le pidieron antecedentes de sus padres. Cuando le preguntó el flaco si alguno de ellos no habría sido enfermo de avariosis,

Napoleón lo acometió. Fué preciso pedir socorro. Entraron dos vigilantes que sujetaron al furioso, mientras el gordo desplegaba sus carcajadas sonoras. Napoleón se calmó, pero no pidió disculpas. En seguida, continuando el examen de sus nervios, le pegaron, con un martilllo de metal que tenía en la punta una bolita de goma, en las rodillas, las pantorrillas, el pie, las manos y los codos. Luego le hicieron cerrar los ojos y juntar los pies y lo empujaron: Napoleón se tambaleó un poco, pero no cayó. Y por fin, le dieron una moneda para que, con los ojos cerrados, dijese si era de veinte o de diez centavos.

Napoleón salió bien de estas pruebas, cuyo objeto él ignoraba, y acertó en el valor de la moneda, lo cual hizo acentuar la sonrisita del flaco y poner serio al gordo.

Después le preguntaron quiénes eran Pedro Roig y Alejandro Magno Pacheco. Él respondió:

—Pedro Roig es un novelista muy conocido, y me extraña que dos doctores no lo hayan oído nombrar jamás. Es también un canalla, un grandísimo canalla. En cuanto al otro personaje, a ustedes no les interesa quién pueda ser.

Y como no le sacaran una palabra más, lo devolvieron a la autoridad policial, que lo llevó a su celda.

Apenas hubo salido el enfermo, los dos médicos rivales, que frecuentemente manifestábanse en desacuerdo, cambiaron unas frases:

—¿Qué le parece?[1] — preguntó el gordo, dispuesto a decir blanco si el otro decía negro, o negro si decía blanco.

—Me parece caso de manicomio — sentenció el flaco.

—¡No, hombre! —exclamó el gordo, con una estrepitosa carcajada—. Es un vivillo[2] que se hace el loco.

---

[1] **¿Qué le parece?** What do you think?
[2] **Es un vivillo** He is a shrewd one

Las dos vidas del pobre Napoleón

Cada cual dió sus argumentos con voces técnicas, y, al cabo de media hora, continuaban tan en desacuerdo como al principio. Diversas hipotéticas causas fueron consideradas: la sífilis, el alcoholismo, la intoxicación, la arterioesclerosis, la parálisis progresiva. Y cada cual, estando ambos en disidencia, como siempre, se preparó para presentar su informe.

Napoleón, solo en su celda, no se aburría. Pensaba en sí mismo, en su persona, en su ser: "¿Quién soy?," se decía. Preguntábase para qué estaba en este mundo. Y entonces, y a pesar de sus arraigadas ideas materialistas, obra del ambiente, de los principios que en la ciudad dominaban, no obra de sus pensamientos, ni menos de sus poco abundantes lecturas, esta interrogación extraña se le presentó: "¿Y si existiese Dios?" Quedó mudo de asombro ante la novedad. Le pareció que la existencia de Dios podría explicar su propia existencia, su razón de estar en este mundo. Su pensamiento dió vueltas innumerables alrededor de esa palabra Dios; pero cuanto más pensaba, más embrollábasele el caletre.

A la tarde, tuvo un visitante desconocido para él: un hombre de su misma edad, de color oscuro, harto feo, picado de viruelas y vestido con elegancia. Tenía la nariz en forma de sable,[3] modales distinguidos y una risa simpática y contagiosa.

—Nos hemos conocido en Mar del Plata, señor Machuca, y lamento que no me recuerde. Soy su abogado, y estoy resuelto a sacarlo a flote. No me importan los medios. La cuestión es que usted salga de este pequeño enredo en que se ha metido con la Justicia. Cuénteme todo, con la sinceridad con que hablan los creyentes ante el confesor.

—¿Me entenderá usted, doctor? — desconfió Machuca.

[3] **nariz en forma de sable** rather long and somewhat curved nose

161

—¡Pero hombre, qué ocurrencia![4] ¿Cómo no lo voy a entender?[5] Mi oficio es entender a los demás. Inclusive a los grandes criminales tengo que entenderlos para salvarlos. Tengo que comprender por qué delinquieron, entender las razones de su crimen. En algunos casos, hasta me siento criminal yo mismo.

Dijo esto y se echó a reír, con una larga y cascabelesca risa.

Napoleón, conquistado por el leguleyo, se decidió a confesarse, pero a su manera. En vez de referir todo lo ocurrido desde la aparición de la novela de Roig, comenzó repitiendo la monserga de que Pedro Roig y Alejandro Magno Pacheco eran los verdaderos culpables, los "autores morales" de la falsificación de que a él se le acusaba injustamente. Afirmó que Alejandro le había inspirado, aconsejado y hasta amenazado. Pero consideraba a Roig, padre de Alejandro, como el autor de todo, el superautor, el *deus ex machina*[6] de su drama.

El abogado, que había debido contener las ganas de reír mientras Napoleón desembaulaba sus historias e imaginaciones disparatadas, le espetó, desanudando su francachota risa:

—Muy bueno, muy bueno, amigo Machuca. Graciosísimo. Lo felicito por su hábil estratagema. Es un divertido y excelente cuento.

—¡No es cuento, doctor! — se sulfuró Napoleón.

—Vamos, amigo. . .[7] No me haga reír más. Yo quiero

---

[4] **¡Pero hombre, qué ocurrencia!** Why, what a thought!

[5] **¿Cómo no lo voy a entender?** Of course I shall understand you.

[6] *deus ex machina* *As used here by Gálvez, this Latin phrase refers to Roig himself, to the novelist as the ultimate being responsible for Napoleón's plight. In its strict sense the phrase refers to the interposition of a person or thing to resolve difficulties.*

[7] **Vamos, amigo.** Go on, my friend!

que hablemos mano a mano, con franqueza, de hombre a hombre. Dígame la verdad, cuénteme quien fué su cómplice, si lo tuvo, y dejemos en paz[8] a ese fantasmal de Alejandro Magno.

—Le he dicho lo que pienso. Eso es mi verdad.　　　　5

—Pero Machuca... Déjese de macanas,[9] por favor. Le aseguro que ése no es el buen camino; por el momento, al menos. Para que comprenda, le adelantaré[10] que, antes de venir a verlo, inicié trámites a fin de arreglar el asunto del mejor modo, que es echarle tierra. Todo ese macaneo de 10 Alejandro Magno, muy gracioso, y que, en último caso, podría sernos útil, está bien para que lo suelte ante el juez. Pero a su abogado —¡a su abogado, mi amigo!— no se le viene con semejante paparrucha.

Napoleón, amoscado, miró a su interlocutor como a 15 un enemigo y le soltó:

—Mire, señor. Todo cuanto le he dicho es rigurosamente exacto. Es mi última palabra, y no diré más. Ahora, haga usted como quiera. Yo no puedo negar la existencia de un ser que es mi "otro yo," que tal vez es yo mismo... 20

—¡Qué comediante magnífico! — se despatarró el abogado, entre carcajadas épicas.

Y se fué, convencido de que nada le sacaría a Napoleón, quien, palmariamente, desconfiaba de él. Pero antes de marcharse, habíale anunciado que volvería en cuanto le 25 llegasen buenas noticias de las gestiones que, de parte de él, realizaban otros.

Casi en seguida del leguleyo le visitó a Napoleón su mujer. Ya estaba ella enterada de que su marido culpaba de

8 **dejemos en paz** let's forget about
9 **Déjese de macanas** Forget about all this nonsense
10 **le adelantaré** I shall let you in on this information

la falsificación del cheque a Alejandro Magno Pacheco. Pero Margarita no opinaba como el abogado y el médico gordo. Sabía a qué atenerse sobre el estado mental de Napoleón,[11] y en su declaración ante el juez —había sido
5 citada como testigo— refirió la inesperada y angustiosa metamorfosis de su marido, con todas sus rarezas y chifladuras.

—Napoleón —le preguntó besándolo con lástima—, ¿te tratan bien?
10 —Muy bien.

Le había dicho a ella el abogado que, cuando Napoleón hablara de Pacheco y de Roig, le siguiera la corriente,[12] pues, en caso necesario, eso, verdadero o simulado en él, podría salvarlo.
15 —¿Esperás que te hagan justicia, Napoleón? Porque yo no creo, no puedo creer, que vos hayas cometido una acción tan fea, tan odiosa. . .

—La cometí, pero sugestionado por otro. . .

—Sí, ya sospecho, por ese pícaro de Alejandro Magno
20 Pacheco. No veo la hora de que lo metan en la cárcel[13] para toda la vida.

Napoleón miró a Margarita con cierto asombro, y le declaró:

—Eso no es tan fácil. . .
25 Margarita, que había contenido hasta ese momento su emoción, desenfundó su llanto. Aunque enredada con el bello y generoso millonario Juan María, ella no dejaba de querer a Napoleón, con el cual había convivido, tan apacible

---

[11] **Sabía a qué . . . Napoleón** She knew what position to take in court concerning Napoleón's mental condition
[12] **le siguiera la corriente** she should go along with him, should play his game
[13] **No veo . . . la cárcel** I can't wait until they put him in jail

como "mediocremente" —según ella lo sentía—, durante quince años.

Muy poco más hablaron, es decir, habló ella, pues Napoleón sólo desembuchó tres o cuatro monosílabos.

—¡Adiós, Napoleón! —se despidió cariacontecida la dama—. No me permiten que me quede más tiempo.

Besó nuevamente al hombrecito, que le puso su mejilla con desplacer, y salió lagrimeando. Mientras, él permanecía impertérrito, apenas un poco asombrado.

La noche fué de inquietudes para el preso. Aquella idea de Dios se le había encajado en la mollera,[14] y no se le despegaba. También se preguntó si Dios no procedería por medio de Roig, y en cierto instante, pensó que Alejandro Magno Pacheco tenía que ser creación de Dios.

Al otro día, ya avanzada la mañana, se pareció de nuevo el defensor. Desde la puerta de la celda, abriendo ampliamente los brazos y desorbitadas por la risa las facciones,[15] estalló:

—¡Albricias, albricias, amigo Machuca! Todo arreglado, completamente arreglado.

—¿Arreglado? ¿Qué está arreglado?

—Pero su asunto, amigo. Y creo que hoy a mañana estará libre.

Sentóse al lado de su defendido y explicó. El ex jefe de Napoleón, después de ser su enconado enemigo, ahora era el partidario más decidido de un arreglo. Se había convencido de la culpabilidad de su mujer, que hubiera sido detenida de un momento a otro. Él la aborrecía inflamadamente, pero aborrecía también el escándalo. Enfermábase

---

[14] **se le había . . . la mollera**   had become implanted in his mind
[15] **y desorbitadas por . . . facciones**   and with his features distorted by laughter

de pensar que su nombre anduviera en lenguas,[16] que los diarios pasquinescos[17] le señalasen como inveterado cornudo. Por otra parte, Isolina, empujada por sus curiosidades y tentaciones, le había hecho anteriormente dos o tres trastadas análogas, que él llegó a conocer más tarde, a destiempo.

Rió el abogado estruendosamente, mientras Napoleón, fuera de sí, levantábase del asiento y protestaba:

—¡Falso, calumnioso! Sepa usted que Isolina es toda una dama.[18] Es honrada como la que más,[19] y el primer amor de su vida lo ha sentido por mí.

—Optimista... — lo pinchó con el dedo el abogado, en la barriga, y con creciente burbujear de risitas.

Como Napoleón se reconcentrara, dispuesto, al parecer, a no seguir hablando, el leguleyo se levantó para despedirse. Pero de pronto, golpeándose la frente con la palma de la mano, exclamó:

—¡Ah, me olvidaba de lo mejor! No sé dónde tengo la cabeza. Sabrá, amigo Machuca, que uno de los motivos más importantes por los cuales su Director ha consentido en que se eche tierra al asunto, es el de haberle sido devueltos los quince mil pesos.

—¿Devueltos? —se pasmó Napoleón—. ¿Quién los ha devuelto?

—Ni se imagina... Se los ha devuelto Alejandro Magno Pacheco, en una carta en que está su nombre, pero no su firma, y en la que se declara el verdadero autor del delito. ¿Qué me cuenta?[20]

16 **que su nombre ... lenguas** that his name should be defamed
17 **diarios pasquinescos** scandal sheets
18 **es toda una dama** is every inch a lady
19 **Es honrada ... más** She is as virtuous as can be
20 **¿Qué me cuenta?** What do you say to that?

Las dos vidas del pobre Napoleón

Napoleón quedó inmovilizado de estupefacción. Ni expeler una palabra podía. Por fin, inquirió:

—¿Devolvió los quince mil Alejandro? ¿Sería el propio Alejandro?

—El propio Alejandro.   5

Napoleón reflexionó unos segundos y luego, sonriendo y mirando socarronamente a su abogado, le soltó:

—No negará ahora que Alejandro ¿eh? tenga existencia verdadera...

VEINTE Y OCHO

AL OTRO DÍA, el doctor Raúl Hornos y dos sujetos de guardapolvos introdujeron a Napoleón Machuca, ayudados por tres vigilantes, porque el hombre se resistía, en un bonito vehículo, que partió como si tuviese la mayor prisa en conducir a su destino a la carga humana que llevaba. Allí dentro, y como Napoleón siguiera debatiéndose y gritando furiosamente, debieron amarrarlo.

—¿A dónde me llevan, secuestradores, asesinos, sicarios de la injusticia, hijos de mala madre? —se desgañitaba el hombrecito—. Me tratan como a un loco, pero estoy más cuerdo que ustedes. ¡Loco, yo! ¿Cómo puede ser loco un hombre que razona con lógica, con talento? Locos son los de la Policía, locos son el juez y el secretario, que me creían autor único de una falsificación. Yo les demostré quién era el verdadero delincuente, los humillé, los revolqué, y por eso ahora, los canallas, quieren vengarse de mí. Yo estoy por encima de todos ellos, de todos ustedes, porque soy un filósofo. Yo he descubierto el origen de todos nuestros problemas humanos. Yo he descubierto, durante mis soledades en la prisión —acérquense bien para oír— que existe Dios. ¿Y tienen ustedes el valor de reírse, grandísimos trompetas? Sí, Dios existe, y Él es el autor de todo: Él hizo el mundo, Él lo hizo a Pedro Roig, Él me hizo a mí y Él lo hizo inclusive a mi "otro yo," a Alejandro Magno Pacheco.

Las dos vidas del pobre Napoleón

—Reconocemos todo lo que dice, amigo Machuca —le
interrumpió, en tono bondadoso, el doctor Hornos— y lo
repetiremos al mundo entero con tal de que se calle.

—No me callaré —repuso irritado el hombrecito— sin
antes saber quién los ha mandado a ustedes para que me
rapten. Porque ahora pienso que no ha de haber sido la
Policía ni el juez sino mi mujer, esa desleal. Con todos sus
llantitos y lagrimitas, es una gran culpable. Se telefoneaba
con un galán... Seguro que el rapto es obra de ese tipo,
en complicidad con ella. El leer tantas novelas le calentó los
cascos. Pero algún día he de salir de la nueva prisión a
donde me llevan estos esbirros, si es que su intento no es
echarme al río o fusilarme en medio del campo, y entonces
me vengaré cruelmente. Le retorceré el pescuezo, o la en-
venenaré con cianuro o la degollaré...

Fué en este momento cuando aumentó a tal punto su
excitación, que los enfermeros debieron amarrarlo. El sentirse sujeto, en vez de exasperarle más, le aquietó un tanto.
Se reconcentró cavilosamente y no habló más. Napoleón
Machuca era por naturaleza bastante pacífico, y seguía
siéndolo en el estado mental en que se hallaba. Sus exaltaciones y ex abruptos, que habían comenzado en la prisión,
o, mejor dicho, en su casa, meses atrás, se le pasaban
pronto[1] y nunca llegaron al frenesí.

—Me alegro —le dijo el médico, al verle de nuevo en
calma— de que haya entrado en razón. No lo llevamos a
donde usted piensa, sino a un sanatorio para personas
nerviosas. Usted está algo excitado, amigo Machuca, y yo
le aseguro que en unas semanas de buena y apropiada
alimentación, aire, luz y, sobre todo, tranquilidad absoluta,

[1] **Sus exaltaciones ... pronto** He soon got over his exaltations

169

quedará usted como nuevo. No hay como esas cosas,[2] especialmente el sol y el aire, para desvanecer esas nieblas que hay todavía en su espíritu.

—Entre nieblas, y, más todavía, entre tinieblas, viven ustedes, los que no ven más allá de sus narices, los que creen que sólo existe una realidad, una sola forma de realidad. Y hay otra, hay otra... Y los que no saben que existe Dios, única existencia verdadera.

Los enfermeros volvieron a reír. Acaso no reían por causa de la afirmación de que Dios existiese, aunque bien pudiera ser, sino de la escasa novedad que en esa afirmación suponían. Napoleón interpretó la risa en el primer sentido, y enrostró a los enfermeros:

—Se ríen porque he afirmado la existencia de Dios. Pues sepan, señores majaderos, que Dios es el único ser que realmente existe. Este es mi gran descubrimiento. Ustedes, el doctor y yo, no tenemos existencia real auténtica, propia de nosotros. Nuestra insignificante existencia es puramente fantasmal, como la existencia de Alejandro Magno Pacheco.

El sanatorio a donde llevaban a Napoleón Machuca tenía cuatro pabellones o cuerpos de edificio y tres o cuatro hectáreas con árboles y jardines. Napoleón, cuando el vehículo se detuvo, bajó serenamente y miró con interés a su alrededor. Luego, conducido por sus acompañantes, pasó por el edificio de la administración y se dirigió al lugar en donde sería alojado.

Por cierto que no vió, ni pudo ver, a Margarita, que, escondida detrás de una columna del vestíbulo, para que él no la advirtiese, lo miró pasar a unas varas de ella y alejarse hacia su celda. Creyó Margarita haber notado abatido

2 **No hay como esas cosas**   There's nothing like these things

y triste al pobre Napoleón. Cuando Raúl de Hornos, su primo lejano, que era uno de los propietarios del instituto frenopático, hubo dejado en su celda a Napoleón y acercándose a ella, la encontró haciendo pucheros, con un perfumado pañuelito en los ojos.

—No te aflijas, prima. Napoleón estará aquí bien cuidado.

—¡Pobrecito!

Secóse Margarita las lágrimas con su pañuelo, operación que no fué breve ni rápida, y suspiró, desmayadamente:

—No es sólo por él que me aflijo, Raúl. ¡Es tan triste, tan desoladamente triste mi situación! Me parece peor que la de una viuda. . .

Hornos, sin duda para estar acorde con su prima, se compungió también, aunque ligeramente. Abrió los ojos, que había entornado, y halagó así a su prima:

—Una mujer bonita como tú, y además muy agradable y bastante culta, puede encontrar pronto consuelo. Por mi parte, yo. . .

—Dejáte de galanterías, Raúl, que no es el momento oportuno —sonrió la dama—. Para mí es horrible, espantosamente horrible, el tener a mi pobre marido loco.

Hornos objetó:

—Las palabras "loco" y "locura" carecen de significado para nosotros los psiquiatras. No hay locos, sino enfermos cuyos males se presentan en muy diversas formas.

—Pero vivirá en la inconsciencia, diciendo disparates, sin darse cuenta de nada, convertido poco menos que en un animal. . .

—Te equivocas, prima. Los que llamas "locos" tienen, en su mayoría, tanta conciencia de todo como nosotros, los que nos imaginamos cuerdos. Los enfermos de la cabeza razonan admirablemente. Hablan y discurren con lógica, y a veces con excesiva lógica. Algunos escriben, y no lo hacen peor que ciertos escritores conocidos. En el Hospicio de las Mercedes los llamados "locos" publican una revista, y te aseguro que los versos de esos locos son más comprensibles que los de algunos cuerdos a quienes se les considera grandes poetas.

Margarita, que había escuchado con interés y asombro al médico, le preguntó:

—¿De modo que no crees tan desgraciado al pobre Napoleón?

El médico, encogiéndose de hombros, respondió:

—Ante todo, prima, te diré que, en mi opinión, todos los seres humanos somos desgraciados. Lo somos en nuestra infancia, en nuestra edad adulta y en la vejez. Yo creo que el vivir es de por sí una desgracia. Las mujeres, sobre todo, y en un ambiente como el nuestro, tan estúpido, tan lleno de prejuicios, no pueden ser felices. Habrá breves momentos de dicha, que duran lo que un suspiro.[3] Los nerviosos, que hoy tanto abundan, no son felices jamás, ni aun en los instantes en que todo les sonríe.

—¡Cuánta razón tienes,[4] Raúl! Pero yo pensaba que si alguien había alcanzado la felicidad eras tú: soltero, rico, respetado, médico famoso, alegre y... buen mozo.

Se ruborizó Margarita al pronunciar estas últimas palabras, y Hornos hizo como si no las hubiese notado.

—Me dejas asombradísima, Raúl...

Miró a lo lejos; llegaron sus ojos hasta el edificio en donde ya estaba instalado su marido, entraron allí, vieron al pobre enfermo. Y preguntó:

—Entonces... ¿crees que Napoleón...?

---

[3] **que duran lo... suspiro**   which are as fleeting as a sigh
[4] **¡Cuánta razón tienes!**   How right you are!

Las dos vidas del pobre Napoleón

—Yo lo imagino hasta dichoso. No tendrá que luchar contra el mundo, contra la sociedad, repugnante de prejuicios. Para él no habrá inquietudes económicas, disgustos y cuestiones con la gente. Y después. . . no leerá diarios; ni le llegarán noticias de la política; ni tendrá que andar por la ciudad en tranvías, "colectivos"[5] y ómnibus, atestados de gente sucia, maloliente y peor educada; ni deberá soportar esas horrendas calles[6] de Buenos Aires. Vivirá entre árboles magníficos y bellos jardines, y no leerá sino libros agradables e inteligibles. No tendrá noticia de Kafka,[7] que era mucho más loco que él, ni de Sarte,[8] ese erotómano, que debiera estar en un sanatorio y no ganando millones a costa de los *snobs* y de los que tienen gusto por las cloacas. Yo lo envidio a Napoleón.

—Pero esa idea tan absurda de Alejandro. . . — recordó Margarita.

—¡Pst! A lo mejor es verdad que existe Alejandro. . . ¿Acaso sabemos lo que somos?

—Raúl. . . ¿no te estarás enloqueciendo vos también?

—Podría ser. Aquí todos, más o menos. . . Y vos, encantadora prima, cuidado. . . Porque si Napoleón perdió la

---

[5] **colectivo** *As distinguished from the* **autobús**, *the* **colectivo** *is less attractive in appearance, smaller in size, and costs less to ride.*

[6] **horrendas calles** In his writings Gálvez has on more than one occasion criticized the unattractiveness of the streets of Buenos Aires, especially its architectural monotony and rectilinear pattern.

[7] **Franz Kafka** (1883–1924) German novelist whose brooding concern over man's fate and the futility of man's personal efforts is poignantly revealed in such works as *Der Prozess* (*The Trial*, 1925) and *Das Schloss* (*The Castle*, 1926). The personal life of Kafka was as tormented and contradictory as the cruel world he depicted in his fiction.

[8] **Jean Paul Sartre** (1905–   ) Controversial French philosopher and novelist. The despair, frustration, and anguish of man are key points in his existentialist philosophy, cogently expounded in his treatise *L'Etre et le néant* (1943).

cabeza por haber leído una sola novela, ¿qué les sucederá a las que se pasan la vida devorando esa perniciosa literatura?

Días después, Margarita visitó a Napoleón por primera vez. Lo encontró contento, y vió en sus ojos una mirada plácida.

—Ya sabrás, querida —le secreteó el enfermo— que Alejandro le devolvió al Director los quince mil. ¡Y vos asegurabas que Pacheco no tenía existencia!

Margarita, que conocía el origen de esa devolución —¡qué generoso se mostró Juan María!— sonrió, mitad con tristeza, mitad con remordimiento.

Concluída la visita, que fué harto breve —no permitió el médico que fuese más larga—, Hornos le dijo a su prima:

—¿Has visto? Es feliz. Para serlo, no hay como estar lejos del mundo, de este mundo de locos, más locos que él muchos de nosotros. Sus compañeros lo quieren. Él les dice llamarse Alejandro Magno Pacheco, ser rico y que, encontrándose muy bien en el espléndido hotel en donde vive, no desea volver al trajín de le existencia humana. . .

1º de setiembre - 15 de octubre de 1952.

EJERCICIOS: PREGUNTAS Y TEMAS

CAPÍTULO UNO

A. *Preguntas*

1. ¿Dónde comienza la acción de la novela?
2. ¿En qué sentido personifica Gálvez los libros?
3. ¿Cómo explicó uno de los empleados la falta de clientes?
4. ¿Cuáles eran algunos de los rasgos físicos del hombre que entró en la librería?
5. ¿Cómo demostraba el hombrecito su estado nervioso?
6. ¿Cómo trataba el hombrecito a los empleados que le atendían?
7. ¿Quién era Pedro Roig?
8. ¿Cómo llegó Napoleón a conocer a Roig?
9. ¿Qué sospechaba Napoleón cuando los empleados negaron tener noticias del libro?
10. ¿Por qué le pidió el empleado a Napoleón que le dejara su número de teléfono?

B. *Escojan la palabra o frase que mejor complete las oraciones siguientes:*

1. El "cepo vertical" se refiere: (*a*) a los vecinos; (*b*) a los clientes; (*c*) a los anaqueles.
2. La sonrisa de los empleados: (*a*) era algo superficial y forzada; (*b*) era muy sincera; (*c*) dependía del tipo de cliente.
3. Napoleón pesaba, más o menos: (*a*) 245 libras; (*b*) 125 libras; (*c*) 180 libras.
4. El sombrero de Napoleón llamaba la atención: (*a*) por el contraste con su cabeza pequeña; (*b*) porque estaba sucio; (*c*) porque era de color chillón.
5. El bigote de Napoleón era: (*a*) muy fino; (*b*) sumamente grueso; (*c*) una masa de pelos enmarañados.

C. *Temas de composición y conversación*

1. Descripción de la librería
2. Las acciones extrañas de Napoleón
3. El azoramiento de los empleados

177

Ejercicios

CAPÍTULO DOS

A. Preguntas

1. ¿De qué manera pidió Napoleón la novela en otras librerías?
2. Según Napoleón, ¿cómo le engañó un periódico?
3. ¿Qué clase de libros compraba Napoleón?
4. ¿Por qué se enfureció Napoleón al ver salir a dos jóvenes de una librería?
5. ¿En qué momento se presentó el director de la librería?
6. Descríbase al director.
7. ¿Qué dijo un cliente a Napoleón acerca de la aparición de la novela?
8. ¿Qué hizo Napoleón cuando le tendió la mano el director?
9. ¿Por qué intentó Napoleón atacar al español?
10. ¿Cómo so lo impidieron?

B. Escojan la palabra o frase que mejor complete las oraciones siguientes:

1. Al autor del suelto, Napoleón quería: (*a*) hacerle una visita; (*b*) perdonarle su error; (*c*) atacarlo.
2. Napoleón no profería palabra sin mirar a su alrededor porque: (*a*) quería ver si la gente se burlaba de él; (*b*) tenía intención de robar un libro; (*c*) sabía que la policía le buscaba.
3. Napoleón volvió al interior de la librería porque: (*a*) el empleado lo llamó; (*b*) se le olvidó el sombrero; (*c*) creía que le habían mentido.
4. Al español se le reconoció: (*a*) por su modo de vestirse; (*b*) por su manera de hablar; (*c*) porque hablaba de sus parientes en Madrid.
5. Napoleón saltó hacia el español cuando éste: (*a*) se burló de su nombre; (*b*) le atacó físicamente; (*c*) le criticó su modo de andar.

C. Temas de composición y conversación

1. Incidente en la calle Florida
2. Intervención del director
3. El español hace un buen chiste

Ejercicios

CAPÍTULO TRES

A. Preguntas

1. ¿Quién fué el padre de Napoleón?
2. ¿Por qué le había puesto su padre el nombre de Napoleón?
3. ¿Cómo se llamaban los hermanos de Napoleón?
4. ¿Por qué adoptó Napoleón un semblante duro y adusto?
5. ¿Dónde trabajaba Napoleón?
6. ¿En qué sentido entendió mal lo que Roig le había dicho una vez en la calle Florida?
7. ¿Qué delito había cometido Napoleón en su juventud?
8. ¿Qué le había impulsado a cometerlo?
9. ¿Cómo llegó Roig a conocer este delito?
10. ¿Cómo sospechó Roig el fraude?
11. ¿Qué hizo Roig al enterarse del crimen?
12. ¿Cómo procedió el tío de Napoleón al recibir noticias del delito?
13. ¿Por qué abandonó la corista a Napoleón?
14. ¿Qué cualidades admirables mostró Napoleón en su nuevo empleo?
15. ¿Qué propiedad heredó Margarita a la muerte de su padre?
16. ¿A qué juego era muy aficionada Margarita?
17. ¿De qué le sirvió a Napoleón el juego de canasta?

B. Escojan la palabra o frase que mejor complete las oraciones siguientes:

1. Roig había dicho a Napoleón que lo iba a sacar en su novela en un tono: (a) innegablemente serio; (b) medio burlón; (c) que indicaba su desprecio por el hombrecito.
2. Roig comunicó el fraude cometido por Napoleón: (a) a la policía; (b) a todos sus amigos; (c) sólo al tío del delincuente.
3. Napoleón engañó a la corista diciendo que: (a) su tío le había dejado una fortuna; (b) tenía muchos ahorros; (c) le ofrecería un buen empleo.
4. Según Gálvez, el juego de canasta debe su origen: (a) a los alemanes; (b) a los argentinos; (c) a los uruguayos.
5. Para con su hija, el alemán: (a) era muy generoso; (b) mostraba un poco de resentimiento; (c) tenía gran antipatía.

179

Ejercicios

C. Temas de composición y conversación

1. Los nombres de los hijos de Machuca
2. El tío de Napoleón se entera de la estafa
3. Napoleón y la corista
4. Napoleón llega a la capital.

CAPÍTULO CUATRO

A. Preguntas

1. ¿Qué tenía de extraño la conducta de Napoleón en su casa aquella mañana?

2. ¿Qué sospechó Margarita al principio para explicar esta conducta?

3. ¿En qué fundó ella esta sospecha pasajera?

4. ¿Qué rasgos desagradables comenzó a mostrar Napoleón hacia su esposa?

5. ¿Cómo reaccionaba Napoleón a las mil preguntas que le hizo Margarita?

6. ¿Cuándo solía leer Napoleón el periódico?

7. ¿Por qué regresó Napoleón tan temprano de su trabajo aquel veinte de octubre?

8. ¿Cómo supo Margarita que la novela de Roig había salido por fin?

9. ¿Qué hizo Napoleón al oír la noticia?

10. ¿Por qué dijo Margarita: "Querido, no estás bien"?

11. ¿Cómo manifestaba Napoleón su enojo y nerviosidad al encontrar cerrada la librería?

12. ¿Confesó Napoleón a su esposa el motivo de su desasosiego?

13. ¿Por qué no pudo ella imaginar que Napoleón sirviera de personaje novelesco?

14. Según Margarita, ¿qué tenía que ver Napoleón con el "hombre respetable" de le novela de Roig?

B. Escojan la palabra o frase que mejor complete las oraciones siguientes:

1. En los juegos de canasta, Napoleón: (*a*) perdía mucho dinero; (*b*) participaba de mala gana; (*c*) ganaba unos pesos.

Ejercicios

2. En el bosque de Palermo el hombrecito: (*a*) leía novelas; (*b*) conversaba con los amigos; (*c*) montaba a caballo.

3. Cuando Napoleón quiso salir de la casa al enterarse de la aparición de la novela, su esposa: (*a*) se echó a llorar; (*b*) cerró la puerta con llave; (*c*) trató de disuadirle.

4. Al volver Napoleón de la librería, Margarita lo trató: (*a*) de un modo brusco; (*b*) con palabras de cariño y comprensión; (*c*) en tono de amenaza.

5. Si Roig fuera conocido de Margarita, ésta: (*a*) le invitaría a su casa; (*b*) le haría una visita; (*c*) le pediría que le mandara su novela.

C. *Temas de composición y conversación*

1. Paseo por la calle Florida
2. La aparición de la novela *Un hombre respetable*
3. Napoleón se dirige a la librería

CAPÍTULO CINCO

A. *Preguntas*

1. ¿Qué hizo Napoleón al encontrar cerrada la librería?
2. ¿Qué dijo Napoleón al empleado que le vendió la novela?
3. ¿Por qué necesitaba un cuchillo?
4. ¿Por qué tenía Napoleón tanto interés en leer la novela?
5. ¿Qué semejanza había entre los nombres Alejandro Magno Pacheco y Napoleón Machuca?
6. ¿Qué hacía Napoleón en el café que llamaba la atención de los clientes?
7. ¿Cómo era Alejandro en lo físico?
8. ¿Qué desemejanza había entre Napoleón y el personaje novelesco?
9. ¿Quién fué Pacheco?
10. ¿Cómo pintaba Roig a la esposa de Alejandro?
11. ¿A dónde fué Napoleón después de salir del café?
12. ¿Dónde puso la novela?
13. ¿Por qué no quería que su esposa leyera la novela?

Ejercicios

14. ¿De qué manera pasaban los Machuca la hora de comer?

15. ¿A dónde fué Margarita después de escapar su marido a la oficina?

B. *Escojan la palabra o frase que mejor complete las oraciones siguientes:*

1. Cuando Napoleón entró en la librería, el empleado: (*a*) se negó a atenderlo; (*b*) apenas lo reconoció; (*c*) le entregó la novela de buena gana.

2. Napoleón apenas probó el café porque: (*a*) estaba muy nervioso; (*b*) tenía mucha prisa; (*c*) no le gustaba.

3. Al principio Napoleón no deseaba que el novelista le retratara exactamente: (*a*) por temor a la verdad; (*b*) porque no se creía un personaje interesante; (*c*) porque dudaba de la habilidad novelística de Roig.

4. Con respecto a la celebridad, Napoleón opinaba que: (*a*) no valía la pena ganarla; (*b*) era algo de gran valor; (*c*) los que la tenían no la merecían.

5. En *El hombre respetable*, Roig: (*a*) omitía toda referencia a la falsificación de firmas; (*b*) confería cualidades de integridad y honradez a Alejandro; (*c*) narraba un robo cometido por Alejandro.

C. *Temas de composición y conversación*

1. El hombrecito en el café
2. Las mentiras en el libro de Roig
3. El robo cometido por Alejandro

CAPÍTULO SEIS

A. *Preguntas*

1. Según Gálvez, ¿por qué no puede existir franqueza absoluta en las relaciones humanas?

2. ¿Por qué se pasaba Napoleón las mañanas en su escritorio?

3. ¿De qué modo espiaba Margarita a su marido?

4. ¿Qué medidas tomaba Margarita para ocultar a su marido su adquisición de la novela?

Ejercicios

5. ¿Qué efecto tenían los frecuentes juegos de canasta en las relaciones entre Napoleón y Margarita?

6. ¿Por qué no podía ella reconocer en Alejandro a su marido en cuanto a conquistas amorosas?

7. ¿En qué sentido era Alejandro un hombre mucho mas vivaz y social que Napoleón?

8. ¿Qué opinaba Margarita de las cualidades morales de Napoleón?

9. ¿Qué estado de espíritu de Napoleón no pudo interpretar Margarita?

10. ¿Qué esperaba ella encontrar en las novelas que había leído?

B. *Escojan la palabra o frase que mejor complete las oraciones siguientes:*

1. En el café Napoleón leyó la novela: (*a*) sin mucho cuidado; (*b*) con gran detenimiento; (*c*) con interés literario.

2. Durante aquellos días de ansiedad, Napoleón jugaba a la canasta: (*a*) mejor que nunca; (*b*) mejor, pero sin tener interés alguno; (*c*) con poca destreza.

3. Según Margarita, su marido y Alejandro se parecían en: (*a*) lo físico; (*b*) su manera de vivir; (*c*) sus sentimientos más hondos.

4. Después que se publicó la novela, las relaciones entre Margarita y Napoleón: (*a*) no se cambiaron de ningún modo; (*b*) se empeoraron; (*c*) se mejoraron mucho.

5. Cuando apareció la novela de Roig, Margarita: (*a*) no tenía ganas de leerla; (*b*) creía que era calumniosa; (*c*) anhelaba comprar un ejemplar.

C. *Temas de composición y conversación*

1. Margarita observa a su marido por el ojo de la cerradura
2. El silencio pertinaz de Napoleón
3. Los Machuca juegan a la canasta

CAPÍTULO SIETE

A. *Preguntas*

1. ¿Qué opinaba Margarita de las creaciones ficticias de un novelista?

Ejercicios

2. ¿Cómo logró Napoleón evitar un encuentro con Roig en la calle Florida?

3. ¿Por qué anhelaba Napoleón ser Alejandro?

4. ¿Por qué iba Napoleón a Palermo?

5. ¿Cómo reaccionaba la gente al oír los cuentos que soltaba Napoleón?

6. ¿Qué le aconsejó Alejandro a Napoleón?

7. ¿Qué clase de mujeres había podido conquistar Napoleón?

8. ¿Dónde ocurrían muchas veces las conversaciones entre Napoleón y Alejandro?

9. ¿Por qué exclamó un transeúnte, al ver pasar a Napoleón: "¡Qué divertido que va!"?

10. Según Napoleón, ¿por qué no podía ser Alejandro su propia conciencia?

B. *Escojan la palabra o frase que mejor complete las oraciones siguientes:*

1. Margarita opinaba que la heroína Madame Bovary: (*a*) era una creación completamente ficticia; (*b*) era una creación absurda; (*c*) provenía en parte de la realidad.

2. De la Academia de la Historia Alejandro hablaba con: (*a*) sarcasmo; (*b*) veneración; (*c*) conocimiento.

3. La actitud de Alejandro hacia las mujeres revelaba: (*a*) un espíritu soez; (*b*) un profundo respeto; (*c*) gran antipatía.

4. Gálvez cree que el hablar "solo" en la calle: (*a*) es indicio seguro de locura; (*b*) no significa gran cosa; (*c*) indica una mentalidad muy perspicaz.

5. Los diálogos entre Napoleón y Alejandro: (*a*) se realizaron siempre en casa; (*b*) nunca se dieron en la calle; (*c*) se dieron en muchos lugares.

C. *Temas de composición y conversación*

1. *Madame Bovary* y la creación ficticia
2. La existencia real de Alejandro
3. Los diálogos imaginarios de Napoleón

Ejercicios

CAPÍTULO OCHO

A. *Preguntas*

1. ¿Cómo empezaba Napoleón a modificar su vida?
2. ¿Quién vió a Napoleón en una academia de baile?
3. ¿Cómo bailó Napoleón el tango en un cabaret?
4. ¿Por qué le extrañó a Margarita que Napoleón pidiera vino?
5. ¿Cómo notaba Margarita que él tomaba Jerez o whiskey?
6. ¿Cómo eran los cigarrillos criollos?
7. ¿Qué clase de revista encontró Margarita en el escritorio?
8. ¿Cómo supo ella que Napoleón se había marchado a las carreras aquel domingo?
9. ¿Qué hacía Napoleón en el tranvía cuando Margarita lo vió?
10. ¿Por qué no quería ella reunirse con él en el tranvía?
11. ¿Qué palabras emplea Gálvez para indicar que Margarita se echó a llorar?

B. *Escojan la palabra o frase que mejor complete las oraciones siguientes:*

1. El beber fué para Napoleón: (*a*) algo completamente nuevo; (*b*) un vicio vuelto a aparecer; (*c*) una cosa desagradable.
2. Margarita llamó a Raval por teléfono: (*a*) para arreglar una cita; (*b*) porque su marido se lo pidió; (*c*) para averiguar si Napoleón le había mentido.
3. Al darse cuenta del trastorno mental de su marido, Margarita experimentaba una emoción de: (*a*) odio y desprecio; (*b*) retraimiento y mudez; (*c*) incredulidad y compasión.
4. Los que observaron a Napoleón dialogar con Alejandro en el tranvía: (*a*) salieron del vehículo; (*b*) hicieron parar el vehículo; (*c*) se sonreían para sus adentros.
5. En el tranvía Margarita logró: (*a*) contemplar las acciones de su marido; (*b*) que Napoleón bajase en seguida; (*c*) sentarse junto a Napoleón para hacerle callar.

C. *Temas de composición y conversación*

1. Diversión en un cabaret elegante
2. Margarita nota ciertos cambios en su marido
3. Napoleón en el tranvía

Ejercicios

CAPÍTULO NUEVE

A. Preguntas

1. ¿Cómo pasaban Napoleón y Margarita el mes de vacaciones?
2. ¿Cómo pensaba costear Napoleón los gastos de un hotel de lujo?
3. ¿Por qué tenía Margarita lástima de sí misma?
4. ¿A qué se dedicó Napoleón luego que se hubieron instalado en el hotel?
5. ¿Por qué empezaba a creer que el mundo era suyo?
6. ¿Cómo salió Margarita en su juego de ruleta?
7. ¿Cómo ganó Napoleón la admiración de los otros jugadores?
8. ¿De qué manera modificaba Napoleón su modo de hablar?
9. ¿Qué descuido cometió Napoleón al hablar de su certeza de no poder ganar más?
10. ¿Logró remediar él este descuido?

B. Escojan la palabra o frase que mejor complete las oraciones siguientes:

1. Por lo general Napoleón estaba de vacaciones durante el mes de: (a) julio; (b) enero; (c) noviembre.

2. El hotel en que se alojaron en Mar del Plata: (a) era muy barato; (b) tenía una apariencia modesta; (c) era uno de los mejores de la ciudad.

3. En los juegos de canasta Napoleón demostraba: (a) inmoderada confianza en sí; (b) timidez y recelo; (c) mucha improvidad.

4. Napoleón muchas veces daba fichas a sus admiradoras: (a) por pura generosidad; (b) para que no lo molestaran más; (c) para ganar una cita con ellas.

5. Respecto a sus aventuras amorosas en Mar del Plata, Napoleón: (a) pensaba terminarlas antes de regresar a Buenos Aires; (b) pensaba continuarlas en la capital; (c) las consideraba motivo de escándalo.

C. Temas de composición y conversación

1. Los Machuca hablan de las vacaciones
2. Napoleón y la ruleta
3. Por fin Napoleón suelta la lengua

Ejercicios

CAPÍTULO DIEZ

A. *Preguntas*

1. ¿Quién era Atilio Chiappori?
2. ¿Por qué no quería Napoleón compartir sus pensamientos íntimos con Margarita?
3. ¿Qué llegó a imaginar Napoleón respecto a su relación con Alejandro?
4. ¿Qué opinaba Napoleón de la creación novelesca de Cervantes?
5. ¿Por qué decidió hacer una visita a Roig?
6. ¿Qué pensamiento malévolo le hizo temblar de miedo?

B. *Escojan la palabra o frase que mejor complete las oraciones siguientes:*

1. El "cofre" a que se refiere Gálvez representa: (*a*) las ganancias de Napoleón; (*b*) el ser interior de Napoleón; (*c*) el amor de Napoleón por Margarita.
2. El rasgo esencial de este capítulo es: (*a*) la descripción detallada del medio social; (*b*) la acción vigorosa que se desarrolla; (*c*) el análisis psicológico e introspectivo.
3. Se relata que una fuerza invisible salvó a Napoleón de: (*a*) un accidente; (*b*) enamorarse locamente; (*c*) ponerse en ridículo.
4. A juicio de Napoleón, el inmortal Don Quijote: (*a*) existió realmente; (*b*) no pudo haber existido jamás; (*c*) fué una creación sacada de la experiencia personal de Cervantes.
5. Una vez Napoleón abrigó el pensamiento de matar a Alejandro porque: (*a*) le odiaba; (*b*) su muerte representaría una solución para sus problemas emocionales; (*c*) Roig se lo aconsejó.

C. *Temas de composición y conversación*

1. Alejandro, el "otro yo" de Napoleón
2. Don Quijote y la creación novelística
3. Las fuentes de la inspiración

Ejercicios

CAPÍTULO ONCE

A. Preguntas

1. ¿Quién era Raval?
2. ¿Por qué quería Napoleón consultar con él?
3. ¿Por qué dijo Raval que Napoleón "va a dejar chiquito a Don Juan Tenorio"?
4. ¿Qué tipo de hombre era Raval?
5. Describa usted físicamente a Raval.
6. ¿A qué se refiere Gálvez al decir que "la oruga convertíase en mariposa"?
7. ¿Qué consejos le dió Raval a Napoleón?
8. ¿Cómo era el departamento que Napoleón consiguió?
9. ¿Cómo sabían sus compañeros de trabajo de sus conquistas amorosas?
10. ¿Qué averiguó Vicentini?
11. ¿Qué impulsó a Vicentini a espiar a Napoleón?
12. ¿Cómo se llevaba Vicentini con los otros empleados?
13. ¿Cómo describe Gálvez la salud y el aspecto físico de Vicentini?
14. ¿Cómo se proponía Vicentini hacer conocer a Margarita las transgresiones de su marido?
15. ¿Cómo reaccionó el director al oír las noticias que le dió Vicentini?

B. Escojan la palabra o frase que mejor complete las oraciones siguientes:

1. Napoleón pidió consejos a Raval respecto a: (*a*) las carreras; (*b*) sus asuntos amorosos; (*c*) su otro yo Alejandro.

2. Raval sugirió a Napoleón que: (*a*) fuera fiel a su esposa; (*b*) siguiera su infidelidad; (*c*) se lo confesara todo a Margarita.

3. Los demás empleados de la oficina consideraban a Vicentini: (*a*) un tipo simpático; (*b*) un hombre vigoroso y sano; (*c*) una persona odiosa.

4. Vicentini se enteró de la vida amorosa de Napoleón: (*a*) sobornando al portero; (*b*) amenazando al cancerbero; (*c*) preguntándoselo a su mujer.

5. Al salir del despacho del director, Vicentini: (*a*) se arrepintió de su conducta; (*b*) tropezó con Raval; (*c*) sonrió para sus adentros.

Ejercicios

C. Temas de composición y conversación

1. Napoleón busca consejos sobre el amor
2. Las bajezas de Vicentini
3. Vicentini lleva el chisme al director
4. Una carta anónima dirigida a Margarita

CAPÍTULO DOCE

A. Preguntas

1. Cuando se casó con Napoleón, ¿qué emoción sentía Margarita hacia él?
2. ¿Por qué le atribuía ella exageradamente las virtudes de generosidad y nobleza?
3. ¿Por qué recurría ella al juego de canasta?
4. ¿Qué buscaba ella en las novelas que leía?
5. ¿Por qué sospechaba ella que Napoleón le era infiel?
6. ¿Qué decía la carta que recibió Margarita?
7. ¿Cómo le explicó Napoleón a ella las acusaciones contenidas en la carta?
8. ¿Quién era Juan María Videra?
9. ¿En qué se diferenciaban los rasgos físicos de Videra de los de Napoleón?
10. ¿Por qué llamó Videra a Margarita por teléfono?
11. ¿En dónde propuso Videra que se reunieran?
12. ¿Cómo llegaron a conocerse Videra y Margarita?
13. ¿Aceptó Margarita la cita?

B. Escojan la palabra o frase que mejor complete las oraciones siguientes:

1. Margarita jugaba a la canasta: (*a*) para ganar dinero; (*b*) porque su vida le resultaba muy monótona; (*c*) para complacer a su marido.
2. En la ruleta Napoleón mostró un carácter: (*a*) vacilante; (*b*) audaz; (*c*) antipático.
3. Las sirvientas se callaron ante el interrogatorio de Margarita porque: (*a*) la odiaban; (*b*) realmente no sabían nada; (*c*) Napoleón las había sobornado.

189

Ejercicios

4. La carta que Vicentini envió a Margarita: (*a*) fué interceptada por la cocinera; (*b*) llegó equivocadamente a manos del director; (*c*) llegó a su destinataria.

5. Vicentini le hablaba a Margarita: (*a*) con gran sinceridad; (*b*) de un modo dulzón; (*c*) con mucha incivilidad.

C. *Temas de composición y conversación*

1. Las ideas románticas de Margarita
2. Falta de comunicación emocional entre los Machuca
3. Napoleón lee la carta anónima
4. La conversación telefónica entre Juan María y Margarita

CAPÍTULO TRECE

A. *Preguntas*

1. ¿Cómo maltrató Napoleón a un perro?
2. ¿Por qué insultó Napoleón al conductor de tranvía?
3. ¿Qué hacía Napoleón en el tranvía?
4. ¿Por qué miraba la gente a Napoleón de un modo extraño?
5. ¿Por qué fué él en busca de Vicentini?
6. ¿Por qué creía Napoleón que sus compañeros iban a engañarle?
7. ¿Qué opinión tenía Raval de Vicentini?
8. ¿Cómo le aconsejaba Raval a Napoleón?
9. ¿Cómo expresó éste su hostilidad contra Raval?
10. ¿Por qué creía Raval que Napoleón se estaba volviendo loco?

B. *Escojan la palabra o frase que mejor complete las oraciones siguientes:*

1. Al entrar en su oficina Napoleón: (*a*) vió a Vicentini; (*b*) desistió de su plan de venganza; (*c*) arremetió contra Vicentini.

2. Al ver a Napoleón tan turbado, los empleados de la oficina: (*a*) procuraron calmarlo; (*b*) le incitaron a pelear; (*c*) llamaron en seguida a Margarita.

3. Napoleón agarró de las solapas a Raval porque éste: (*a*) hizo chistes con su apellido; (*b*) se burlaba de sus amores; (*c*) le insultó.

Ejercicios

4. Raval pensaba que Napoleón se había vuelto loco porque: (*a*) pedía consejos a Alejandro; (*b*) se enojaba sin provocación visible; (*c*) le perturbaban los problemas económicos.

5. En presencia de Napoleón los empleados de oficina: (*a*) se negaban a trabajar; (*b*) trabajaban con más afán; (*c*) trabajaban con inquietud y temor.

C. *Temas de composición y conversación*

1. Actos de violencia de Napoleón en la calle
2. Raval procura apaciguar al hombrecito
3. Napoleón se refugia en la irrealidad

CAPÍTULO CATORCE

A. *Preguntas*

1. ¿Por qué invitó Margarita al doctor Hornos a su casa?

2. ¿Cómo engañó ella a Napoleón respecto a la especialidad del médico?

3. ¿Qué hacía Napoleón cuando llegó el doctor?

4. ¿Cómo se cortó Napoleón?

5. ¿Cuántos años tenía el médico?

6. ¿De qué tenía miedo Margarita?

7. ¿Cómo lisonjeaba el doctor a Napoleón?

8. ¿Cómo contestaba éste a la mayoría de las preguntas que le hacía el doctor?

9. ¿Por qué no le agradaban a Margarita los novelistas norteamericanos?

10. ¿Por qué no admitió ella haber leído la novela de Roig?

11. ¿Con qué fin hablaba el doctor acerca de Alejandro Magno Pacheco?

12. ¿Por qué se puso furioso de repente Napoleón?

B. *Escojan la palabra o frase que mejor complete las oraciones siguientes:*

1. El prestigio del doctor Hornos: (*a*) era muy grande; (*b*) era muy limitado; (*c*) iba disminuyendo cada año.

Ejercicios

2. Cuando Margarita sugirió a Napoleón que se diera un baño caliente, éste: (*a*) le dijo que se lo preparara; (*b*) se negó a hacerlo; (*c*) se hizo el desentendido.

3. Se puede caracterizar la personalidad del doctor como: (*a*) agresiva y antipática; (*b*) débil y perezoza; (*c*) amable y risueña.

4. El médico trataba a su prima: (*a*) con simpatía y entendimiento; (*b*) como si no quisiera ayudarla; (*c*) con frialdad.

5. Los esfuerzos del doctor fueron inútiles porque: (*a*) Napoleón se empeñó en callarse; (*b*) no tenía confianza en el diagnóstico; (*c*) Margarita le contradijo delante de Napoleón.

C. *Temas de composición y conversación*

1. El médico en casa de los Machuca
2. Napoleón no muerde el cebo
3. El doctor habla de la novela de Roig

CAPÍTULO QUINCE

A. *Preguntas*

1. ¿Por qué creía Raval que las amenazas de Napoleón eran puramente vanas?
2. ¿Por qué huyó Vicentini?
3. ¿Quién comunicó al director lo ocurrido en la oficina?
4. ¿Cómo trataba el director a sus empleados?
5. ¿Cómo se enteró el director de la pasión de Napoleón por el juego?
6. ¿De parte de quién se puso el director? ¿De parte de Vicentini o de Napoleón?
7. ¿Por qué se enojó el director?
8. ¿Qué medidas tomó éste contra Napoleón?
9. ¿Qué dijo Napoleón al director antes de salir de su despacho?
10. ¿Por qué entraron varios empleados en el despacho?

B. *Escojan la palabra o frase que mejor complete las oraciones siguientes:*

1. Según Raval el carácter fundamental de Napoleón: (*a*) le impediría cometer un acto de violencia; (*b*) lo llevaría a matar a su enemigo; (*c*) era variable e incierto.

Ejercicios

2. Vicentini huyó porque: (*a*) se lo aconsejó su jefe; (*b*) temía la venganza de Napoleón; (*c*) no podía aguantar más la vida frívola de Buenos Aires.

3. Para con los empleados el director se mostraba: (*a*) severo; (*b*) indeciso; (*c*) paternal.

4. En la reunión con el director, Napoleón: (*a*) no habló mucho por puro temor; (*b*) dijo francamente lo que pensaba; (*c*) urdió una red de mentiras.

5. Napoleón salió del despacho: (*a*) por su propia voluntad; (*b*) empujado por los vigilantes; (*c*) amenazado por el director.

C. *Temas de composición y conversación*

1. La cobardía de Vicentini
2. El director se enoja
3. El orgullo de Napoleón

CAPÍTULO DIEZ Y SEIS

A. *Preguntas*

1. ¿Por qué se despertaba Napoleón a media noche?
2. ¿Cómo lo tranquilizaba Margarita?
3. ¿Cón quién soñaba él con frecuencia?
4. ¿En qué forma se le apareció el fantasma?
5. ¿Quién era Isolina?
6. ¿Qué sugirió Alejandro que hiciera Napoleón para vengarse del director?
7. ¿Quién sería su cómplice?
8. ¿En qué se transformaban los dedos del fantasma?
9. ¿Por qué empezó Napoleón a gritar?
10. ¿Cómo mostró Margarita cierta solicitud y simpatía hacia Napoleón cuando éste se despertó de su sueño?

B. *Escojan la palabra o frase que mejor complete las oraciones siguientes:*

1. Para que se le pasara a Napoleón la pesadilla, Margarita: (*a*) le echó agua a la cara; (*b*) le contó algo agradable; (*c*) comenzó a llorar.

Ejercicios

2. Lo primero que hizo Napoleón al entrar en su dormitorio fué: (*a*) tirarse en su lecho; (*b*) quitarse la ropa; (*c*) explicar a Margarita lo ocurrido.

3. En los sueños de Napoleón, algunas partes del cuerpo de Alejandro: (*a*) llegaron a ser minúsculas; (*b*) crecían grotescamente; (*c*) desaparecieron por entero.

4. En la novela *Trasmundo* el protagonista: (*a*) quiere librarse de una pesadilla pertinaz; (*b*) anhela conversar más con la mujer de sus sueños; (*c*) cree que los sueños no significan nada.

5. La cara de Alejandro se transformó en: (*a*) algo fino y elegante; (*b*) la de un animal; (*c*) un cuadro de diversos colores.

C. *Temas de composición y conversación*

1. Significación de la pesadilla
2. La conciencia de Napoleón
3. Napoleón se despierta de su sueño

CAPÍTULO DIEZ Y SIETE

A. *Preguntas*

1. ¿En qué sentido se compara el caso de Napoleón con el de Don Quijote?

2. ¿Cuál era la situación económica de los Machuca?

3. ¿Dónde se quedaba Napoleón por las mañanas?

4. ¿Cómo quiso Margarita espiar a Napoleón en casa?

5. ¿Por qué pensaba Margarita en Raúl de Hornos?

6. ¿En qué sentido no imitaba ella a Emma Bovary?

7. ¿Quién debía dinero a Napoleón?

8. ¿Cómo ayudó Juan María a Margarita?

9. ¿Por qué comenzó Napoleón a ir de nuevo al Hipódromo?

10. ¿Cómo le fué en las carreras?

11. ¿De qué acusó Napoleón a Alejandro?

B. *Escojan la palabra o frase que mejor complete las oraciones siguientes:*

1. Margarita registró el escritorio de su marido: (*a*) para hallar una pistola; (*b*) para descubrir algo sobre la vida personal de Napoleón; (*c*) porque le hacía falta un sobre.

Ejercicios

2. Sería difícil que Margarita consiguiera un buen empleo porque: (*a*) tenía una actitud negativa hacia toda clase de trabajo; (*b*) nunca había trabajado antes; (*c*) la Argentina padecía de una crisis económica.

3. Margarita apaciguó a sus acreedores: (*a*) urdiendo mil pretextos; (*b*) invitándoles a tomar café; (*c*) prometiendo pagar un interés exorbitante.

4. Con el dinero que le había prestado Juan María Videra, la esposa de Napoleón: (*a*) se compró artículos de lujo; (*b*) abrió una cuenta en el banco a su nombre; (*c*) pagó todas las deudas.

5. Napoleón pudo pedir un préstamo al banco: (*a*) porque tenía grandes ahorros; (*b*) ofreció unos anillos como garantía; (*c*) a cuenta de lo que el Gobierno le debía.

C. *Temas de composición y conversación*

1. Problemas financieros de los Machuca
2. La generosidad de Juan María
3. La fe religiosa de Napoleón

CAPÍTULO DIEZ Y OCHO

A. *Preguntas*

1. ¿Cómo debe terminarse la pregunta que se hace Napoleón: "¿Cómo puedo yo. . .?"?

2. ¿Por qué dice Gálvez que Isolina no valía mucho?

3. ¿En qué sentido tenía ella un carácter sumamente débil?

4. ¿Quién era el marido de Isolina?

5. ¿Cómo se conocieron Napoleón e Isolina?

6. ¿Por qué le prestaba ella atención a Napoleón?

7. ¿Qué emoción sentía Isolina por su marido?

8. ¿Cómo pinta Gálvez a Isolina en lo moral?

9. ¿Por qué rechazó ella la idea de pedir dinero a su marido?

10. ¿Dónde guardaba el director su dinero?

11. ¿Por qué no permitía el director que su esposa pagara las cuentas?

12. ¿En qué lugar estaban las libretas de cheques?

Ejercicios

13. Por qué quería Napoleón que Isolina le trajera un cheque del director?

14. ¿Por qué no se consideraba Isolina a sí misma cómplice en la estafa?

15. ¿Cómo justificaba Napoleón el delito que iba a cometer?

B. *Escojan la palabra o frase que mejor complete las oraciones siguientes:*

1. Gálvez caracteriza a Isolina principalmente en términos: (*a*) espirituales; (*b*) físicos; (*c*) morales.

2. Isolina sentía por su marido: (*a*) mucho amor; (*b*) lástima; (*c*) desprecio.

3. El ser infiel a su marido sería para Isolina: (*a*) algo repugnante e inmoral; (*b*) cosa natural; (*c*) cosa inaudita.

4. A principios de mes el director no guardaba los cheques en la caja de fierro porque: (*a*) no tenía confianza en la seguridad de este aparato; (*b*) solía dárselos a Isolina; (*c*) los usaba con frecuencia para pagar las cuentas.

5. Por lo que se refiere a su complicidad en la estafa, Isolina obró con: (*a*) sentido de absoluta amoralidad; (*b*) gran conciencia de su culpabilidad; (*c*) intenciones criminales.

C. *Temas de composición y conversación*

1. Isolina habla mal de su marido
2. Los cheques y la caja de fierro
3. El delito de Isolina

CAPÍTULO DIEZ Y NUEVE

A. *Preguntas*

1. ¿Qué firmas imitaba Napoleón mientras conversaba con sus compañeros?

2. ¿Imitaba bien las firmas?

3. ¿Cuándo le salieron perfectas las firmas?

4. ¿Qué clase de firma tenía el director?

Ejercicios

5. ¿Qué dice Gálvez acerca de los masones?

6. ¿Cree Gálvez que la letra de una persona es indicio de su carácter?

7. ¿Por qué razón creía Margarita que Napoleón se encerraba tanto en su cuarto?

8. ¿A quién pensaba visitar ella?

9. ¿Por qué rechazó Napoleón tan de lleno la idea de ponerse a escribir novelas?

10. ¿Por qué sentía Margarita haber hecho tantas preguntas a Napoleón?

B. *Escojan la palabra o frase que mejor complete las oraciones siguientes:*

1. En el arte de imitar firmas Napoleón: (*a*) era experto; (*b*) exageró su habilidad; (*c*) fracasó completamente.

2. La firma del director: (*a*) era de las más sencillas; (*b*) era rebuscada; (*c*) mostraba mucha sensibilidad.

3. Para lograr una imitación perfecta de la firma del director, Napoleón: (*a*) solicitó los servicios de un experto; (*b*) se ensayó durante dos semanas; (*c*) le robó muchos documentos valiosos.

4. Margarita llegó al convencimiento de que Napoleón se había encerrado para: (*a*) escribir una carta a Roig; (*b*) escribir un cuento; (*c*) suicidarse.

5. Margarita decidió visitar a Roig para: (*a*) sacarle datos sobre la vida de su marido; (*b*) amenazarle con revelar algo importante a la Policía; (*c*) oírle explicar la personalidad de Alejandro.

C. *Temas de composición y conversación*

1. El arte de imitar firmas
2. Las rasgos de la firma de un farsante
3. Inquietudes de Margarita al encerrarse Napoleón en su cuarto

CAPÍTULO VEINTE

A. *Preguntas*

1. ¿Por qué no le gustaba a Roig recibir visitantes por la mañana?
2. ¿Quién atendía la puerta?

Ejercicios

3. ¿De qué sentía celos la señora de Roig?
4. ¿Por qué se le permitió entrar a Margarita?
5. ¿Por qué se disculpó Roig cuando entró ella?
6. ¿Descríbase el rostro de Roig?
7. ¿De qué hablaba Margarita aun antes de decirle quién era?
8. ¿Por qué se puso indignada?
9. ¿Qué dijo Roig del parentesco entre Alejandro y Napoleón?
10. ¿Cuál fué la reacción de Roig al enterarse del trastorno emocional de Napoleón?
11. ¿Qué quería Margarita que Roig escribiera?
12. ¿A quién le pidió ella que mandara la carta?
13. ¿Cómo mostró Roig su galantería cuando ella iba a salir?
14. ¿Logró ella su propósito en la visita a Roig?
15. ¿Por qué la miraba la señora de Roig con agresiva cara de perro?

B. *Escojan la palabra o frase que mejor complete las oraciones siguientes:*

1. En su escritorio Pedro Roig trabajaba siempre: (*a*) con tranquilidad de espíritu; (*b*) con excitación nerviosa; (*c*) con hostilidad contra las nuevas tendencias literarias.

2. Roig recibió a Margarita vestido en: (*a*) un traje elegante; (*b*) un smoking; (*c*) ropa de entrecasa.

3. La primera impresión que Roig tuvo de Margarita fué que era: (*a*) una dama culta e inteligente; (*b*) una mujer antipática y agresiva; (*c*) una mujer tonta.

4. Margarita dijo a Roig que su novela: (*a*) estaba perjudicando a Napoleón; (*b*) no tenía valor literario; (*c*) se parecía mucho a *Madame Bovary.*

5. En su charla con Margarita, el novelista: (*a*) se sentía culpable de los trastornos de Napoleón; (*b*) declaró que no podía contener las acciones de Alejandro; (*c*) negó que la creación de Alejandro se relacionara con la vida de Napoleón.

C. *Temas de composición y conversación*

1. Roig recibe a una visitante
2. Protestas de Margarita al novelista
3. El libre albedrío y la creación ficticia

Ejercicios

CAPÍTULO VEINTE Y UNO

A. *Preguntas*

1. ¿Por qué no sacó Isolina el primer cheque de la libreta?

2. ¿Cómo trató de ocultar Napoleón su cara en el Banco de la Nación?

3. ¿Qué dato no pudo Isolina facilitar a Napoleón?

4. ¿Por qué no quería Napoleón quedarse en el centro?

5. ¿A cuánto sumaba la cantidad estafada?

6. ¿Por qué dijo Alejandro que Napoleón era hipócrita?

7. ¿Por qué creía Alejandro que era una estupidez lo que había hecho Napoleón?

8. ¿Por qué creía Alejandro que de Isolina dependía la salvación de Napoleón?

9. ¿Qué prueba ofrecía Alejandro de su propia existencia real?

10. ¿De qué dudaba Napoleón después de oír las palabras de Alejandro?

B. *Escojan la palabra o frase que mejor complete las oraciones siguientes:*

1. Isolina dió a Napoleón el quinto cheque de la libreta, en vez del primero: (*a*) por pura superstición; (*b*) para evitar sospecha; (*c*) porque se lo había aconsejado su cómplice.

2. En el banco Napoleón se estuvo frotando las manos: (*a*) para que no se notara su estado nervioso; (*b*) porque tenía frío; (*c*) para dar señales a su cómplice.

3. En el libro de Roig, Alejandro robó: (*a*) mucho menos que Napoleón; (*b*) una cantidad más o menos igual a la de Napoleón; (*c*) una cantidad mucho más grande.

4. Respecto a la estafa cometida por Napoleón, Alejandro opinó que: (*a*) había sido una estupidez; (*b*) el hombrecito hizo muy bien; (*c*) debió haber devuelto el dinero al director.

5. Alejandro dijo a Napoleón que el doctor Hornos: (*a*) en verdad no era médico, sino curandero; (*b*) no era oftalmólogo sino especialista en enfermedades mentales; (*c*) había perdido su licencia para ejercer la profesión.

Ejercicios

C. Temas de composición y conversación

1. Napoleón junto a la ventanilla del Banco
2. Acusaciones de Alejandro contra Napoleón
3. La existencia literaria y la existencia real

CAPÍTULO VEINTE Y DOS

A. Preguntas

1. ¿Qué noticias graves comunicó Isolina por teléfono a Napoleón?
2. ¿Cómo contestó ella el interrogatorio de su marido?
3. ¿Qué palabras de cariño empleó ella al hablar a Napoleón?
4. ¿Para cuándo se citaron?
5. ¿Cómo iban ellos a festejar el éxito de haber estafado al director?
6. ¿Por qué creía Napoleón que el director no sospecharía de él?
7. Al hablar Napoleón a Raval de su aventura amorosa, ¿qué detalle importante omitió?
8. ¿Cómo iba a explicar Napoleón a la policía la imitación de firmas?
9. ¿Por qué temía Napoleón hacer una visita a Roig?
10. ¿Cómo era el tranvía que tomó él?

B. Escojan la palabra o frase que mejor complete las oraciones siguientes:

1. En la conversación por teléfono Isolina hablaba en un tono: (a) insolente; (b) frío e indiferente; (c) bastante sumiso.

2. Napoleón sospechó que las transgresiones de Isolina: (a) le eran desconocidas a su marido; (b) eran aceptadas resignadamente por su marido; (c) armaban un escándalo en el barrio.

3. Napoleón creía que no sospecharía que era el amante de Isolina: (a) por tener fama de marido fiel; (b) por no tener buen aspecto físico; (c) por ser amigo de confianza del director.

4. Napoleón tardó mucho en llegar a casa de Roig porque: (a) el tranvía iba muy lentamente; (b) se descompuso el tranvía y tuvo que ir a pie; (c) tropezó con unos amigos.

5. Para Roig los nombres un poco raros de Napoleón Machuca: (*a*) tenían cierta belleza musical; (*b*) eran objeto de escarnio; (*c*) podrían utilizarse en su próxima novela.

C. *Temas de composición y conversación*

1. Informe telefónico de Isolina
2. Sospechas del director
3. Apariencia física del tranvía

CAPÍTULO VEINTE Y TRES

A. *Preguntas*

1. ¿Cómo mostró Napoleón cierta descortesía al entrar en casa de Roig?
2. ¿Cómo procuraba Roig hacer agradable la entrevista?
3. ¿De qué acusaba Napoleón a Roig?
4. ¿Por qué no se creía Roig culpable de las acciones de Alejandro?
5. ¿Qué idea se le ocurrió a Roig para poner fin a las angustias de Napoleón?
6. ¿Por qué no quiso Napoleón aceptar esta solución?
7. ¿A dónde sugirió Roig que Napoleón huyera?
8. ¿Por qué tenía celos Napoleón de la inteligencia de Alejandro?
9. ¿Cómo se sentía Roig cuando Napoleón se echó a llorar?
10. ¿Cuántos pesos había robado Alejandro?

B. *Escojan la palabra o frase que mejor complete las oraciones siguientes:*

1. Roig saludó a Napoleón en su casa en un tono: (*a*) alegre; (*b*) burlón; (*c*) serio.
2. El novelista creyó al principio que Napoleón le hacía la visita: (*a*) para rogarle que fuera su cómplice; (*b*) para pedirle prestado mucho dinero; (*c*) para darle las gracias por la carta que le había enviado.
3. Roig decidió no preguntar a Napoleón si había recibido su carta: (*a*) para no excitarle más; (*b*) porque temía una posible respuesta negativa; (*c*) porque consideraba a Napoleón incapaz de dar una respuesta exacta.

Ejercicios

4. Roig dijo a Napoleón que el tío a quien había estafado en su juventud: (*a*) divulgó el secreto en su lecho de muerte; (*b*) murió con el secreto sellado en los labios; (*c*) se suicidó poco después de enterarse del delito.

5. Al final de este capítulo el lector cree que Napoleón: (*a*) recuperó el juicio; (*b*) se hacía el loco intencionadamente; (*c*) seguía loco de remate.

C. *Temas de composición y conversación*

1. Roig explica la creación artística de Alejandro
2. El desarrollo del carácter de Alejandro
3. Sugestiones de Roig para resolver una situación difícil

CAPÍTULO VEINTE Y CUATRO

A. *Preguntas*

1. ¿Quién llegó a casa de los Machuca?
2. ¿Por qué razón sospechó Margarita que venían las autoridades a su casa?
3. ¿Cómo se comportó el oficial?
4. ¿Por qué impidieron a Margarita salir de la casa?
5. ¿Qué estratagema urdió ella para ayudar a Napoleón?
6. ¿Por qué metió ella una llave dentro del sobre?
7. ¿Qué papel iba a desempeñar la sirvienta en este plan?
8. ¿Por qué no se realizó la estratagema de Margarita?
9. ¿Qué le aconsejó Margarita a Napoleón?
10. ¿Por qué no quiso él entregar a su esposa más de 300 pesos?
11. ¿Por cuánto tiempo creía Napoleón que iban a detenerle?
12. ¿Por qué llamó Margarita por teléfono a Juan María?
13. ¿Qué chiste malo hizo Juan María?
14. ¿Por qué dijo él que Margarita tenía la cabeza llena de pájaros?

B. *Escojan la palabra o frase que mejor complete las oraciones siguientes:*

1. El oficialito entró en casa de Margarita: (*a*) solo; (*b*) acompañado del jefe de la Policía; (*c*) con dos vigilantes.

Ejercicios

2. Cuando dijo al oficial "Mi marido no está," Margarita: (*a*) mentía; (*b*) decía la verdad; (*c*) sabía que Napoleón estaba escondido detrás de la puerta.

3. Ante el dolor de Margarita el oficial mostró: (*a*) compasión; (*b*) solicitud; (*c*) indiferencia.

4. Por las acciones y palabras del oficial, Margarita se dió cuenta de que éste: (*a*) se dejaría sobornar fácilmente; (*b*) cumplía su deber al pie de la letra; (*c*) no conocía a fondo los procedimientos policiales.

5. Al ver a las autoridades en su casa Napoleón: (*a*) asaltó a uno de los vigilantes; (*b*) fingió no ser el señor Machuca; (*c*) huyó a toda prisa.

C. *Temas de composición y conversación*

1. Margarita defiende la honradez de Napoleón
2. Fracasa la estratagema de Margarita
3. Esfuerzos de Juan María por salvar a Napoleón

CAPÍTULO VEINTE Y CINCO

A. *Preguntas*

1. ¿Qué hacía el amanuense?
2. ¿Qué gritó Napoleón al saltar de su asiento?
3. ¿Qué sabía la policía de las relaciones amorosas de Napoleón?
4. ¿Por qué repetía el policía las palabras "No se desacate"?
5. ¿Qué prueba hizo confesar a Napoleón?
6. ¿Por qué creía el instructor que Napoleón se burlaba de la autoridad?
7. ¿En qué forma leyó la declaración el amanuense?
8. ¿Por qué hacía Napoleón una mueca a cada frase de la declaración?
9. ¿Con qué lo amenazaba el policía?
10. ¿Por qué gritó Napoleón el nombre de Pedro Roig?

B. *Escojan la palabra o frase que mejor complete las oraciones siguientes:*

1. A la primera interrogación del instructor, Napoleón: (*a*) lo confesó todo; (*b*) negó la acusación; (*c*) ni siquiera abrió la boca para contestarle.

Ejercicios

2. La voz del comisario era: (*a*) bien fuerte; (*b*) muy débil; (*c*) desagradable.

3. Cuando Napoleón dijo que Alejandro era personaje de novela, el inspector empezó a creer que: (*a*) el hombrecito se reía de las leyes; (*b*) el hombrecito se iba enloqueciendo; (*c*) era cosa muy rara, pero la pura verdad.

4. Para indicar que la declaración leída por el amanuense era falsa, Napoleón: (*a*) gritó su inocencia a voz en cuello; (*b*) sacó unos papeles personales y unos documentos oficiales; (*c*) hizo ademanes de protesta.

5. Por fin Napoleón firmó la declaración: (*a*) para que lo dejaran en paz; (*b*) para complacer a Margarita; (*c*) porque le amenazaron con llevarlo a la cárcel.

C. *Temas de composición y conversación*

1. El instructor del sumario hace el interrogatorio
2. Napoleón se defiende
3. La policía persuade al reo a firmar la declaración

CAPÍTULO VEINTE Y SEIS

A. *Preguntas*

1. ¿Por qué se reprochaba Napoleón el haberse reconocido culpable?

2. Según Napoleón, ¿por qué era Roig el autor principal del delito?

3. ¿En qué sentido era Alejandro una derivación de Napoleón mismo?

4. ¿Cómo se demostraba en forma lógica que el delincuente era Napoleón mismo?

5. ¿Por qué sería necesario que Napoleón leyera de nuevo la novela?

Ejercicios

6. ¿Por qué opinaba él que el abogado no comprendería sus ideas?

7. Según Napoleón, ¿cuáles son las dos formas de la existencia?

B. *Escojan la palabra o frase que mejor complete las oraciones siguientes:*

1. Al darse cuenta de que su declaración comprometía a Isolina, el hombrecito: (*a*) se alegró; (*b*) la llamó por teléfono para prevenirla; (*c*) sintió remordimiento.

2. En este capítulo Napoleón da indicios de: (*a*) absoluta locura; (*b*) una mente confusa pero capaz de razonar; (*c*) recuperación total de su equilibrio emocional.

3. El hecho de que el sumario policial había sido elevado a la justicia de Instrucción significaba: (*a*) que el delito fué muy grave; (*b*) que no había mucha esperanza de libertad; (*c*) que habría muchos trámites y mucha demora.

4. Para Napoleón las personas materialistas: (*a*) poseen una mayor comprensión de la vida; (*b*) deben ayudarle a salir del aprieto en que se halla; (*c*) tienen una visión estrecha del mundo.

5. Las discusiones de este capítulo son más bien de índole: (*a*) pragmática; (*b*) metafísica; (*c*) psicológica.

C. *Temas de composición y conversación*

1. El autor verdadero del delito
2. Formas de existencia, según Napoleón
3. Motivos que impulsan a Napoleón a declarar ante el Juez

CAPÍTULO VEINTE Y SIETE

A. *Preguntas*

1. ¿Por qué creía el fiscal que los médicos debían examinar a Napoleón?

2. ¿Cómo se diferenciaban en lo físico los dos médicos?

Ejercicios

3. ¿Por qué acometió Napoleón al médico?
4. ¿Cómo hizo el médico el examen de sus nervios?
5. ¿Qué opiniones contrarias tenían los dos médicos respecto a Napoleón?
6. ¿En qué cuestiones filosóficas pensaba Napoleón en su celda?
7. ¿Quién vino a visitarlo?
8. ¿Qué opinaba el visitante acerca del estado mental de Napoleón?
9. ¿Cuándo dijo el leguleyo que volvería?
10. ¿Qué opinaba Margarita sobre la culpabilidad de su marido?
11. ¿Qué buenas noticias le trajo el defensor?
12. ¿Por qué anhelaba el director un arreglo pacífico?
13. ¿Qué emoción sentía Napoleón por Isolina durante su prisión?
14. ¿Quién devolvió al Inspector los quince mil pesos?

B. *Escojan la palabra o frase que mejor complete las oraciones siguientes:*

1. El interrogatorio del Juzgado: (*a*) fué de corta duración; (*b*) fué postergado; (*c*) duró mucho tiempo.
2. El médico gordo era un tipo más bien: (*a*) adusto; (*b*) hablador; (*c*) callado.
3. Cuando los médicos le examinaron, Napoleón: (*a*) no se explicaba el motivo para tal procedimiento aunque sí cooperó con ellos; (*b*) se desmayó; (*c*) se resistió tanto que el examen no dió resultados exactos.
4. En cuanto al diagnóstico de Napoleón los dos médicos: (*a*) se hallaban de perfecto acuerdo: (*b*) tenían opiniones opuestas; (*c*) no pudieron decidirse.
5. Después de hablar con Napoleón el leguleyo creía que: (*a*) el hombrecito fingía estar loco; (*b*) era loco de remate; (*c*) la verdadera culpable era Isolina.

C. *Temas de composición y conversación*

1. Diagnóstico de los médicos
2. El abogado charla con el acusado
3. Alguien devuelve al Director los quince mil pesos

Ejercicios

CAPÍTULO VEINTE Y OCHO

A. *Preguntas*

1. ¿Qué gritó Napoleón una vez dentro del vehículo?
2. ¿Por qué tuvieron que amarrarlo?
3. ¿Por qué creía Napoleón que las autoridades deseaban vengarse de él?
4. ¿Cómo lo trató el doctor Hornos?
5. ¿A quiénes echaba Napoleón la culpa del rapto?
6. ¿Cómo pensaba vengarse de su esposa?
7. ¿Cómo demostraba Napoleón su fe religiosa?
8. ¿Dónde estaba Margarita cuando Napoleón entró en el sanatorio?
9. ¿Cuál fué la reacción emocional de Margarita al ver a Napoleón alejarse hacia su celda?
10. ¿Qué dijo Hornos acerca del nivel de conciencia de los locos?
11. ¿En qué sentido expuso el médico una filosofía pesimista de la vida?
12. ¿Por qué se ruborizó Margarita en presencia de Hornos?
13. Según Hornos, ¿por qué sería dichoso Napoleón?
14. ¿Quién devolvió el dinero al director?
15. ¿En qué estado emocional dejamos a nuestro protagonista al fin de esta novela?

B. *Escojan la palabra o frase que mejor complete las oraciones siguientes:*

1. Napoleón culpaba a Margarita: (*a*) de su trastorno mental; (*b*) de su detención; (*c*) del crimen que cometió.

2. La excitación de Napoleón llegó a tal punto que los enfermeros: (*a*) tuvieron que atarlo; (*b*) le pegaron; (*c*) no pudieron refrenarlo.

3. En esta obra Gálvez como novelista: (*a*) ofrece muchas opiniones subjetivas; (*b*) se queda en un plano de absoluta objetividad; (*c*) sugiere su propio modo de pensar, pero no nos lo da a entender en forma clara y precisa.

4. El doctor Hornos insinuó a Margarita que: (*a*) Kafka y Sartre podrían tener una influencia benéfica en su vida; (*b*) escogiera con mayor cuidado el tipo de novela que leía; (*c*) ella misma era responsable del trastorno mental de Napoleón.

Ejercicios

5. La novela termina con: (*a*) un ataque contra la sociedad por no encarcelar a los locos; (*b*) una explicación introspectiva del estado emocional de los locos; (*c*) una fuerte denuncia contra los locos.

C. *Temas de composición y conversación*

1. Napoleón profesa su filosofía religiosa
2. La locura y la psiquiatría
3. El mundo dichoso de Napoleón dentro de su locura

VOCABULARIO

Omitted from this vocabulary are the following types of words: (a) those identical in spelling and meaning with the corresponding English words; (b) adverbs ending in –mente whose corresponding adjectives are given and present no peculiar shades of meaning; (c) proper names and proper nouns explained in the notes.

The gender of masculine nouns ending in –o is not given, nor of feminine nouns ending in –a, –ión, –dad, –tad, –tud, –ez.

The following abbreviations are used:

m. masculine	*inf.* infinitive
f. feminine	*p.p.* past participle
pl. plural	*pres.* present
n. noun	*pres. p.* present participle
adj. adjective	*pret.* preterite
adv. adverb	

Radical-changing verbs are indicated as follows: *Class I:* **pensar (ie)**, **acordar (ue)**; *Class II:* **sentir (ie, i)**, **dormir (ue, u)**; *Class III:* **servir (i)**. A dash indicates that the key word is repeated.

A

a to, at, in, on; from; after; in order to

abajo down, below; **de arriba —** from top to bottom; **venirse —** to collapse

abandonar to abandon, leave; to give up

abatido, –a abject, afflicted

abogado lawyer

abonado, –a fertile

aborrecer to detest

abrasarse to glow with excitement

abrazar to embrace, envelop

abrigar to entertain a thought

abrir to open; **no — el pico** not to utter a word

absoluto, –a absolute; **en —** entirely, absolutely

absorción preoccupation

absorto, –a absorbed in thought

abstemio, –a abstemious; *m.* teetotaler

abstraído, –a lost in thought, absorbed

absurdo, –a absurd

abuela grandmother

abundante abundant

abundar to be numerous

aburrido, –a monotonous, tiresome

aburrir to bore; to annoy; —se to get bored

acá here; **por** — around here

acabar to finish; — **de** +*inf.* to have just, finish; — **por** to end up by (doing something)

academia academy, school

acalorar to excite, thrill

acaramelado, –a obnoxiously sweet and solicitous

acariciar to caress

acaso perhaps; **por** — by chance; **por si** — just in case

acceder to consent

accesible attainable

accidente *m.* accident

acción action, deed, act

accionar to gesticulate

acento accent; mode of speech

acentuar to accentuate

aceptar to accept; to agree to

acera sidewalk

acerca de about, concerning

acercamiento a coming together, mutal attraction

acercar to place near, bring close; —se to draw near, approach

acertar (ie) to succeed; to win; to be right

acometer to attack; **acometido por** prodded by

acompañante attendant

acompañar to accompany

aconsejar to advise

acordarse (ue) (de) to remember

acorde in agreement

acostarse (ue) to go to bed

acrecentar to increase

acreedor *m.* creditor

acremente bitterly

acta court record

actitud attitude, behavior

actividad activity

acto act, action

actual present

acudir to go to

acuerdo: estar de — **con** to be in agreement with

acusación accusation

acusado defendant

acusar to accuse

achicar to lessen, become small; —se to become humble

adelantar to advance; —se to step forward, go ahead

ademán *m.* look; gesture; —es de teatro impassioned, exaggerated gestures

además besides

adentrado, –a sunken, deeply set

adentro within; **para sus —s** inwardly

adiós good-bye

adivinación divination

adivinar to guess

adivinatorio, –a conjectural

adivino diviner

administración administration

administrar to manage

admirablemente admirably, very well

admiración admiration

admirador, –ora *n.* admirer

admirar to admire

admitir to admit

admonición admonition

adolescencia adolescence

Adonis *m.* model of manly beauty

adoptar to adopt, assume

adorador *m.* admirer

adorar to adore

adornar to decorate

adorno adornment

adquirir to acquire, assume

adquisición acquisition

adulación servile flattery

adular to curry favor with

adulterio adultery

adúltero adulterer

adulto, –a adult

adusto, –a sullen, harsh

adverbio adverb

advertible noticeable

advertir (ie, i) to notice, be aware of; to warn

adyacente adjacent

afán *m.* great desire

afectar to affect

afecto liking, fondness

afectuosamente kindly

afectuosidad fondness

afeitarse to shave

afición liking, fondness; interest

aficionado, –a a fond of, interested in

aficionarse a to acquire a taste for

afirmación affirmation

afirmar to affirm, declare

afirmativo, –a affirmative

aflicción grief

afligente grievous

afligidamente grievously

afligir to afflict, grieve; **—se** to become anguished

afrontar to face

afuera outside

agacelado, –a almond-shaped

agachar to bend over

agarrar to seize; **—se a** to hold on to

agarrotado, –a smothered (as a voice)

agente *m.* policeman

ágil: escritora — fluent, natural writer

agitación shaking; excitement

agitadamente nervously

agitar to stir; **—se** to get excited

aglomeración crowd

agonía suffering

agotar to exhaust; **—se** to be sold out (said of books); to get exhausted

Vocabulario

agradable pleasant, pleasing

agradar to be pleasing

agradecer to thank for

agrandarse to grow large

agravar to aggravate

agraviar to offend, wrong

agravio offense, affront

agregar to add

agresivo, –a aggressive

agresor *m.* culprit

agrio, –a sour, unpleasant

agua water

aguantar to endure, put up with; **no — pulgas** not to tolerate abuse

aguardar to wait for

agujero hole

ahí there; **de — que** for this reason; **he —** here you have; **por —** around here

ahora now

ahorros *m.pl.* savings

airado, –a angry

aire *m.* air; aspect, look; **asumir —s de personaje** to act big, act the grand seigneur

aislar to isolate

ajeno, –a of another

ajetreo rush, agitation

¡ajo! (*vulgarism*) confound!

al=a+el; **— +** *inf.* on, upon, when

alabar to praise

alargar to stretch out

alarma alarm; concern

alarmar to alarm, cause concern; **—se** to become alarmed

alba down

albedrío free will

albergar to harbor

alboroto commotion

alborozamente with nervous excitement

alborozarse to become light and gay

¡albricias! good news!

alcahuete *m.* malicious informer, talebearer

alcahuetear to play along with, stand back of

alcanfor *m.* camphor

alcanzar to reach, to attain; **— a** to manage to, succeed in

alcohol *m.* liquor

alcoholismo alcoholism

aleccionar to instruct

aledaño fringe, border

alegrarse to be glad

alegre gay, cheerful

alegría joy, happiness

alejandrida a person belonging to the lineage of Alejandro

alejar to draw away, remove, withdraw; **—se de** to become estranged from

alelado, –a amazed, stunned

alemán, –ana German

alfileres *m. pl.* personal expenses

algarabía tangle, perplexing array

algo something; somewhat; **— de** a touch of, a quality of

alguien someone

alguno (algún), –a some, one, any; *pl.* some, a few

alimentación nutrition
alimento nourishment
aliviar to relieve; to rob
alivio relief
alma soul
almacén *m.* store
almorzar (ue) to have lunch
almuerzo lunch
alojar to lodge; —se to stay (at a hotel)
alquilar to rent
alquiler *m.* rent
alrededor around; a su — around him
alterado, -a upset
altibajos *m. pl.* ups and downs
altisonante high-sounding
alto, -a tall, high; distinguished; **en —** up high
altura height, stature; stage
alucinante hallucinatory
alúd *m.* avalanche
aludir to allude to, refer to; **el aludido** the person referred to
alumbre *m.* styptic medicine
alusión allusion, reference
alzar to raise; —se con to run off with
allá there, back there
allí there
amabilidad affability
amable amiable, friendly
amante *n.* lover
amanuense *m.* clerk
amar to love
amargura bitterness
amariconado, -a effeminate

amarillento, -a yellowish
amarillo, -a yellow; **risa —a** laugh of malicious satisfaction
amarrar to tie
amartelamiento coquetry
amatorio, -a amatory
ambición ambition
ambiente *m.* atmosphere, environment
ambos, -as both
ambrosía ambrosia, gratification
amenaza threat
amenazador, -ora threatening
amenazante threatening
amenazar to threaten
amigo friend; *adj.* fond; **matrimonios —s** married friends
amistad friendship
amistoso, -a friendly
amolar to bother
amor *m.* love
amoralidad amorality
amorcito affection
amorío love affair
amoroso, -a amorous
amoscarse to become annoyed
ampliamente fully, wide
amplio, -a broad, large
amueblar to furnish
análisis *m. or f.* analysis
análogo, -a analogous
anaquel *m.* shelf
anaquelería series of shelves
anarquista *n.* anarchist
ancho, -a broad, wide
andamio scaffold

andar to walk; to be; ¡**andáte!** go on!; — **con plata** to have money; — **en la mala** to have bad luck

anduve, anduvo *pret. of* **andar**

ángel *m.* angel; — **de la Guarda** guardian angel

angelito little angel

anglo-francés, –esa Anglo-French

angustia anguish

angustiado, –a grieved

angustioso, –a painful

anhelar to desire, long for

animado, –a animated, lively

animal not capable of reasoning

animalidad the animal part of man's essence, referring to his base instincts

animar to encourage; —**se a** to feel urged to, muster courage to

ánimo spirit, courage, mind; desire, intention; **estado de —** state of mind

anochecer to grow somber; **al —** at nightfall

anómalo, –a abnormal

anonadar to overwhelm

anónimo, –a anonymous; *m.* anonymous letter

anormal abnormal

anormalidad abnormality

ansia eagerness, longing

ansiar to be anxious to

ansiedad anxiety

ansioso, –a eager, anxious

ante before, facing, in the presence of; — **todo** first of all

antecedentes *m. pl.* background

antena perceptiveness

anterior former, preceding

anteriormente before

antes (de) before; — **(de) que** before; — **que** rather than

anticipadamente in advance

anticipado, –a preconceived

antiguo, –a old; former

antipatía dislike

antipático, –a unpleasant

anunciador, –ora *n. and adj.* menacing; forewarning

anunciar to announce, tell of

anuncio indication, sign

anzuelo fishhook, bait

añadir to add

añito year (*used ironically in the plural in the sense of quite a few years*)

año year; **en —s** in the course of several years

apacible peaceful, quiet

apaciguar to appease

apagar to lower the voice

aparato (piece of) equipment, (telephone) mechanism

aparatosidad false show, pretension

aparecer to appear

aparentemente apparently

aparición appearance

apariencia appearance

apartar to dissociate, detach, remove; —**se** to move away

214

aparte aside
apasionado, –a impassioned
apasionante stirring
apasionar to impassion
apellido surname
apenarse to grieve, become saddened
apenas (si) hardly, scarcely
ápice *m*. bit
aplastarse to slump down
aplaudir to applaud
aplicable applicable
aplicar to apply; —**se a** to be engaged in
apocalípticamente awesomely, very greatly
apoderarse de to seize
apolónico, –a graceful, splendid
apoyo support
apremiar to urge on
aprender to learn
aprendizaje *m*. (act or process of) learning
aprensivo, –a apprehensive
apretado, –a tight, squeezed together; unyielding
apretar (ie) to clench, squeeze
apretón *m*.: — **de mano** handshake
apretura closeness
aprieto fix, difficulty
aprobar (ue) to approve
apropiado, –a suitable
aprovechar to take advantage of; use
aproximar to bring near; —**se** to draw near

aptitud aptitude, ability
apuntar to point at; to begin to appear
apuro undue haste
aquel, aquella that
aquello that; the matter of
aquí here; — **mismo** right here; **he** — lo and behold, and so you see
aquiescencia consent
aquietar to pacify
arañar to scratch; to pierce
árbol *m*. tree
archicretino big fool
arder to burn, inflame
ardoroso, –a fiery
arduo, –a arduous
argentino, –a Argentine
argumentar to contend, dispute
argumento argument (in the sense of reasoning), judgment; plot
aristocracia aristocracy
aristocrático, –a aristocratic
armar: — **un escándalo** to raise a commotion
arrabal *m*. (vice-ridden) district
arraigado, –a deeply rooted
arrancar to pull out (off), uproot; to start off
arranque *m*. drive, verve
arrastrar to drag; —**se** to drag along, creep along
arreciar to grow more intense
arreglar to arrange, settle
arreglo settlement
arrellanar to sit comfortably

arremeter to attack (verbally)

arrepentirse (ie, i) (de) to repent (of)

arriba up, above; **de — abajo** from top to bottom

arriesgarse to take the risk, dare

arrimarse to draw near

arrogancia arrogance

arrogantemente arrogantly

arrojar to throw, fling; to snap at

arruga wrinkle

arruinar to ruin, destroy

arte *m.* art

artículo article

artificioso, –a clever

ascender (ie) to promote

ascensor *m.* elevator

asco disgust

asegurar to assure

asentir (ie, i) to assent, agree

asesinar to murder

asesinato murder

asesino murderer

así thus, in this way; like that

asiento seat

asistir to be present at, witness

asnal having the properties of an ass

asno ass

asomarse (a) to peep (into)

asombradísimo, –a very much astonished

asombrar to astonish; **–se** to be astonished, wonder

asombro astonishment

asombroso, –a amazing

aspaviento bravado, idle threat; excessive show of emotion

aspear to wave wildly

aspecto look, appearance

áspero, –a gruff, harsh

aspirante aspirant

aspirar to endeavor, determine

aspirina aspirin

asqueado, –a queasy, sickened

asqueroso, –a foul

astro star

asumir to assume, put on; **— aires de personaje** to act big, act the grand seigneur

asunto affair, matter

asustador, –a frightening

asustar to frighten; **—se** to become frightened

atacar to attack, strike

atajar to stop, interrupt, cut short

ataque *m.* attack, fit

atar to tie

atención attention; **llamar la —** to attract attention

atender (ie) to wait on; to answer (a telephone call); to heed

atenerse a to abide by

aterrorizar to terrify

atestado, –a crowded

atolondrado, –a scatterbrained

atormentar to torment

atornillarse la sien to screw the temple to show that someone is crazy

atraer to attract

atragantarse to choke

atraje, atrajo *pret. of* **atraer**

atrás behind, back, backward; **desde tiempo —** some time ago, previously; **echarse para —** to be taken aback; **hacia —** backwards

atrayente attractive

atreverse (a) to dare (to)

atribuir to attribute

atribular to afflict

atrocidad violent act

atropelladamente in complete confusion

atropellado bungler

atroz deplorable, wretched

atufamiento anger, vexation

aturullar to rage

audacia daring

audaz bold

auge *m.* height

aullar to howl

aullido howl, scream

aumentar to increase

aun even

aún still, yet; **más —** what is more

aunque although

ausencia absence

ausentarse to take leave, be absent

ausente absent

auténtico, –a authentic

automóvil *m.* car

autor *m.* author, writer; perpetrator

autoridad authority

autorizar to authorize

avance *m.* advance

avanzar to come forward, advance

avariosis *f.* syphilis

aventura adventure; *pl.* love affairs

averiguación inquiry

averiguar to find out

avisar to let know, notify

aviso notice, information; advertisement; **corredor de —s** advertising solicitor

avizor, –ora suspiciously watchful

ayer yesterday

ayuda help

ayudar to assist

azoramiento bewilderment

azorarse to become amazed

azotea roof; **tiene gente en la —** he has bats in the belfry

azul blue

B

bailar to dance

bailarín *m.* dancer

baile *m.* dance; **sala de —** dance hall

bajar to get off

bajeza mean act

bajito, –a very short

bajo under, below; *adj.* low, short

balbucir to stammer

balcón *m.* balcony

banco bank; bench

banqueta bench
bañar to bathe
baño bath; **cuarto de —** bathroom; **darse un —** to take a bath
barato, -a cheap
barbaridad outrageous action
barbotar to grumble
barriga belly, paunch
barrigón *m.* huge paunch
barrio neighborhood
barruntar to guess
barullo turmoil, disarray
basar to base
base *f.* basis
basilisco: **hecho un —** enraged
bastante enough, quite, rather
bastar to be enough
baúl *m.* trunk
bautizar to name
beber to drink; to take in
bebida drink
belicoso, -a quarrelsome
belleza beauty
bello, -a beautiful, handsome
bendito, -a blessed; innocent
beneficioso, -a beneficial
benévolo, -a kind
besar to kiss
beso kiss
bien *m.* good, benefit; *pl.* wealth, possessions
bien well; quite, very; **gente —** people of rather comfortable means; **más —** rather; **no —** as soon as; **obra de —** good deed; **si —** although

bigote *m.* mustache
bigotito little mustache
billete *m.* bill
biografía biography
blanca chip, money
blanco, -a white; **en —** blank
blanquísimo, -a very white
boca mouth; **a — de jarro** at close range
bocado bite, mouthful; **no probar —** to go hungry
boga: **en —** popular
boleto ticket
bolita little ball
bolsillo pocket
bomba bomb
bondadoso, -a kind
bonitillo, -a rather pretty
bonito, -a pretty, nice
borrachín *m.* drunkard
borracho, -a drunk
borrascoso, -a stormy
bosque *m.* wooded area
botín *m.* booty
bramar to roar
brazo arm
breva fruit of the fig tree
breve short, brief
brevísimo, -a very brief
brillante brilliant, splendid
brindar to make a toast
briosamente spiritedly
broma jest, joke
bromear to joke
bromista *adj.* jocular
bruja witch
brusco, -a brusque, short and swift

brusquedad incivility
brutal unpolished, crude
brutalmente brutally
buche *m.* gullet, craw
buenazo nice, quiet fellow
bueno (buen), –a good; all right
buey *m.* ox
bulín *m.* apartment
burbujear to bubble
burla jeer, taunt
burlarse de to laugh at
burlón, –ona mocking, joking; *m.* joker, mocker
burocrático, –a bureaucratic, rigid
busca search
buscar to look for, seek out; to fetch, pick up

C

cabalgar to ride on horseback
caballeresco, –a gentlemanly, correct in behavior
caballete *m.* carpenter's horse
caballo horse
cabecita nice little head
caber to be contained in; to be possible or tenable; **no cabe duda** there is no doubt
cabeza head
cabo end; **al — de** after
cacumen *m.* stability and balance of mind
cada each; **— cual** each one; **— vez más** more and more

caer to fall; to yield; **—se** to fall down
café *m.* coffee; café; **— solo** black coffee
caja box; **— de fierro** strongbox; **con —s destempladas** abruptly
cajón *m.* drawer
cajoncito small box
cal: encerrado a — y canto tightly enclosed
calabozo jail
calamidad unpleasant event
calculado, –a studied
caldos *m. pl.* wines
calentar los cascos to turn one's head, derange
caletre *m.* head (as seat of mental faculties), mind
caliente warm, hot
calma calm
calmar to calm; **—se** to calm down
calmoso, –a calm
calumnia slander
calumniar to slander
calumnioso, –a slanderous
callado, –a quiet, silent
callar(se) to keep quiet
calle *f.* street; **en plena —** right in the street
callejero, –a pertaining to the street
cama bed
camarada *n.* comrade
camaradería comradeship
cambiar (de) to change, exchange

Vocabulario

cambio change; **a — de** in exchange for; **en — de** on the other hand

camino road, path

campo country, field; **paseo de — ** outing

canalla *m.* scoundrel, cur; **el muy —** that scoundrel

canasta card game

canasteril pertaining to the game of canasta

cancerbero janitor, guard

candidato candidate; **— a delincuente** prospective felon

cándido, –a naïve

canoso, –a gray-haired

cansado, –a tired

cansancio fatigue

cantar to sing; to give information, squeal

cántico hymn

cantidad amount

**canto: encerrado a cal y — ** tightly enclosed

canturrear to speak with a sing-song, fluctuating intonation (*said of speech patterns in the province of Cordoba*)

capacidad ability

capaz capable, able

capitán *m.* captain

capítulo chapter

capricho whim, caprice

caprichoso, –a whimsical

cara face

carácter *m.* character, nature; **hombre de — ** resolute man, strong of purpose

característica characteristic

caracterizar to characterize

¡caramba! Heavens!

carátula mask

carcajada loud burst of laughter; **dislocarse en —s** to burst out in laughter

cárcel *f.* jail

carcelero jailer

carcomer to gnaw

carecer de to lack

carga load, freight; military attack; **volver a la — ** to persist at a task

cargado, –a loaded; **— de espaldas** round-shouldered

cargo position, job; accusation

cargosear to press on, harass

cariacontecido, –a dejected

caricia caress

caridad charity, compassion

cariño affection

caritativo, –a kindhearted

carne *f.* flesh; **— y hueso** flesh and blood; **sólido de —s** burly

carnoso, –a fleshy

caro, –a expensive

carreras *f. pl.* horse racing; **jugar a las — ** to play the horses

carta letter, card

cartita note, short letter

casa house; commercial establishment, store; **— de comercio** firm; **— de departamentos** apartment house

casamiento marriage

casarse (con) to marry, get married

cascabelesco, –a having the jingling sound of a bell

casco: calentar los —s to turn one's head, derange

casi almost

Casino gambling house

casita nice cozy apartment

caso case; **en todo —** at any rate; **en último —** as a last resort

casorio marriage

casquivano, –a empty-headed

casto, –a virtuous, chaste

casual accidental

casualidad: por — by chance

catástrofe *f.* catastrophe

catastrófico, –a disastrous

categoría class, condition, rank; **de — regular** with an average, routine job

católico, –a Catholic

caudalosamente a great deal

causa reason, cause; **por — de** on account of

causar to cause

cautamente cautiously

cautela caution

cautiverio captivity

cavilación meditation

cavilosamente pensively

cebo bait

ceceoso, –a lisping

ceder to yield

ceguera blindness

ceja eyebrow

celar to watch, keep an eye on

celda cell

célebre renowned

celebridad fame

celos *m. pl.* jealousy, misgiving

celoso, –a jealous

centavo cent, one hundredth of a peso

centenar *m.* hundred

centro: en el — downtown

ceño frown

cepo stocks (for prisoners)

cerca (de) near, close by

cerdo hog

cerebro brain

cerradura lock; **ojo de —** keyhole

cerrar (ie) to close, seal

certeza certainty

certidumbre *f.* certainty

cerveza beer

cesar (de) to cease

cianuro cyanide

ciego, –a blind

cielo sky, heaven

ciencia science

ciento (cien) one hundred

cierto, –a certain, true; a certain; **por —** certainly, to be sure

cigarrillo cigarette

cigarro cigar

cinco five

cincuenta fifty

cine *m.* movies

circunstancia situation

circunstantes *m. pl.* bystanders

cita date, engagement

citar to name; to summon; to make a date

ciudad city

claro, -a clear; frank; of course

clase *f.* class, rank, kind

clausurarse to be shut in, be confined

clavar to nail, drive in

clavo nail; ¡Qué —! What a nuisance!

cliente *m.* customer

cloaca sewer

clueco, -a throaty, rasping

cobardía cowardice

cobrar to collect, cash; to charge; to take on

cocinera cook

cocota hussy

codo elbow

cofrade *m.* fellow member

cofre *m.* coffer

cogote *m.* back of the neck

cohete *m.* firecracker

coima kickback, illegal gratuity

coincidir to coincide

cola: hacer — to stand in line

colectivo second-class bus

colega *m.* colleague

colérico, -a irate

colgado, -a uncertain, hanging on

colmadamente fully

colocar to place, put

coloquio conversation

color: cuento de — subido off-color story

columna column

coma comma

combatividad belligerence

combinación association, alliance

comediante *m.* actor, pretender

comentar to comment on, discuss

comentario remark

comenzar (ie) to begin

comer to eat, have dinner

comercio store, business; **casa de —** firm

comestibles *m. pl.* food

cometer to commit

cómico, -a comical, funny, odd in appearance

comida meal, dinner, food

comienzo beginning

comisario deputy police officer, police interrogator

como as, like; as though; since, ¿cómo? how?

compadronamente in a very ostentatious and vigorous manner

compaginarse con to tally with

compañero fellow worker, companion

compañía company; theatrical troupe

comparar to compare

compartir to share

competencia competition; **hacer —** to compete with

complacencia satisfaction

complacer to please; **—se en** to be pleased to

completamente entirely

completar to complete, perfect, complement

complicado, -a complicated

cómplice *m. and f.* accomplice

222

complicidad complicity
componer to compose
comportarse to behave
comprador *m.* buyer
comprar to buy
compras: **hacer —** to go shopping
comprender to understand
comprensible understandable
comprensión understanding
comprometedor, –ora compromising
comprometer to involve, expose
compromiso embarrassment
comprovinciano one coming from the same province
compuesto combination
compungido, –a pained, remorseful
compungirse to be remorseful
compuse, compuso *pret. of* **componer**
común common, usual, ordinary; **por lo —** usually
comunicar to communicate, transmit, make known
comunidad bond
con with
concebir (i) to conceive
conceder to grant, give
concentradamente with absorbed concentration
concentrar to concentrate; to center
conciencia conscience, consciousness; **a —** conscientiously
conciliador, –ora conciliatory

conciliatorio, –a conciliatory
concluir to conclude, wind up
concurrir to attend
condena sentence
condenar to condemn
condescendencia compliance
condición condition, quality, trait, class
condimentar to season
condolerse (ue) to lament
condolido, –a distressed
conducir to lead, direct; **—se** to act, behave
conducta behavior
conducto channel, means
conduje, condujo *pret. of* **conducir**
conexión connection, relationship
conferencia lecture
conferir (ie, i) to bestow
confesar to confess
confesor *m.* father confessor
confianza trust; **— en uno mismo** self-confidence
confidencia secret, revelation
confidencial confidential
confín *m.*: **tierra de —** borderland
conformarse (con) to be satisfied (with)
conforme: **estar —** to be in agreement
confuso, –a confused
congestionarse to become flushed
congraciarse to get into the good graces of

conminar to threaten; to warn

conmiseración sympathy

conmoción great disturbance

conmovedor, –ora moving, touching

conocedor *m.* expert

conocer to know, recognize, experience; to meet; — **de nombre** to know by name

conocido, –a well known; *m.* acquaintance

conocimiento knowledge

conque so that

conquista conquest

conquistador, –ora conquering; *m.* conqueror

conquistar to win the heart of; to sway

consecuencia consequence, conclusion

conseguir (i) to get, obtain, succeed in

consejero adviser

consejo(s) advice

consentir (ie, i) to consent, agree to

conservación preservation

consideración consideration, account

considerar to consider, contemplate

consigo with himself, with herself, *etc.*

consiguiente: por — therefore

consolación consolation

consolar (ue) to comfort, console

constante constant

consternar to terrify

constituir to constitute

construcción construction

consuelo consolation, comfort

consultar to consult

consultorio doctor's office

consumado, –a accomplished, carried out; consummate

consumido, –a thin and weak

consumo consumption

contacto contact

contagio contagion

contagioso, –a contagious

contar (ue) to count; to relate, tell; — **con** to count on; to take into consideration

contemplar to look at, notice, watch

contener to contain, restrain

contentarse (con) to be satisfied (with)

contento, –a content, satisfied, pleased; *m.* contentment

contestar to answer

continuación continuation

continuar to continue

continuo, –a continuous, constant

contorno outline

contra against

contradecir to contradict

contraer to contract (a debt)

contrariedad trouble, obstacle

contrario, –a contrary, opposite, opposed; **al — que** unlike; **lo —** (on) the contrary; **por el —** on the contrary

contraste *m.* contrast

contravenir to violate
contribuir to contribute
convencer to convince; —se de to become convinced of
convencimiento conviction
convenir to suit, befit
convento convent
conventual pertaining to a convent
conversación conversation
conversar to converse
convertir (ie, i) to convert, turn, transform; —se en to become
convicción conviction
convidar to entice
convivir to live together
conyugal conjugal
cónyuge *n.* spouse
cooperar to cooperate
copa drink
copetín *m.* alcoholic drink
copiosamente a great deal
coqueto, –a coquettish
corazón *m.* heart
corazoncito young innocent heart
corbata tie; **la — deshecha** with his tie loosened
cordobés, –esa person from the province of Córdoba, in north central Argentina
cordón *m.* cord; curb
coreográfico, –a pertaining to dancing
corista chorus girl
cornudo cuckold
corporal bodily

corpulento, –a stout
correctísimo, –a very proper
correcto, –a correct, proper, upright
corredor de avisos advertising solicitor
correr to run
corresponder to be fitting; to return love; to cooperate with; **una pasión no correspondida** an unrequited love
corriente *f.* current
corso Corsican (*reference to Napoleon, who was born in Corsica*)
cortante faltering
cortar to cut; to hang up the telephone
corte: darse — to put up a front, boast
cortejar to court
cortesía courtesy
corto, –a short; **a la —a o a la larga** sooner or later
cosa thing; *pl.* affairs; **— de** about, approximately; **gran —** very much; **inspector de cualquier —** some sort of inspector
cosecha harvest; **de su —** from his own imagination
cosita little thing
costa cost; **a — de** at the expense of
costar (ue) to cost: **— un sentido** to cost a pretty penny
costear to pay for
costilla rib
costumbre *f.* custom, habit
coterráneo one coming from the same region

cotidiano, –a   daily, routine
cotorro   apartment
cráneo   skull; mind
creación   creation
creador   *m.* creator
crear   to create
crecer   to grow
creciente   increasing
creer   to think, believe
creíble   likely
cretino   fool
creyente   believer
criada   servant
criatura   child; person
crimen   *m.* crime
criollo   native Argentine, of simple and unaffected ways; *adj.* native, domestic
cristalino, –a   clear
cristiano   Christian, person
criticar   to criticize
cruzar   to cross
cuadra   block
cuadriculado, –a   squared, checkered
cuadro   picture
cual   which; as; el (la) —, *pl.* los (las) cuales   who, whom, which; lo — which
¿cuál? ¿cuáles?   which? which one? what?
cualidad   quality, trait
cualquiera (cualquier)   any, any at all
cuando   when; — mucho at the most; de — en — from time to time

cuanto, –a   as much as, all that which; *pl.* as many as, all those which; — más   the more; en — as soon as; en — a as for
¿cuánto, –a?   how much?
cuarenta   forty
cuartilla   sheet of paper
cuarto, –a   fourth; *m.* room; — de baño   bathroom
cuatro   four
cuchillo   knife
cuello   neck; a voz en — very loudly
cuenta   account; bill; darse — de   to realize; en resumidas —s   in short; por mi propia — on my own; tomar por su — to attend to
cuentero, –a   fabricator
cuento   story; — de color subido   off-color story
cuerdo, –a   sane, in one's right mind
cuerno   horn; ponerle —s a uno   to be unfaithful to one's husband
cuerpear   to dodge a question
cuerpo   body; unit
cuestión   matter, affair, quarrel
cueva   cave; eye socket
cuidado   care; beware!; ¡pierdan —!   don't worry!
cuidadosamente   carefully
cuidar   to care for
culpa   guilt, fault
culpabilidad   guilt
culpable   guilty, culpable
culpar   to blame

culto devotion, worship
culto, –a cultured, refined
cultura culture
cumpleaños *m.* birthday
cumplidor, –ora faithful, reliable; *m.* **buen —** one who does a job well and inspires confidence and trust
cumplir (con) to fulfill, carry out
curandero quack
curar to cure, treat
curiosamente strangely
curiosidad curiosity, odd thing
curioso, –a curious
cursi unrefined, lacking in good taste
cursilería sweet talk, empty words of love
cuyo, –a whose

CH

chacotonamente jokingly
chambón *m.* bungler
champaña *m.* champagne
chantar to rebuke
charla chat
charlar to chat
charlatán, –ana babbler
cheque *m.* check
chico, –a small; *n.* child
chiflado, –a mentally unbalanced
chifladura absurdity
chiflarse de to lose one's senses over

chillar to scream, yell
chillón, –ona showy, loud
chinita woman of low social station
chino person of Indian and white birth
chiquitín, –ina pint-sized
chiquito, –a tiny
chisme *m.* gossip
chismoso, –a gossipy
chiste *m.* joke; witty remark
chucrut *m.* sauerkraut
chunga frolic, fun
chunguearse (de) to ridicule, make fun (of)
chusma bunch of people

D

dama lady, woman
dancing *m.* night club
danzante pertaining to dancing
daño harm
dar to give; strike; **—le vueltas a las cosas** to give thought to the matter; **— frío** to startle; **— la razón a** to agree with; **— llave a** to lock; **— mala espina** to make nervous, cause concern; **— rabia a uno** to make one mad; **— sueño** to put one to sleep; **— un salto** to leap, jump; **— vuelta** to turn around; **—se** to take place; **—se buena vida** to indulge oneself; **—se corte** to put up

a front, boast; —se cuenta de to realize; —se pisto to put on airs

dato piece of information

de of, from; with; about; as; than

debajo (de) under, underneath

debatirse to offer resistance by violent bodily movement

deber to owe; should, must; — de must

deber *m.* obligation, duty

debido, –a owing, due

débil weak

debilidad weakness

debilísimo, –a very weak

débilmente faintly

decente upright, honest

decidido, –a resolute, staunch

decidir to decide, resolve; —se to make up one's mind

decir to say; — para sí to say to oneself; es — that is (to say); oír — que to hear that; querer — to mean; vale — that is to say

decisión determination

declaración testimony, statement

declarante *m.* deponent, one who testifies

declarar to declare, say, testify

decorativo, –a decorative

dedicar to dedicate, devote; dedicado a interested in; —se a to specialize in

dedo finger

deducción deduction

defecto defect

defender (ie) to defend, protect

defendido client

defensiva: a la — on the defensive

defensor *m.* attorney, counsel

definitivo, –a definitive

degollar (ue) to behead

dejar to leave; to let, allow; — a un lado to put aside; — de to stop; — en la estacada to leave in the lurch

del = de + el

delante (de) in front (of)

delgado, –a thin

delicadeza decorum

delincuencia crime

delincuente *n.* malefactor, felon; candidato a — prospective felon

delinquir to commit a felony

delito crime

demandar to ask

demás other; lo — the rest; los — the others

demasía excess

demasiado too, too much

demente demented

demonio devil

demora delay

demorar to delay

demostrar (ue) to show, prove

dengosamente sweetly

dentadura set of teeth

dentro (de) within, inside (of)

denunciador, –ora denunciatory

denunciar to denounce

Vocabulario

departamentito nice little apartment

departamento department; **casa de —s** apartment house

depender to depend

deplorar to deplore

depositar to deposit

depósito depository

derecho right

derecho, –a right

derivación derivation

derrumbarse to crumble

desabrido, –a unpleasant, sullen

desacatarse to be in contempt of court

desacato disrespect

desacreditar to malign

desacuerdo disagreement

desafuero small infraction of office regulations

desagradable unpleasant

desagrado displeasure

desairar to slight, disregard

desanudar to let loose

desaparecer to disappear

desarrollar(se) to develop

desarrollo development

desasosegar to trouble, disquiet

desasosiego uneasiness, anxiety

desatar to untie

desayunarse to have breakfast

desbaratarse to burst forth with emotion

desbarrancarse to fall headlong

desbordante overflowing

descansar to rest

descarnado, –a thin

descartar to lay aside

descender (ie) to descend; **— de** to trace one's lineage to

descompaginar to derange

descomponerse to get out of order

descompuesto, –a twisted

desconfiadísimo, –a very suspicious

desconfiado, –a suspicious

desconfianza distrust

desconfiar (de) to distrust, suspect

desconocido, –a unknown; *m.* stranger

desconsuelo affliction

descontento discontent

descortés discourteous

describir to describe

descripción description

descubrimiento disclosure, discovery

descubrir to discover, reveal, find out

descuido slip, carelessness

desde from, since; **— entonces** since then; **— hacía una semana** for the past week; **— luego** of course; **— que** since

desdén *m.* scorn

desdeñoso, –a disdainful

desdicha misfortune

desdichado, –a unfortunate

desear to wish, desire

desembaular to talk freely about

desembuchar to mumble
desemejanza dissimilarity
desempeñar to perform; — **un papel** to play a role
desencajar to split asunder
desenfundar to pour out
desentendido: hacerse el — to play dumb
desentrañar to extract
deseo desire
desesperación desperation, despair; heightened emotion
desesperadamente hopelessly
desesperar to cause despair; **—se** to become filled with despair
desfavorable unfavorable
desfigurar to disguise, change
desgaire *m.*: **al —** with apparent carelessness and nonchalance
desgañitarse to scream
desgracia misfortune, sorrow; **por —** unfortunately
desgraciado, –a miserable, unhappy, unfortunate
deshecho, –a: la corbata —a with his tie loosened
desierto, –a empty, deserted
desilusión disillusion
desilusionar to disillusion, disappoint; **—se de** to be disappointed in
desinteresadamente with lack of all personal interest
desistir to desist
desleal disloyal
desmayado, –a pale, weak, faint

desmayarse to faint
desobedecer to disobey
desolado, –a desolate, gloomy, grieved
desorbitado, –a mentally unbalanced, distorted
despachar to dismiss, send off; **—se** to use up
despacho office
despatarrarse to split with laughter
despavorido, –a terror-ridden
despectivo, –a disparaging
despecho ill will
despedazar to rip to pieces
despedirse (i) (de) to say goodbye (to)
despegar to separate, detach
despertarse (ie) to wake up
despierto, –a awake
desplacer *m.* displeasure
desplante *m.* foolish behavior
desplegar (ie) to let loose, utter
despótico, –a overpowering, despotic
despreciable miserable
despreciar to scorn
desprecio contempt
desprestigiar to damage the reputation of
desprestigio disrepute, discredit
después afterwards, then; **— de** after
desquiciar to disturb, disorder
destaparse to utter
destemplado, –a discordant; rude; **con cajas —as** abruptly

destiempo: a — too late
destierro exile
destinatario addressee
destino fate, destiny; destination
destituir to fire from a job
destreza skill
destripar to tear the insides from
destruir to destroy
desvanecer to dispel
desvestirse (i) to get undressed
desviarse to deviate
detallado, –a detailed
detalle *m.* detail
detención arrest
detener(se) to stop; to linger, pause; to arrest; ¡queda detenido! you are under arrest!
detenido, –a careful, deliberate
detenimiento thoroughness
determinado, –a fixed, prearranged
detestar to detest
detrás (de) behind, in the rear
detuve, detuvo *pret. of* detener
deuda debt
devolución restitution
devolver (ue) to return, give back
devorar to devour
devuelto *p.p. of* devolver
día *m.* day; — por medio every other day; al otro — the next day; de — by day; los —s y los —s day in and day out; por — per day; por

esos —s around that time; todo el — the whole day; todos los —s every day; un buen — one fine day
diabólico, –a diabolical
diagnóstico, diagnosis
dialogar to carry on a conversation
diálogo dialogue
diariamente daily
diario newspaper, diary
dibujo pattern
dictadura dominance
dictar to dictate, prescribe, suggest
dicha happiness, good fortune; por — luckily
dicharachero, –a fond of spicy talk
dicho *p.p. of* decir; mejor — rather
dichoso, –a happy
dieciocho eighteen
diente *m.* tooth; protestar entre —s to mutter protestations
diez ten
diferencia difference, disagreement
diferenciarse to differ
diferente different
difícil difficult
dificultad difficulty
dignidad dignity
digno, –a worthy
dinero money
Dios *m.* God
diplomacia tact

diplomático, -a tactful

dirección course

directamente directly

director *m.* manager

dirigir to direct, guide, control; to address; **—se a** to go toward, head for

disconforme not in agreement with

discreto, -a discreet; nice

disculpa: pedir — to apologize

disculpar to excuse

discurrir to reason, think

discusión discussion, disputed point

discutir to discuss; to argue

disgustar to displease

disgusto unpleasantness, quarrel

disidencia disagreement

disidente *m.* dissenter

disimuladamente furtively

disimuladísimo, -a very furtive

disimular to dissemble, hide, pretend

disimulo: con — furtively

dislocarse to become shattered (said of nerves); **— en carcajadas** to burst out in laughter

disminuir to diminish; **disminuido** taken down a peg

disparatado, —a absurd

disparate *m.* nonsense, absurdity; mistake

displicencia cold unpleasantness

disponer to dispose; to order; **—se a** to get ready to

disposición inclination

dispuesto, -a ready, disposed

distancia distance

distinción distinction, superiority

distinguido, -a distinguished, refined

distinguir to distinguish

distinto, -a different

distraer to amuse; **—se** to become distracted

disuadir to dissuade

diversión amusement, entertainment

diverso, -a varied; different

divertido, -a entertaining, enjoyable, amusing, funny; amused

divertir (ie, i) to amuse, distract; **—se** to have a good time, be amused

divisar to descry, spot

divorciar to divorce

divorcio divorce

divulgación disclosure

divulgar to reveal

docena dozen

dócil docile

doctorcito my fine doctor (*used in a sarcastic and unfriendly tone*)

doctrina doctrine

documento document

doler (ue) to hurt, pain; **—se** to regret; **—se de** to lament

dolor *m.* pain, sorrow; **¡dolor!** good grief!

doloso, -a fraudulent

domicilio home

dominar to dominate, prevail over, hold sway (over), subdue

domingo Sunday; **el — inmediato** the following Sunday

dominio control; **— de los nervios** self-control

don *m.* gift, talent

donde where

dormir (ue, u) to sleep; **—se** to fall asleep

dormitorio bedroom

dos two

doscientos, — as two hundred

dramático, –a dramatic

dualidad duality

duda doubt

dudar to doubt

dudoso, –a doubtful

dueño owner

dulzón, –ona overly sweet

dulzura sweetness, pleasantness

duración duration

durante during

durar to last

dureza hardness

duro, –a hard

E

e and (*before* **i** *and* **hi**)

eco echo; response

económico, –a economic

echar to throw, throw out; to dismiss; **— firmas** to write signatures; **— llave a la puerta** to lock the door; **— tierra** to bury a matter, forget about; **— una mirada a** to glance at; **—se a** to begin to, head for, rush into; **—se para atrás** to be taken aback

edad age

edificio building

editar to publish

educar to bring up

efecto effect; result; **en —** as a matter of fact

efímero, –a fleeting

egipcio, –a Egyptian

egoísta egoistic

ejemplar *m.* copy

ejemplo example

ejercer to exert; to practice; **—se en** to practice

ejercicio exercise, task, practice

ejército army

el the, the one

él he; him, it

eléctrico, –a electric

elegancia elegance

elegante elegant

elegir (i) to choose, pick

elemental basic

elemento element

elevado, -a high, prominent

elevar to raise

elocuente eloquent

ella she; her

ello it; **por —** for this reason

ellos, ellas they; them

embargo: sin — however

embolsar to pocket

emborracharse to get drunk
embrollar to entangle
emoción emotion
emocional emotional
empacarse to insist
empalidecer to grow pale
empapar to soak
empaque *m.* proud and lofty bearing
empeñarse (en) to persist (in)
empeño determination, persistence
empeorarse to grow worse
empezar (ie) to begin
empleadito insignificant employee
empleado employee, clerk
emplear to employ
empleíto unimportant job
empleo position, job; use
empresa undertaking
empujar to push, shove
empuje *m.* push; **hombre de —** man of action, enterprising and dynamic man
emular to emulate
en in, on; at
enamorado, –a in love; *n.* lover
enamorar to court; **—se (de)** to fall in love (with)
encajar to fit in, insert; to deliver (a blow)
encalabrinar to excite, irritate, annoy
encandilar to captivate
encantador, –ora charming
encantar to delight
encanto charm

encararse con to face
encarcelar to imprison
encargar to entrust; to request
encender (ie) to light
encerrar (ie) to inclose, shut up; **— con llave** to lock up
encerrona seclusion
encierro confinement
encima over, on top; **por — de** above, superior to
enclaustrar to shut up, lock up
encoger to shrink; **—se de hombros** to shrug one's shoulders
enconado, –a enraged
encontrar (ue) to find; to meet
encorvar to bend
encrucijada crossroad
encuentro meeting, union
encumbrado, –a elevated (in social scale)
endilgar to thrust upon someone
endurecer to harden
enemigo enemy
enérgico, –a vigorous, lively
energúmeno infuriated person
enero January
enfáticamente emphatically
enfermarse to become sick
enfermedad illness
enfermero nurse
enfermizo, –a sickly, baneful
enfermo, –a sick
enfilarse to go into line
enfrentarse con to face
enfurecer to enrage; **—se** to become enraged

engañar to deceive
engatusar to deceive, inveigle
engrandecerse to become important
enigmático, –a enigmatic
enloquecer to drive to madness; **—se** to go mad, become crazy
enmarañar to tangle
enmelado, –a honeyed, sweetened
enojar to anger; **—se** to get angry
enojo anger
enorgullecerse to be proud
enorme huge, great
enormidad offense
enredar to place in difficulty; **—se** to become involved
enredo predicament
enriquecerse to get rich
enrojecer to redden with emotion
enrostrar to face
ensayar to try; **—se** to practice
ensayo essay
enseñanza instruction
enseñar to teach
ensimismado, –a wrapped up in thought
ensimismamiento complete withdrawal within oneself
ensuciar to smear, debase
ensueño illusion
ente *m.* being; **— de ficción** fictional counterpart, fictional being

entender (ie) to understand
entendimiento understanding
enterar to inform
entero, –a whole, entire; **por —** entirely
enterrar (ie) to bury
entonces then, at that time
entornar to close halfway
entrada entrance; arrival
entrador, –ora lively, bold
entrañas *f. pl.* inmost being; **hombre sin —** inhuman creature
entrar (en) to enter, come in; to get it into one's head (to do something); **— en razón** to regain one's senses
entre between
entrecasa: ropa de — house clothes
entrecejo space between the eyebrows
entrecortado, –a faltering
entregar to hand (over); **—se** to give of oneself, surrender
entrenar to train
entretener to entertain, amuse
entretenimiento pastime
entrevero secretive amorous meetings; perplexity
entrevista interview, meeting
entripado ill will, anger
entristecer to sadden
entusiasmar to arouse the enthusiasm of
entusiasmo enthusiasm
envanecerse to swell with pride
envenenar to poison

envergadura reputation, status

enviar to send; **— a domicilio** to make home deliveries

envidia envy; **tener —** to envy

envidiar to envy

envidioso, –a envious

épico, –a very great

época time

equilibrio balance

equivocadamente by mistake

equivocarse to be mistaken

erguido, –a with head proudly erect

erguirse (irguió) to straighten up

erigir to erect; **—se en estatua** to stand up straight as a rail

erizado, –a de fraught with

erizamiento vexation

erótico, –a erotic

erotómano person suffering from an overwhelming preoccupation with erotic passion

error *m.* mistake

erudición learning

erudito, –a learned

esbirro bailiff, official

escabullirse to slip in; to slip away, escape

escalera staircase

escamarse to become suspicious

escandalete *m.* rumpus

escándalo scandal; commotion; astonishment; **armar un —** to raise a commotion

escapar(se) to escape

escaparate *m.* show window

escarnio jeer

escaso, –a scarce, sparse; small, few

escena scene

escepticismo skepticism

escoger to choose

esconder to hide

escondidas: a — furtively

escozor *m.* affliction

escribir to write; **— a máquina** to typewrite

escrito *p.p. of* **escribir**; **lo —** what was written

escritor, –a writer

escritorio desk; study

escrúpulo scruple

escrutar to examine closely

escuálido, –a frail

escuchar to listen (to)

escudriñador, –ora inquiring

escudriñar to ascertain

esculpir to sculpture

escupir to spit

escupitajo vulgarity

ese, esa that; *pl.* **esos, esas** those

ése, ésa that one; *pl.* **ésos, ésas** those

esencia essence

esencial essential, prime

esfuerzo effort

esgarrar to clear one's throat

eso that; **a — de** at about (time); **en — de** in matters of; **por —** therefore

espalda back; **cargado de —s** round-shouldered

espantable frightful

espanto dread
espantoso, –a awful, frightful
español, –ola Spanish; *n.* Spaniard
especialidad speciality
especialista *n.* specialist
especialmente especially
especie *f.* sort, kind
espectacular spectacular
espectáculo spectacle, sight, scene
esperanza hope
esperar to hope; to wait (for), expect
esperpento hideous creature
espetar to speak sharply
espía *n.* spy
espiar to spy on
espina: dar mala — to make nervous, cause concern
espíritu *m.* spirit; frame of mind, inclination
espiritual spiritual
espléndido, –a splendid
esponjarse to swell with pride
espontáneo, –a spontaneous
esposa wife
esquina corner
establecimiento establishment, place
estacada: dejar en la — to leave in the lurch
estado state, government; **— de ánimo** state of mind
estafa swindle, fraud
estafar to swindle, cheat
estallar to burst out
estallido emotional outburst

estampa presence, bearing
estancado, –a stagnated, checked
estar to be; to consist; **— bien** to be fine; **— por** to get ready for
estatua statue; **erigirse en —** to stand up straight as a rail
estatura stature
este, esta this; *pl.* **estos, estas** these; **este** *at times is a meaningless word used to cover up hesitant speech*
éste, ésta this, this one, the latter; *pl.* **éstos, éstas** these
estibado, –a stuffed
estimar to respect, esteem
esto this, this matter
estómago stomach
estrangular to choke; to suppress
estratagema device, scheme
estrategia strategy
estratégico, –a strategic
estrechar to press; **— la mano** to shake hands
estrecho, –a narrow
estremecerse to shudder
estrepitoso, –a noisy
estrictamente strictly
estricto, –a strict, exact
estridente clamorous
estructura structure
estruendosamente noisily
estrujar to crush; **—se el magín** to let one's imagination wander
estudiar to study
estudio study

estupefacción astonishment

estupefacto dumbfounded

estupidez stupidity, stupid act; *pl.* ridiculous things

estúpido, –a stupid

estupor *m.* astonishment

eternamente always, for good

eterno, –a eternal

europeo, –a European

evidente evident

evitar to avoid, prevent

evocar to evoke

ex abrupto · outburst of emotional excitement

exactamente exactly, strictly

exactitud accuracy, exactness

exacto, –a accurate, efficient

exagerado, –a exaggerated, out of all proportion, excessive

exagerar to exaggerate

exaltación exaltation

exaltadamente excitedly

exaltarse to become excited or aroused

examen *m.* examination

examinar to examine, look over, observe

exasperar to exasperate

excelente excellent

excelentísimo, –a very honorable

excepción exception

excepcionalmente very rarely

excepto except

excesivo, –a excessive

exceso excess; con — by much, in excess

excitación excitation

excitado, –a aroused, excited

excitar to rouse; —se to get excited

exclamación exclamation

exclamar to exclaim, cry out

excusarse to offer as an excuse

exento, –a free

exhibición display

exhibir to expose

exigencia demand

exigir to demand

exiguo, –a small

existencia existence, life

existir to exist, be

éxito success

exoneración dismissal

exonerar to discharge from a job

exorbitante exorbitant

expectación anxiety

expectante expectant

expeler to utter words

experiencia experience

experimentar to feel

experto, –a *n. and adj.* expert

explicación explanation

explicar to explain

exploración exploration

explotar to fume with rage

exponer to explain; —se a to risk

expresar to express, state, narrate

expresión expression

expresivo, –a expressive

expulsar to discharge

expuse, expuso *pret. of* exponer

extender (ie) to extend, outstretch

exterminar to exterminate

exterior exterior, external; *m.* outside

extranjero, –a foreign; **al —** abroad

extrañar to surprise

extrañeza surprise

extraño, –a strange, odd, alien

extravagante unusual, odd

extraviado, –a: con los ojos —s wild-eyed

extremo, –a extreme; **en —** exceedingly

exuberancia effusiveness

F

fabricar to make, manufacture; **fabricados en serie** mass produced

facciones *f. pl.* features

fácil easy, easily won

facilidad facility, opportunity

facilitar to supply with

falda skirt

falsificación forgery

falsificar to forge

falso, –a false

falta absence, shortage, lack; misdeed; **a — de** for lack of; **hacer —** to be lacking

faltar to be missing, be lacking; **— a la verdad** to lie

falto, –a lacking in, devoid

fallar to fail

fama reputation

familia family

famoso, –a famous

fámula servant

fanático fanatic, zealot

fantasma *m.* apparition

fantasmal imaginary

fantástico, –a fantastic, fanciful

farrita: hacer lindas —s to have a merry time

farsante deceitful and arrogant person

fascinar to fascinate

fastidio annoyance, displeasure

fatal unfortunate

fatalmente inevitably

fatigado, –a weary

fatuo, –a ridiculously vain

fáustico, –a splendid, very enjoyable

favor *m.* favor; **por —** please

favorecer to favor

favorito, –a favorite

fe *f.* faith, confidence

febrilidad fluster, excitement

felicidad happiness; **con —** felicitously

felicitar to congratulate

feliz happy, felicitous

femenino, –a feminine

feo, –a ugly; evil, atrocious

ferocidad fury, vehemence, ferocity

ferozmente acutely, very much

fervientemente fervently

festejar to court; to celebrate

feúcho, –a very ugly

ficción fiction, figment of the imagination; **ente de —** fictional counterpart, fictional being

ficticio, –a fictitious

ficha chip

fiel loyal, faithful

fiera wild, stormy person; devotee, fiend

fiereza fury, vehemence

fiero, –a fierce, rough

fierro: caja de — strong-box

figura figure, build

figurar to appear

figurín *m.* fashion plate

fijamente intently

fijar to determine; **¡fíjense!** just imagine!; **—se en** to fix attention on

fijo, –a fixed, set, steady

filosofía philosophy

filosófico, –a philosophical

filósofo philosopher

fin *m.* end, purpose; **a — de que** so that; **en —** in short, finally; **poner — a** to put an end to; **por (al) —** finally, at last

final *m.* end

financiero, –a financial

finanzas *f. pl.* finances

fingir to pretend

fino, –a fine, delicate, thin

firma signature; **echar —s** to write signatures

firmar to sign

fiscal *m.* prosecutor

físico, –a physical; *m.* physical traits

fisiológico, –a physiological

flaco, –a thin

flacucho, –a skinny, thin as a rail

flacuchón, –ona extremely skinny

flamante new, fledgling

flaquito, –a very thin, very weak

fletar to throw out

flirtear to flirt

flirteo flirtation

flojito, –a rather faint

flojón, –ona weak, insipid

flotar to float

flote: sacar a — to come to one's rescue

fondo bottom; rear; inner substance; *pl.* funds; **a —** thoroughly

forjar to form

forma form

formar to form

formidable wonderful, amazing, great

fórmula: por — as a matter of routine

fornido, –a strong, robust

forrar to cover (a book)

fortuito, –a accidental

fortuna fortune, wealth

forzado, –a forced

forzoso, –a necessary

fracasar to fail

fracaso defeat

fraguar to form, produce

francachoto, –a excessively candid

francés, –esa French

franco, –a frank, unpretentious

franquearse to bare one's soul

franqueza frankness

frase *f.* sentence, phrase

fraude *m.* fraud, deceit

frecuencia frequency

frecuentar to frequent

frecuente frequent

frenesí *m.* frenzy

frenopático, –a pertaining to mental illness

frente *f.* forehead; *m.* front; **— a** opposite, face to face with, in the presence of

frialdad coldness

frío, –a cold; **dar —** to frighten, startle; **hacer —** to be cold; **sentirse con —** to feel cold

friolera small number (*ironic*)

frito: estoy — my goose is cooked

frivolidad frivolity

frívolo, –a frivolous

frontera border

frotar to rub

fruncir to gather, knit, contract

fuego fire

fuente *f.* source

fuera outside; **— de** outside of, excepting; **¡— de aquí!** get out! **— de sí** beside himself

fuerte strong; *m.* strong point

fuerza force, strength; **a — de** by dint of; **por la —** forcibly

fui, fué *pret. of* **ser** *and* **ir**

fulminar to utter in a rage

fumar to smoke

funcionario public official

fundadamente with good reason

fundamentalmente fundamentally

fundar to base

furia rage

furibundo, –a enraged

furioso, –a furious, enraged

furor *m.* rage, fury

fusilar to shoot

fútil flimsy

futilezas *f. pl.* amorous trifles

futuro, –a future; *m.* future

G

galán *m.* beau, ladies' man

galante amorous, gallant

galanteador, –ora gallant

galantear to flatter

galantería compliment, gallant ways

galeno doctor

gana liking, desire, keen delight; **de buena —** willingly; **de mala —** reluctantly; **tener —s** to feel like

ganancias *f. pl.* winnings

ganar to win, earn

garantía security

garbo grace, gentility

gargajo the act of clearing one's throat

garra claw, clutch

gastar to spend
gasto expense
gato an insignificant, weak, and dull person
gaucho: buen — nice, friendly person
gemido moan
gemir (i) to groan
general general; **por lo —** as a general rule
género class, kind
generosidad generosity
generoso, -a generous
genial masterly, great
genio genius; **golpe de —** stroke of genius
gente *f.* people; **— bien** people of rather comfortable means
gentío crowd
geométrico, -a geometrical
germen *m.* germ, nucleus
gesticular to make gestures
gestión measure, step
gesto gesture, grimace
gloria glory, source of pride; **estar en la —** to be completely satisfied
gobierno government
golpe *m.* blow; **— de genio** stroke of genius
golpear to strike, beat, pound; **—se en el mate** to go off one's head
golpecito weak little blow
goma rubber
gordinflón, -ona chubby
gordo, -a fat

gota drop
gotita tiny drop
gozar (de) to enjoy
gozoso, -a glad
gracia charm, humor; **dar —s** to thank
graciosísimo, -a very funny
gracioso, -a funny, witty, pleasing; *n.* wisecracker
grado degree
grande (gran) great, large; generous; **gran amigo** good friend
grandeza greatness, grandeur, majestic stroke
grandísimo, -a very great
grandote, -ota very large, very big
grave serious, grave, troublesome
gravísimo, -a very serious
gritar to shout
grito shout
grotesco, -a horrible
grueso, -a thick, dense
gruñido grunt
gruñir to grunt
grupito small group
guarda: ángel de la — guardian angel
guardapolvo hospital attendant's white coat
guardar to keep; **— con llave** to keep locked up; **—se de** to avoid
guerra war
guerrero, -a warlike

guerrilla light skirmish
guía *m.* guide; *f.* point, end
guiñar to blink
gustar to please; **me gusta** I like
gusto pleasure, delight; taste

H

habano, -a pertaining to Havana; *m.* cigar
haber to have (*auxiliary verb*); to be (*impersonal verb*); **— de** to be to, must
hábil skillful
habilidad ability, skill; **sin —** clumsily
habitante *m.* occupant
habitual usual
hablador, -ora talkative
hablar to speak; **no — jota** not to say a word
hacer to do, make; to cause; **—** + *length of time* ago; **— bien a uno** to be beneficial; **— cola** to stand in line; **— como si** to act as if; **— compras** to go shopping; **— falta** to be lacking; **— frío** to be cold; **— mal a uno** to harm; **— saber** to let know; **—se** to become; **— se el desentendido** to play dumb; **—se el loco** to pretend to be crazy
hacia toward; **— atrás** backwards
halagar to flatter

halago flattery; luxury
hallar to find; **—se** to be
hambre *f.* hunger
harto, -a fed up with; *adv.* quite, rather
hasta until, up to; even; **— que** until
hay (*impersonal* **haber**) there is, there are; **— que** + *inf.* one must
hazaña exploit, deed, act
he: — ahí here you have; **— aquí** lo and behold, and so you see
hectárea hectare (*metric measure, about* 2½ *acres*)
hecho *p.p.* of **hacer**; *m.* fact, deed
hemisferio hemisphere
heredar to inherit
hereje *n.* heretic
herir (ie, i) to wound
hermano brother; **—s** brother and sister; **primo —** first cousin
héroe *m.* hero
heroína heroine
hidalgo nobleman
hija daughter
hijo son; *pl.* children
hilo thread
hípico: Club — Turf Club
hipócrita hypocritical; *n.* hypocrite
Hipódromo Race Track
hipopótamo hippopotamus
hipótesis *f.* hypothesis

hipotético, –a hypothetic
historia history, story
historietas *f. pl.* comics
hogar *m.* home
hoja leaf, sheet
hojear to glance through
hola hello
hombre *m.* man; — **de empuje** man of action, enterprising and dynamic man; — **sin entrañas** inhuman creature
hombrecillo, –cito little man
hombrete *m.* little man
hombro shoulder; **encogerse de —s** to shrug one's shoulders
homúnculo little man
hondo, –a deep
honradez honesty
honrado, –a honorable, honest, virtuous
hora hour
horrendo, –a hideous
horripilantemente horridly
horro, –a free, devoid
horror *m.* horrible thing; ¡**qué —!** how terrible!
horrorizar to horrify
hospicio asylum;— **de las Mercedes** name of a mental institution
hostil hostile
hostilidad hostility
hotelucho cheap hotel
hoy today
hueso bone; **carne y —** flesh and blood
huésped *m.* guest

huevo egg
huída flight
huir to flee
humanizar to mellow, refine
humano, –a human
humildad humility
humildemente humbly
humillar to humble, humiliate
humor *m.* mood, disposition
hundir to sink
hurañez withdrawal from the company of others
huraño, –a alienated
huyente: mentón — receding chin

I

idéntico, –a identical
identificar to identify
idiotez idiocy, stupidity
ignorante ignorant
ignorar to be ignorant of, not to know
igual equal, uniform, even, the same, like; **al — que** the same as
igualmente equally, likewise
ilógico, –a illogical, without rhyme or reason
iluminar to come to light; **—se** to become clear
ilusión illusion
ilusionar to fascinate
ilustre illustrious
imagen *f.* image
imaginación imagination, flight of fancy

imaginar(se) to imagine, think, suspect
imaginario, –a imaginary
imbécil stupid; *n.* imbecile
imitación imitation
imitar to imitate
impaciencia impatience
impávido, –a impassive
impedir (i) to prevent
impensadamente inadvertently
impertérrito, –a bold
impertinencia rudeness, petulance, insolence
impertinente impertinent
imponer to impose
importancia importance
importante important
importar to matter, concern
imposible impossible
impregnar to imbue
imprescindible necessary
impresión impression
impresionante absorbing, deeply felt
impresionar to impress
improbidad dishonesty
improperio insult
improvisar to write in a hasty and unmethodical way
impuesto, –a *p.p. of* **imponer** prescribed
impulsar to impel, prompt
impureza lewdness
inaceptable unacceptable
inactividad inactivity
inaudito, –a unheard-of
incapaz incapable
incendiar to set fire to

incidente *m.* incident, scene; ¿algún — ? did anything happen?
incierto, –a uncertain
incipiente incipient
incitación incitement
incitar to incite
incivilidad discourtesy
inclinación tendency
inclinarse to lean over, bend over
inclusive even
incógnito, –a unknown
incoloro, –a colorless, insipid
incómodo, –a uneasy, uncomfortable
incomprensible incomprehensible
incomprensiblemente for no apparent reason
inconmensurable unmeasurable
inconsciencia unconsciousness
inconsciente unfeeling
incorporarse to sit up
incorrecto, –a incorrect
incredulidad skepticism
incrédulo, –a incredulous
increíble incredible
increpar to chide, rebuke
incumplidor, –ora unreliable
incurrir to incur, resort to, commit
indagación inquiry
indeciso, –a irresolute
independiente independent
indescifrable unfathomable
indestructible unbreakable
indicar to indicate, point out

indicio sign
indiferencia indifference
indiferente indifferent
indignado, –a indignant
indigno, –a unworthy
indirectamente indirectly
indiscreto, –a indiscreet
individuo person; **el — ese** that fellow (*used in a derogatory sense*)
índole *f.* class, kind
indudablemente undoubtedly
inequívoco, –a unerring
inesperado, –a unexpected
inexistente nonexistent
infame infamous, base
infamia base deed, base words
infancia infancy, early years
infeliz pitiful, wretched, unhappy
inferior inferior, low; *n.* subordinate
infidelidad unfaithfulness
infiel unfaithful
infierno hell
infinidad countless numbers
infinito, –a infinite
inflamadamente vehemently
influencia influence
influíble impressionable
influir to influence
información information
informar to inform, report; **—se sobre** to be informed about
informe *m.* report
ínfulas *f. pl.* airs
infundir to instill

ingenio wit, cleverness
ingenioso, –a clever, mentally sharp
ingente huge
ingenuo, –a naïve
ingerir (ie, i) to swallow
inglés, –esa English
ingratón *m.* ingrate
iniciación beginning
inicial *f.* initial
iniciar to start; to broach
iniquidad wickedness
injuriar to insult
injurioso, –a offensive
injustamente unjustly
injusticia injustice
inmediatamente at once
inmediato, –a next; **el domingo —** the following Sunday
inmenso, –a immense
inminente imminent, close at hand
inmoderado, –a extreme
inmodificable unalterable
inmoral immoral
inmortal immortal
inmóvil motionless
inmovilizado, –a stunned
inmundo, –a filthy, vile
inmutarse to become flustered
innegablemente undeniably
inocencia innocence
inocente harmless; unsophisticated
inocentemente ingenuously, innocently

inquietante disturbing, annoying

inquietar to trouble, excite; **—se** to fret

inquieto, –a uneasy

inquietud restlessness, anxiety

inquirir (ie) to inquire, interrogate

inquisición prying

insaciable insatiable

insaciablemente insatiably, voraciously

insano, –a insane

inseguridad insecurity

insignificante insignificant, meager, of no account

insinuación hint

insinuar to suggest; **—se** to curry favor

insistir to insist

insolencia insolence

insolentarse to be impudent

insolente insolent

insoportable unbearable

inspector *n.* inspector; **— de cualquier cosa** some sort of inspector

inspiración inspiration

inspirador *m.* inspirer

inspirar to inspire

instalarse to get settled; to enter into

instantáneo, –a instantaneous

instantáneamente at once

instante *m.* instant, moment; **al —** at once

instinto instinct

instituto institution

instrucción: **justicia de —** court of justice

instructor *m.* police interrogator

insuficiencia insufficiency

insuflar to infuse

insultar to insult

intacto, –a unbroken

íntegramente wholly

integridad integrity

intelectual intellectual

inteligencia intelligence, mind, intellect

inteligente intelligent

inteligentón, –ona quite intelligent and crafty

inteligible intelligible

intención intention, purpose, intent

intencionadamente intentionally

intensidad intensity

intentar to try, endeavor

intento purpose, intention, resolve

interceptar to intercept

interés *m.* interest

interesante interesting

interesantísimo, –a very interesting

interesar to interest; **—se por** to be interested in

interior interior, inner; *m.* interior, inside

interioridad innermost recesses

interjección interjection

internar to place in an institution

interpelar to question formally
interpretar to interpret
interrogación question
interrogar to ask, question
interrogatorio questioning
interrumpir to interrupt
intervención intervention, interruption
intervenir to intervene
intimidar to frighten
íntimo, –a close
intoxicación intoxication
intranquilo, –a uneasy, disturbed
intrigadísimo, –a very much perplexed
intrigado, –a interested
intrigar to intrigue
introducir to introduce, put in
introspectivo, –a introspective
inusualmente unusually, exceptionally
inútil ineffectual, useless
inventar to invent
invento invention, great accomplishment
inveterado, –a inveterate
invitación invitation
invitado guest
invitar to invite
ir to go; to fare; to turn out; — +*pres. p.* to be, keep on, begin to; — **a pie** to go on foot; —**se** to go away, go off; ¡**que se vaya!** let him go, who cares!
ira rage
irguió *pret. of* **erguir**

irónico, –a ironic
ironizar to speak ironically
irrebatible indisputable
irremediable hopeless, irremediable
irritación ill feeling
irritante exasperating, annoying
irritar to annoy, anger
irrumpir to burst in
isla island
izquierdo, –a left

J

¡**ja!** ha!
jactarse to boast
jadeante panting
jaleo excitation
jamás never, ever
jarana merriment
jardín *m.* garden
jarro pitcher; **a boca de —** at close range
jefe *m.* boss
jerez *m.* sherry
jornada day; military march
jota: no hablar — not to say a word
joven young; *m.* young man, youth
jubilación retirement
jubilarse to retire
juego game; gambling
juez *m.* judge
jugador *m.* player, gambler
jugar to play; to gamble; **— a la canasta** to play canasta;

— **a las carreras** to play the horses

juicio judgment; senses

julio July

juntar to join, put together

junto, –a together; — **a** next to, on to

jurar to swear

justamente just, exactly

justicia court of law; justice; — **de instrucción** court of justice

justificar to justify

juvenil youthful

juventud youth; **en plena —** in the prime of youth

juzgado court of justice

juzgar to judge, consider

L

la the, the one; it, her, you

labio lip

labor *f.* work

lacrado, –a iron-clad, sealed tightly

lado side; **de —** sideways; **dejar a un —** to put aside

ladrón *m.* thief

lágrima tear

lagrimear to weep

lagrimitas *f. pl.* affected tears

laico, –a lay

lamentar to lament, regret; **—se de** to regret

lánguido, –a languid

lanzar to hurl; **—se** to enter into

largamente fully; for a long while

largar to let loose (words); — **prenda** to commit oneself; **—se** to go off, go out

largo, –a long; protracted; **a la corta o a la —a** sooner or later

lascivia lasciviousness

lástima pity, compassion

lastimarse to complain, whine

latente latent

laya kind, sort

leal loyal

lección lesson; reproof

lector, –ora reader

lectura reading

leche *f.* milk

lecho bed

lechuza owl

leer to read

legítimamente legitimately, justifiably

leguleyo pettifogger, petty lawyer

lejano, –a distant

lejos far; **a lo —** far off

lelo stupid person

lengua tongue

lenguaje *m.* language

lentísimo, –a very slow, languid

lento, –a slow

letra handwriting; *pl.* letters; **al pie de la —** to the letter

levantar to raise, lift; **—se** to rise up, get up

levemente lightly, slightly

Vocabulario

ley *f.* law, rules
liberar to free
libertad liberty, acquittal
libertar to free
libertinaje *m.* licentiousness
libra pound
librar to free
libre free; — albedrío free will
librería bookstore
librero bookseller
libreta check book
libro book
licencia license
lid *f.* conflict, contest
ligeramente slightly
limbo limbo, border, edge
limitar to limit
límite *m.* limit, boundary
limpiar to clean, wipe off
limpio, –a clean
lindar con to border on
lindo, –a pretty, nice; ¡loco
—! the poor fellow is out of
his mind
línea line
liquidar to settle the score with
lisonjear to flatter
literalmente literally
literario, –a literary
literato literary person, writer
literatura literature
liviano, –a light, frivolous
lo it, him, you; the, what is;
— que that which, what, that,
which; — que es as for; de
— que than that which; todo
— de Napoleón everything
concerning Napoleón
lóbrego, –a forlorn

locamente madly
loco, –a mad, crazy; wild over;
m. madman, lunatic; ¡— lindo!
the poor fellow is out of his
mind!
locuacidad talkativeness
locuaz talkative
locura insanity, madness
locutorio locutory
lógica logic
lógico, –a logical, understandable
lograr to attain, get, succeed in
lomo spine of a book; de tomo
y — through and through
los, las the, the ones
lotería lottery
lucidez clear reasoning
lucir to shine; to appear
lucha struggle, contest
luchar to struggle, fight
luego then, afterwards; — que
as soon as, after; desde —
of course
lugar *m.* place, position
lujo luxury; de — first class,
elegant
lujoso, –a luxurious, elegant
luna moon; — de miel honeymoon
lunarcito little blot
luz *f.* light

LL

llamado call
llamar to call; — la atención
to attract attention; el llamado

the one who called; **los llamados** the so-called; **—se** to
be called, be named
llantito crocodile tears
llanto weeping
llave *f.* key; **dar — a** to lock;
echar — a la puerta to lock
the door; **encerrar con —**
to lock up; **guardar con —**
to keep locked up
llegada arrival
llegar to arrive, reach; **— a**
to get to, reach the point of
llenar to fill out
lleno, –a full; **tan de —** so
completely
llevar to carry (off), take (away),
bring; to spend time; to lead;
to carry on; **— preso a uno**
to imprison; **—se con** to get
along with
llorar to cry, weep
lloroso, –a in tears
llover (ue) to rain; to come
abundantly

M

macana foolishness
macaneo nonsense, absurd talk
machacar to persist annoyingly
madre *f.* mother
madrugada early morning
maduro, –a ripe
maestría mastery, skill
maestro, –a masterly; **obra —a**
masterpiece; *n.* teacher, master

mágicamente as if by magic
magín *m.* fancy, imagination;
estrujarse el — to let one's
imagination wander
magnífico, –a magnificent
magnitud magnitude, size
majadero stubborn fool
mal *m.* evil; harm; illness; **—
metafísico** title of novel can
be translated as *The Evils of
Idealism*
mal badly, ill; **estar — de cabeza** to be deranged; **menos
— que** it's a good thing that
maldad malignity, rancor
maldecir to curse
malévolo, –a evil
malicia suspicion; shrewdness
maligno, –a malign
malísimo, –a very bad
malo (mal), –a bad, evil; **andar
en la —a** to have bad luck
maloliente ill-smelling
maltratar to maltreat
maltrato ill treatment
mamao, –a drunk
manchar to blemish
mandar to order; to send; **—
+ inf.** to have (something
done); **¡mándese mudar!** go
away!
manera way, manner; *pl.* manners; **a su —** in his own way;
de igual — in the same way;
de otra — otherwise; **de todas
—s** at any rate
maniático, –a demented
manicomio insane asylum

manifestar (ie) to show
maniobrar to connive
mano *f.* hand; — **a** — freely, openly; **a** — conveniently near by; **apretón de** — handshake; **estrechar la** — to shake hands
manosear to handle, touch
manotear to gesticulate
mantener to keep (up); —**se en** to hold fast to
mantenida mistress, kept woman
mañana morning, tomorrow; **por la** — in the morning
maquiavélico, –a Machiavelian, cunning
máquina typewriter; **escribir a** — to typewrite
maravilla wonder, extraordinary thing
maravilloso, –a wonderful
marcha course, way
marchar to proceed, act; —**se** to go off
marfil *m.* ivory
marica *m.* mollycoddle
marido husband
mariposa butterfly
marital pertaining to a husband
marplatense pertaining to Mar del Plata
martillo hammer
martirio anguish, torment
mas but
más more, most, any more, any longer; — **aún** what is more; — **bien** rather; **a** — **tardar** at the latest; **cuanto** — the more; **de** — too many, in excess

masa mass
masculino, –a masculine
mascullar to mumble
masón *m.* Freemason
masonería Freemasonry
matadura ugly scars of time and use
matar to kill
mate: golpearse en el — to go off one's head
materia; en — **de** as regards
materialista materialistic
matiz *m.* shade, hint
matrimonio married couple; —**s amigos** married friends
mayor greater, greatest; older, oldest
mayoría majority
me me, to me
medianísimo, –a just average
mediano, –a moderate, average
mediante by means of
médico doctor
medida measure; **a** — **que** as, while
medio, –a middle; half; *m.* environment; *pl.* means, resources; —**a noche** midnight; **a** —**a voz** under one's breath; **a** —**as** half-way; **de** — **a** — entirely; **de por** — between, in the middle; **día por** — every other day; **las ocho y** —**a** half past eight; **noche por** — every other night

mediocre average; uninteresting; second rate; *n.* person of no great importance

mediocremente fairly; just passably

meditación meditation

meditar to reflect on, meditate upon

mediumnidad the intervention of a medium

medrar to prosper, be successful

medrosamente fearfully

mejilla cheek

mejor better, best; — **dicho** rather; **a lo** — perhaps; **lo** — the best thing

mejorar to improve

melancólico, –a melancholy, gloomy

melena full, elaborate hair-do for men

melifluamente in a soft-spoken manner

meloso, –a sugary, overly sweet

mella dent; **hacer** — to cause concern; to hurt

membrete *m.* letter-head

menear to shake

menor least, slightest

menos less, least; — **mal que** it's a good thing that; **a** — **que** unless; **a lo (al)** — at least; **por lo** — at least

mensual monthly

mentalidad mentality

mente *f.* mind

mentir (ie, i) to lie

mentira lie

mentiroso, –a *n.* liar

mentón *m.* chin; — **huyente** receding chin

menudear to become frequent

menudo, –a tiny, slight

mercadería merchandise

merecedor, –ora worthy

merecer to deserve

mérito merit, worth

mes *m.* month

mesa table; — **de noche** night table

metafísico, –a metaphysical; **mal** — title can be translated as *The Evils of Idealism*

metamorfosis *f.* transformation

meter to put in, stick in; —**se en** to get involved in

metódico, –a methodical

método method, studied technique

metro meter (39.3 *inches*)

mezclar to mix

mi, mis my

mí me

miedo fear; **tener** — to be afraid

miel *f.* honey, sweet talk; **luna de** — honeymoon

miembro part of the body

mientras while; — **tanto** in the meantime

miércoles *m.* Wednesday

migaja a little bit

mil a thousand

milagro miracle

militar military

millar *m.* thousand
millón *m.* million
millonario millionaire
ministerio office, department, ministry, office building
ministro minister
minúsculo, –a extremely small
mío, –a mine, of mine
mirada look, glance, expression; **echar una —a** to glance at; **refregarse sus —s** to cast severe glances
miradita fond glance
mirar to look (at), look upon, gaze upon; consider; **— con pegajosidad** to stare at
miríficamente wonderfully
miserable wretched; *m.* scoundrel
miseria misery, destitution; **a la —** in a wretched condition
mismito (my) very self
mismo, –a same, self; **lo — que** just as, as well as
misterio mystery
misterioso, –a mysterious
mitad *f.* half; **a — de** in the middle of
mocedad youth; **en sus —es** in his youthful days
moda fashion, style; **de —** popular
modales *m. pl.* manners, bearing
modelo model
moderado, –a moderate
moderar to abate, curb
moderno, –a modern

modestia modesty
modestísimo, –a very modest
modesto, –a modest
modificar to modify
modo manner, way; **con mal — rudely; de — que** so that; **de este —** in this way; **de igual —** in the same way; **de otro —** otherwise; **de tal —** in such a way; **de todos —s** at any rate
mojigato, –a prudish
molestar to disturb
mollera head
momentáneamente for the time being
momentáneo, –a momentary, transitory
momento moment; **de un — a otro** at any moment; **en —s perdidos** in his spare time
moneda coin
monólogo monologue
monosilábico, –a monosyllabic
monosílabo monosyllable
monótono, –a monotonous
monserga foolish talk
monstruo monster
montar to ride on horseback
montón *m.* heap; multitude, crowd
monumento an object of enormous size
moquete *m.* punch in the nose
moralmente morally
morder (ue) to bite

moreno, –a swarthy
morir (ue, u) to die
morosidad slowness, delay
mosca fly
mostrar (ue) to show
motivo reason, ground, cause
mover (ue) to move; to shake; — **la cabeza a sacudones** to shake one's head vigorously
movimiento movement
mozo waiter; fellow
muchachito small boy
muchacho boy
muchísimo, –a very much
mucho, –a much; *pl.* many; — **menos** and to a much less degree; **cuando** — at the most
mudar: ¡mándese —! go away!
mudez silence
mudo, –a silent
muebles *m. pl.* furniture
mueca grimace
muerte *f.* death; **de mala** — of little worth, wretched
muerto, –a *p.p. of* **morir**; *n.* deceased person; — **de risa** bursting with laughter
mujer *f.* wife, woman; — **de mala vida** prostitute
mulato person of Negro and white parentage
multitud multitude, crowd
mundano, –a wordly
mundo world; **todo el** — everybody
música music
muy very

N

nacer to be born; to come forth, bring forth
nación nation
nacional national
nada nothing, (not) anything, not at all; — **más** that's all; *f.* nothingness
nadería trifle
nadie no one, nobody, (not) anyone
Napoleoncito little Napoleón
napoleónico, –a pertaining to Napoleón
napoleonida person belonging to the lineage of Napoleón
nariz *f.* nose
narrador *m.* narrator
narrar to narrate
naturaleza nature, character
naturalidad naturalness
naturalmente naturally
náufrago shipwrecked person
necesario, –a necessary
necesidad need, necessity
necesitar to need
negar (ie) to deny, refuse; —**se a** to refuse
negativa denial
negativo, –a negative
negocio business
negro, –a black; wretched
negrura blackness
nervio nerve; **con los** —**s a la miseria** with his nerves all shattered; **dominio de los** —**s** self-control
nerviosidad nervous state

nervioso, –a nervous

ni nor, not even

niebla haze; confused mental state

ninguno (ningún), -a none, no; no one

niño child, boy

nivel *m.* level

no no, not

nobleza nobleness

noche *f.* night; — a — night after night; — por medio every other night; de — at night; media — midnight; por la — at night

nombrar to mention

nombre *m.* name; a su — in her name; conocer de — to know by name

normalidad normality

norteamericano, –a pertaining to U.S.A.

nota note, slip of paper

notar to observe, notice

noticia information, news

notorio, -a well known, very evident

novedad news, new occurrence, (new) fact

novela novel

novelesco, –a novelistic, fictional, very unusual

novelista *n.* novelist

novelístico, –a novelistic

noviembre *m.* November

nuevamente again

nueve nine

nuevo, –a new; de — again

número number

nunca never, ever

O

o or

obedecer to obey

obediente obedient

objetar to object, remonstrate

objetividad objectivity

objeto object, purpose

obligar to compel

obra work; — de bien good deed; — maestra masterpiece; —s públicas public works

obrar to act, behave

obrero, –a pertaining to the worker

observar to observe, notice, watch

obsesión obsession

obsesionar to obsess, torment, beset

obstante: no — notwithstanding

obtener to obtain

ocasión occasion, opportunity; en tal cual — every once in a while

ocasionalmente occasionally

octubre *m.* October

ocultar to hide

oculto, –a hidden

ocupación activities, doings

ocupar to take up (posts at work); —se de to be concerned with

ocurrencia event; imaginative creation

ocurrir to happen; —**sele a uno** to occur to one; **lo ocurrido** what happened

ocho eight

odiar to hate

odio hatred

odioso, –a hateful, objectionable

ofender to offend

oficial official; *m.* official, officer; — **segundo** minor official

oficialete *m.* brash, petty officer

oficialito minor officer

oficialmente officially

oficina office

oficinista *n.* office manager

oficio occupation, function

ofrecer to offer

oftalmológico, –a pertaining to the eye

oftalmólogo ophthalmologist

oído ear

oír to hear; — **decir que** to hear that

ojo eye; — **de cerradura** keyhole; **con los —s extraviados** wild-eyed; **pasear los —s** to look around

oler (ue) to smell

olorcillo (a) slight fragrance of

olvidar(se de) to forget

omitir to omit

ómnibus *m.* first-class bus

operación act, operation

opinar to believe, be of the opinion, think; to say

oportuno, –a proper

optar (por) to choose

optimista optimist

opuesto, –a opposite

oración sentence

orador *m.* orator

orden *m.* class; *f.* order, command; **a sus —es** at one's service, under one's command

ordenanza office boy

ordenar to order

oreja ear (external)

organismo organism

organizar to organize

orgullo pride

orgulloso, –a haughty

origen *m.* origin, source

orondo, –a supercilious

ortografía spelling

oruga caterpillar

osar to dare

oscuridad obscurity

oscuro, –a dark, dismal, vague

otro, –a other, another; **su — yo** his other self, his second self

ovalado, –a oval

P

pa: de pe a — from A to Z

pabellón *m.* pavilion

paciencia patience

paciente *n.* patient

pacífico, –a peaceful

pacto agreement

padecer to suffer, endure

Vocabulario

padre *m.* father; *pl.* parents
pagar to pay (for)
página page
pago payment
paisaje *m.* landscape
pájaro bird
pajarraco a cunning, deceptive person
palabra word
pálido, –a pale
palma palm
palmariamente obviously
palmear to slap (on the back)
palmípedo web-footed bird
palmito face of a woman
palmotear to clap the hands
palomita little pigeon
palpitante palpitating
pantalones *m. pl.* pants
pantorrilla calf of the leg
pañuelo handkerchief
papada double chin
paparrucha humbug
papel *m.* paper, document; **desempeñar un —** to play a role
papelito small piece of paper
paquidermo pachyderm
par *m.* pair, couple; **al — que** at the same time that
para for, in order to; **— que** in order that
parálisis *f.* paralysis
páramo heath
parar to stop; **— las patas** to drop dead
parásito parasite
parecer to seem, appear; **al —** apparently; **¿no le parece?**

don't you think so?; **—se** to look like (each other), be like; *m.* opinion
parecido, –a like, similar; *m.* resemblance
pared *f.* wall
pareja couple; **en — con Margarita** with Margarita as his partner
parentesco relationship
pariente *n.* relative
parlotear to prattle, talk idly
párrafo paragraph
parroquiano customer
parte *f.* part; **de — de él** for his sake; **ponerse de — de** to side with; **por — de** on the part of; **por otra —** on the other hand; **por una —** in one sense
participar to participate
particular special
partida departure; match, game
partidario advocate
partir to split; to leave
parvedad smallness
parvo, –a scanty, meager
pasable passable
pasajero, –a passing; *m.* passenger
pasar to pass; to come in; to happen; to spend (time); to go beyond; to hand; **— el rato** to while the hours away; **—se de (adusto)** to be too (sullen)
pasear to stroll; **— los ojos** to look around; **—se** to walk up and down

258

paseo stroll; — **de campo** outing

pasillo aisle

pasión passion, love, intense feeling; **una — no correspondida** an unrequited love

pasmar to astonish, stun

pasmo bewilderment

pasmoso, –a astonishing

paso step; way

pasquinesco, –a scandalous

pasto: a — excessively

pata: parar las —s to drop dead

patada kick; step

patentemente clearly

patiecito small inner courtyard

patio courtyard

patitieso, –a dumbfounded

patria country

paz *f.* peace

pazguato a foolish person, simpleton

pe: de — a pa from A to Z

pecadillo little sin

pecado sin; **en trance de —** headed for sin

pecaminoso, –a wicked, naughty

pecoso, –a freckled

pechadora one who solicits door to door for charities, religious groups, and the like

pechar to borrow money, usually with the intention of not returning it

pecho chest

pedacito little piece

pedantesco, –a pedantic

pedazo piece

pedido request

pedir (i) to ask for, beseech; to order; — **disculpa** to apologize; — **prestado** to borrow

pegajosidad: mirar con — to stare at

pegar to hit, strike; to stick, paste; **–se un tiro** to shoot oneself

pelear to fight, wrangle

peligro danger

peligroso, –a dangerous

pelo hair; — **a —** hair by hair; **tomar el —** to tease

pelotera commotion, quarrel

pellejo hide

pena grief; **valer la —** to be worthwhile

penetrante penetrating; deep

penetrar to dash into

penoso, –a painful; difficult

pensador *m.* thinker

pensamiento thought

pensar (ie) to think, believe; to intend; — **en** to think of, about; *m.* thought

pensativo, –a pensive

peor worse, worst; **para —** what was worse

pequeñez smallness; mean, contemptible, petty behavior

pequeño, –a small

perdedor *m.* loser

perder (ie) to lose; **¡pierdan cuidado!** don't worry!

perdonar to pardon, forgive
perdurar to endure
perecerse por to long to
perezoso, –a lazy
perfección: a la — perfectly
perfecto, –a perfect; utter
perfil *m.* profile
perfumado, –a perfumed
período period
peripecia incident
perjudicial detrimental
perjudicar to harm
perla pearl
permanecer to remain
permanente permanent, constant
permitir to permit, allow
pernicioso, –a harmful
pero but
perpetuamente constantly
perro dog; *f.* bitch
perseguir (i) to pursue; to annoy, harass
persona person; bearing, demeanor
personaje *m.* character, person, individual; important person
personal *m.* personnel
personalidad personality
personificar to personify
perspicacia perspicacity
perspicaz perspicacious
persuadir to persuade
pertenecer to belong
pertinaz obstinate, recurring
perturbador, –ora disturbing
perturbar to perturb
perverso, –a depraved

pesadilla nightmare
pesar to weigh; *m.* sorrow; **a — de** in spite of
pescar to catch (a word); to seek out
pescuezo neck
pesimista pessimistic
pesito peso
peso Argentine monetary unit
pestaña eyelash
peticito, –a very small
pétreo, –a stony
petrificar to petrify
petulante offensively haughty
pez *m.* fish
picante highly seasoned
picar to puncture; **picado de viruelas** pock-marked from smallpox
picaresco, –a roguish, waggish
pícaro, –a sly; *m.* scoundrel
pico: no abrir el — not to utter a word
picota: poner en la — to place in the public eye
picotear to fix one's gaze
pie *m.* foot; **al —** at the bottom; **al — de la letra** to the letter; **en —** standing; **ir a —** to go by foot; **ponerse en —** to stand up
piedad *f.* mercy
piel *f.* skin
pieza piece; room; **una buena —** nice fellow (*used ironically*)
pifionamente in a half-jesting, half-scoffing tone
pila battery; **nombre de —** Christian name

pillar to catch sight of; to seize

pillastre *m.* scoundrel

pinchar to stick

pintar to paint, portray; to show

pintoresco, –a colorful

pipa pipe

piropo compliment

pisar to step on

piso floor

pisto: darse — to put on airs

pistola pistol

pistoletazo pistol shot

pito: no valer un — not to be worth a mite

pizca bit

placer *m.* pleasure

plácido, –a placid

planear to plan

plano rank, class, level

plata silver, money; **andar con —** to have money

plataforma rear portion of a street car

platudo, –a rolling in wealth

plausiblemente reasonably

pleno, –a full; **en —a calle** right in the street; *m.* square on a roulette table

plumífero author, penman (*used in a derogatory manner*)

pobre unfortunate; meager

pobrecito poor fellow

pobreza poverty, insufficiency

pócker *m.* poker

poco, –a little, few; in a small degree, not very

poder to be able, can; to have influence over; **no — más** to be unable to stand it any longer; *m.* power, force

poderoso, –a powerful

poema *m.* poem

poeta *m.* poet

poético, –a poetic

policía *f.* police; *m.* policeman

policial pertaining to the police

política politics

político, –a prudent, expedient

pomposo, –a pompous; prominent

poner to put, place; **— en la picota** to place in the public eye; **— fin a** to put an end to; **—le cuernos a uno** to be unfaithful to one's husband; **—se** to become; **—se a** to begin to; **—se de parte de** to side with; **—sele a uno** to suspect, imagine; **—se en pie** to stand up; **—se en ridículo** to make a fool of oneself

poquito, –a very little

por by, through; for; along, because of; **— +** *adj. or adv.* **+ que** however, even though; **— eso** therefore

pormenor *m.* detail

porque because

¿por qué? why?

porquería worthless, vile person; filth

portarse to act, behave

porteño, –a pertaining to Buenos Aires

portero janitor

poseer to possess, have
posibilidad possibility
posible possible
posición position
postergar to postpone
posterior rear
postizo, –a artificial
potencia: en — potentially
práctica practice, method
practicar to practice, do, carry out
práctico, –a practical
pragmático, –a pragmatic
precio price
precioso, –a precious, nice, cute
precipitadamente hastily
precipitarse to rush forward
precisamente exactly; in fact
precisarse to require, need
preciso, –a necessary; exact
predecir to predict
predicción prediction
predicho *p.p. of* **predecir**
predilecto, –a favorite
preferible preferable
preferir (ie, i) to prefer
prefiguración model
pregunta question; **hacer una —** to ask a question
preguntar to ask; **—se** to wonder
prehistórico, –a very old
prejuicio prejudice
premio prize; **sacar el — grande** to win the big prize
prenda: largar — to commit oneself
prender to fasten, attach

preocupación worry, concern, preoccupation
preocupar to worry, bother; **—se** to be worried; **—se de** to be concerned about
preparar to get ready
prescindir to do without
prescribir to serve (a sentence); **estar prescrita** to be legally unenforceable
prescrito *p.p. of* **prescribir**
presencia presence
presenciar to witness
presentación introduction
presentar to present, introduce; **—se** to appear
presente present
presentir (ie, i) to forbode, have a feeling (that), sense
presidente *m.* president
preso prisoner; **llevar — a uno** to imprison
préstamo loan; **en —** as a loan
prestancia handsome appearance
prestar to lend; **— atención** to pay attention; **pedir prestado** to borrow
prestigio prestige
presumido, –a vain
presuntuoso, –a presumptuous
pretender to seek, try, hope to accomplish; to imagine; claim
pretextar to offer as a pretext
pretexto excuse, pretext
prevenir to warn
prever to foresee
previo, –a previous, anticipatory

primavera spring
primero (primer), –a first
primo, –a cousin; **— en tercer grado** third cousin; **— hermano** first cousin
principal principal, important; **lo —** the most important thing
principio principle; beginning; **a —s de** at the beginning of; **al —** at first
prisa haste; **a toda —** in great haste
prisión prison, imprisonment
privado, –a personal
probabilidad likelihood
probable probable; prospective
probar (ue) to prove; to taste; **no — bocado** to go hungry
problema *m.* problem
proceder to proceed; to act
procedimiento method, procedure
procesar to indict
procrear to procreate
procurador *m.* solicitor
procurar to obtain; to try
producir to produce, cause; **—se** to arise, occur
produje, produjo *pret. of* **producir**
profecía prophecy
proferir (ie, i) to utter
profesar to profess
profesión profession
profesional professional; *f.* prostitute
profetizar to prophesy
proficuo, –a appropriate

profundo, –a profound
programa *m.* love affair, easy amorous conquest
programita *m.* nice, convenient love affair
progresivo, –a advancing
prohombre *m.* important man
prójimo fellow being, man
promesa promise
prometer to promise
pronosticar to predict
pronto soon, quickly; **de —** suddenly; **por lo —** for the time being, even so
pronunciar to pronounce, utter; to give (a lecture)
propenso, –a disposed, given to
propicio, –a suitable, favorable
propiedad property
propietario owner
propio, –a own, self, one's own; **la —a Margarita** Margarita herself
proponer to propose; **—se** to intend, have in mind
proporción size, proportion
proporcionado, –a proportionate
propósito aim, purpose
propuesta proposal
propuesto, –a proposed, intended
prosaico, –a rather dull, uninteresting
proseguir (i) to continue
prosopopeya affected formality
prosperar to prosper, be successful

protagonista *n.* principal character

proteger to protect

protesta protest

protestador *m.* complainer

protestar to protest; **— entre dientes** to mutter protestations

proveedor *m.* creditor

proveerse de to be provided with

provenir (de) to come (from)

providencial providential, timely

provinciano, –a provincial

provocación provocation

provocar to provoke, incite

próximo, –a next, close, adjacent

proyección projection

prudencia prudence, precaution

prueba proof, test

psicología psychological make-up

psicológico, –a psychological

psiquiatra *n.* psychiatrist

psiquiatría psychiatry

psíquico, –a psychic

publicación publication

publicar to publish

público, –a public

puchero: hacer —s to pout

pude, pudo *pret. of* **poder**

pueblerino, –a pertaining to a town

pueblo town, people, nation

puente *m.* bridge

puerta door

pues well, then, therefore; since, for

puesta stake

puesto *p.p. of* **poner; — que** since; *m.* position, place

pulcro, –a beautiful, nice

pulga: no aguantar —s not to tolerate abuse

punta end

puntapié *m.* kick

puntiagudo, –a sharp-pointed

puntito spot, little dot

punto point, spot, place; **a tal — to such an extent; estar a — de** to be about to; **hasta el — de que** even to the extent that

puntual punctual

puñalada thrust with a dagger

puño fist; **tener en un — to** have under strict control

puramente purely

pureza purity, innocence

purificador, –ora purifying

puro, –a pure; sheer, mere

Q

que that, which, who, whom; for, because; than; as; **el —, la —,** *etc.* who, which, whom; **lo —** that which

¡qué! how!; what (a)!; **¿—?** what? which?

quedar to remain, be left; to be; **— en** to decide, agree; **—se**

to stay; — se+ *adj.* to be, become

quejarse to complain

quejoso, –a complaining

querer to want; to love; — **decir** to mean

querido, –a dear; *n.* my love, my dear; lover

quien who, whom, he who; **hay —** there are those who

¿quién? who? whom?

quince fifteen

quincena fortnight

quincenal semi-monthly

quinientos, –as five hundred

quinto, –a fifth

quisiera I should like

quitar to take away, deprive of; **—se** to take off

R

rabia anger, fury; **dar — a uno** to make one mad

rabioso, –a furious

raciocinante pertaining to the reasoning process

raíz: a — de immediately after

rápidamente quickly

rapidez swiftness; **con —** quickly

rápido, –a fast

raptar to abduct

rapto abduction

rareza odd behavior, strange trait

rarísimo, –a very odd

raro, –a rare, strange, odd

rasgo trait; stroke

raspar to rob

rato short period of time; **pasar el —** to while the hours away

raza race, stock

razón *f.* reason, cause; mind; **con —** rightly so; **dar la — a** to agree with; **entrar en —** to regain one's senses; **tener —** to be right

razonable reasonable, fair

razonar to reason

reacción reaction

reaccionar to react

real real, true

realidad reality; **en —** really, actually

realizar to carry out, accomplish

realmente in reality, truthfully

rebanar to cut off, trim

rebelarse to rebel

rebelde wild, unmanageable; *m.* delinquent

rebuscado, –a forced, affected

recalcar to emphasize

recelo misgiving

recibir to receive

recién recently; **el — venido** the recent arrival

reciente recent, latest

recio, –a strong

recogerse to withdraw

recogido, –a withdrawn

reconcentrarse to become withdrawn

reconocer to recognize, admit

reconocimiento admission, confession

recontar (ue) to count again

recordar (ue) to remember, recall, remind

recorrer to look over, scan

rectificar to rectify, correct oneself

recuerdo recollection

recuperación recovery

recuperar to regain

recurrir to call upon, appeal to, resort to

recurso recourse; *pl.* funds, means

rechazar to reject

red *f.* network, string

redactar to draw up, write

redondamente completely, resolutely

redondo, –a round; **en —** all around

reducido, –a limited, small

reemplazar to replace

reencarnación reincarnation

referencia reference

referente referring

referir (ie, i) to relate; **—se a** to refer to, relate to

reflexión reflection

reflexionar to reflect

refocilarse to beam with delight

refregar (ie) to rub; **—se sus miradas** to cast severe glances

refrenar to restrain

refugiarse to take refuge

refugio refuge

refunfuñar to grumble

regalar to give as a gift

regalito nice gift

regalo gift

registrable searchable

registrar to search

regresar to return

regreso return; **de — de** back from

regular ordinary; steady

rehuir to reject

reír (i) to laugh; **—se de** to laugh at

reja grating

relación connection, relation

relacionar to relate, connect; **—se (con)** to be associated (with)

relatar to relate

relativo, –a relative

relato narration, account, the act of telling a story

releer to re-read

relieve *m.* relief

religioso, –a religious

remate: de — completely

remediar to correct

remedio recourse

remordimiento remorse

renombre *m.* good reputation

renovar (ue) to renew

renta income

renuncia (a) withdrawal (from)

renunciar to give up

reo defendant

repartir to distribute

repente: de — suddenly
repentino, –a sudden
repetir (i) to repeat
replicar to reply
reponer to answer
reportaje *m.* newspaper report
reportarse to restrain oneself
representación representation
representante *m.* representative
representar to represent, look
reprochar to reproach (for)
reproche *m.* reproach
reproducir to reproduce
reptil *m.* reptile
república republic
repugnante loathsome
repugnar to repel
repuse, repuso *pret. of* **reponer**
reputación reputation
resbalar to slip by
resentimiento resentment
reserva reserve
reservado, –a reserved
residir en to be based on, lie in
resignado, –a resigned
resistencia resistance
resistir(se) to resist
resolución resoluteness
resolver (ue) to resolve, decide
resoplar fo snort; to mutter
respaldo back
respectivo, –a respective
respecto respect; **(con) — a** with regard to
respetable respectable, honorable
respetar to respect
respeto respect

respirar to breathe
resplandeciente bright
responder to answer
responsable responsible
respuesta answer
restante remaining
resto rest
resueltamente firmly, resolutely
resuelto, –a determined; **lo —** what was decided
resultado result
resultar to turn out, prove to be
resumido: en —as cuentas in short
retahila string of harsh words
retener to restrain
retirar to put aside; **—se** to withdraw, move back
retomar to take up again
retorcer (ue) to twist
retornar to return
retorno return
retraimiento withdrawal
retratar to portray
retrato picture; resemblance
retribución gratuity
reunión gathering, meeting
reunirse to join
revelar to reveal
reventar (ie) to annoy, irritate; to die
revista magazine
revolcar (ue) to get the better of
rezar to pray
rico, –a rich; substantial
ridiculez nonsense
ridículo, –a ridiculous; **ponerse en —** to make a fool of oneself

267

riesgo risk, peril
rígido, –a rigid
rigurosamente strictly
río river
riqueza wealth, riches
risa laugh, laughter; — **amarilla** laugh of malicious satisfaction; **muerta de** — bursting with laughter
risita derisive little laughter
risueñamente in a pleasant manner
risueño, –a smiling
ritual customary
robar to rob, steal
robo theft
rodear to surround
rodilla knee
rogar (ue) to beg, ask
rojo, –a red
romanticismo romantic feeling
romántico, –a romantic
romanticón, –ona disagreeably and excessively romantic
romper to break; to tear, destroy
rondar to hover around
ropa clothes; — **de entrecasa** house clothes
rostro face
roto *p.p. of* **romper**
rubio, –a blond
ruborizarse to blush
rúbrica flourish
ruido noise
ruleta roulette
rumbo direction, path; **tomar por otros —s** to follow other paths
ruso, –a Russian
rutinario, –a routine

S

sábado Saturday
saber to know; **hacer** — to let know; **que se sepa** as far as we know
sabio, –a learned, wise
sable *m.* saber
sacar to take out, draw out, pull out, remove; to depict; to obtain; — **a flote** to come to one's rescue; — **el premio grande** to win the big prize
sacudir to shake
sacudón *m.* shake, movement; **mover la cabeza a —es** to shake one's head vigorously
sala room; — **de baile** dance hall
salaz lustful
salida exit; publication
salir to go out, come out; to appear; to turn out; — **de sí** to become enraged; — **por el mundo** to go out into the world
salón *m.* large room
saltar to leap, jump
salto leap, jump; **dar un** — to leap, jump
salud *f.* health
saludar to greet

salvación salvation

salvador, –ora saving; **un cheque —** a check that saved the day

salvar to save

salvo except for

sanatorio sanatorium

sangre *f.* blood

sano, –a healthy

santidad saintliness

santito saint

santo, –a blessed, holy; *m.* saint

sarcasmo sarcasm

sarcástico, –a sarcastic

sarta series

sastre *m.* tailor

Satanás *m.* Satan

satánico, –a satanic

satinar to gloss

satisfacción satisfaction, contentment

satisfacer to please

satisfecho, –a content, satisfied

se (to) oneself, himself, *etc.*, each other

sea *pres. subj. of* **ser;** **— ... o ...** whether it be ... or ...; **o —** that is (to say)

secamente dryly; coldly

secar(se) to dry

seco, –a dry; emotionally cold

secretario secretary

secretear to whisper

secreto secret

secuestrador *m.* abductor

secundario, –a secondary

seducción seduction

seducir to seduce

seguida: en — at once; **en — de** following

seguir (i) to follow, keep on, continue

según according to, as

segundo, –a second; assistant; *m.* second

seguridad certainty; safety

seguro, –a sure, certain

seis six

sellar to seal

semana week

semblante *m.* mien, expression

semejante similar; such

semejanza similarity

semiadustez *f.* semi-austerity

semiapabullado, –a flabbergasted

semidemente half demented

semiescondido, –a half hidden

sencillo, –a simple, forthright

sendero path

seno bosom; **en su —** within its walls

sensación sensation

sensacional sensational

sensibilidad emotional feeling

sensualmente sensually

sentarse (ie) to sit down

sentenciar to state firmly

sentido sense; **costar un —** to cost a pretty penny

sentimiento feeling, emotion

sentir(se) (ie, i) to feel

seña: —s telefónicas telephone number

señal *f.* sign, signal

Vocabulario

señalar   to point at
señor   *m.* gentleman, mister, sir; Lord
señora   lady, married woman
señorío   stately poise, dignity
señorita   young lady
sepa   *pres. subj. of* saber
separar   to separate
sequedad   emotional aridity
ser   to be; **a no — que** unless
ser   *m.* being
serenamente   calmly
serenidad   serenity
serie   *f.* series; **fabricados en —** mass produced
serio, –a   serious, staid; sincere; **en —** seriously; **por lo —** in a serious vein
serpiente   *f.* serpent
servicio   service
servir (i)   to serve; **— de** to serve as; **— para** to be good (useful) for; **—se de** to utilize
setiembre   *m.* September
severamente   harshly
severo, –a   strict
si   if; **— bien** although
sí   yes; indeed; himself, herself, *etc.*; **— mismo** himself, itself; **fuera de —** beside himself; **salir de —** to become enraged
sicario   hired assassin
siempre   always; **— que** provided that; **de —** usual
sien   *f.* temple; **atornillarse la —** to screw the temple to show that someone is crazy

sierra   mountains
siete   seven
sífilis   *f.* syphilis
significación   meaning
significado   meaning
significar   to mean
siguiente   following, next
silencio   silence
silencioso, –a   silent
silenciosamente   in silence
silla   chair
sima   abyss
simpatía   sympathy
simpático, –a   pleasant, likeable, nice
simplemente   simply
simulador   *m.* pretender, faker
simular   to pretend
sin   without; **— embargo** however
sinceridad   sincerity
sincero, –a   sincere
singular   very strange
sino   but, except; **— que** but (rather); **no ... —** only
sinvergüenza   *m.* scoundrel
siquiera   even
sirvienta   servant, maid
situación   situation, condition; position
situar   to locate
smoking   *m.* tuxedo
so   *shortened form of* señor, *used before derogatory adjectives to reinforce meaning*
sobornar   to bribe
sobrar   to be in excess
sobre   on, upon; concerning; **— todo** especially

sobre *m.* envelope
sobrehumano, –a superhuman
sobrenatural supernatural
sobresaltarse to become startled
sobretodo overcoat
sobrio, –a sober, moderate, modest
socarrón, –ona derisively jesting
sociedad society, social circles
socorro help
soez coarse, vile
sol *m.* sun
solamente only
solapa lapel
solar *m.* ancestral mansion; heritage
solas: a — alone
soledad loneliness; lonely place
soler (ue) to be in the habit of, be wont
solicitado, –a sought-after
solicitar to request, seek
solicitud solicitude
sólido, –a brawny; firm; — de carnes burly
solo, –a alone, to oneself; without any help; café — black coffee
sólo only
soltar (ue) to let loose; to utter; — un cuento to come out with a story
soltería bachelor days
soltero bachelor
solución solution
sollozar to sob
sollozo sob
sombra shadow

sombrero hat
sombrío, –a gloomy
sonar (ue) to ring
sondear to probe the mind of another
sonoro, –a loud
sonreír (i) to smile
sonriente smiling
sonrisa smile, derisive smile
sonrisita slight smile
sonsacar to draw out
sonso, –a foolish, stupid
sonsorio, –a silly, fatuous
soñar (ue) (con) to dream (of)
soplar to convey, inform
soportar to endure, put up with; —se to get along together
sorprender to surprise; to reveal; —se de to be surprised at
sorpresa surprise
sos = sois you are
sosegadamente quietly
sosegar to calm; —se to calm down
sospecha suspicion
sospechar to suspect
sospechoso, –a suspicious
sostener to maintain
su, sus his, her, your, its, their
suave soft, gentle
subconsciencia subconscious
subconsciente subconscious; *m.* subconscious activity
subir to get on; to go up; cuento de color subido off-color story
súbitamente suddenly

subjetivo, –a subjective
sublevar to arouse emotionally
substracción theft
substraer to steal
suceder to happen
suceso event, affair
sucio, –a dirty
sudador *m.* one who perspires much
sudor *m.* sweat; **con —es** in a cold sweat
sueldito meager salary
sueldo salary
suelo floor
suelto, –a loose, disconnected; odd; *m.* newspaper item
sueño dream; sleepiness; **dar —** to put one to sleep
suerte *f.* luck; kind, sort; **por — luckily**
suertudo very lucky person
suficiente sufficient
sufrir to suffer
sugerencia implication
sugerir (ie, i) to suggest
sugestión suggestion
sugestionar to influence
suicidarse to commit suicide
suicidio suicide
sujetar to hold fast, hold back
sujeto, –a tied down; *n.* person
sulfurar to anger; **—se** to get very angry
suma amount
sumamente highly
sumar to amount to
sumario preliminary hearing
sumergir to sink, plunge

sumir to sink, depress in spirit
sumiso, –a meek
supe, supo (*pret. of* **saber**) I found out, *etc.*
superar to excel, surpass
superautor *m.* supreme author
supercanalla *m.* low scoundrel
supercretino big fool
superior superior, better, more
superioridad superiority
superiormente splendidly
superstición superstition
suplicante suppliant, entreating
supliciar to torment
suponer to suppose, imagine
suposición supposition
supuesto, –a supposed, imagined; **por —** of course
surgir to arise, come forth
suripanta loose woman
suspicacia distrust
suspirar to sigh
suspiro sigh
sustituir to substitute
susurrar to murmur
sutil subtile
suyo, –a his, hers, yours, theirs; of his, of hers, *etc.*

T

tabaco tobacco
tabla board
taco heel
taconazo blow made with a shoe heel; **dar un — en el**

suelo to strike the floor with one's heel
táctica tactics
tajeado, –a lined (with wrinkles)
tajito small cut
tal such (a); — **cual** the same as, an occasional; — **o cual** such and such; — **vez** perhaps; —**es y cuales** such and such; **con** — **que** provided that; **el** — **sujeto** that person; **¿qué** — **?** How is it?; **un** — a certain
talento talent
tamaño size
tambalearse to stagger
también also
tampoco neither, either
tan so, as, such
tanto, –a so much; — **... como ...** both ... and ...; **en** — meanwhile; **un** — somewhat, a little
tapar to cover
tapizar to cover with tapestry
tararear to hum
tardar (en) to be long (in); **a más** — at the latest
tarde late
tarde *f.* afternoon; **a la** — in the afternoon; **de** — **en** — once in a while; **muy de** — **en** — very rarely; **por la** — in the afternoon
tardísimo very late
tarjeta card
tartamudear to stutter
te you, to you, yourself

teatro theater; **ademanes de** — impassioned, exaggerated gestures
técnico, –a technical
techo ceiling
telefonear to telephone; —**se con** to carry on a phone conversation with
telefónico, –a pertaining to the telephone
teléfono telephone
tema *m.* subject, theme
temblante trembling
temblar (ie) to tremble
temblequeo trembling
temblor *m.* trembling, fear
temblorcito slight trembling
tembloroso, –a trembling
temer to fear
temeroso, –a fearful
temor *m.* fear
temperamento temperament, nature
templar to temper
templo temple
temporada season; stay
tempranito nice and early
temprano early
tendencia tendency
tender (ie) to stretch out, extend
tenedor *m.* fork
tener to have; — **miedo** to be afraid; — **por** to consider as; — **que** + *inf.* to have to; — **razón** to be right
tentación temptation
tentativa attempt

tenuísimo, –a very faint

teoría theory

tercero (tercer), –a third

terco, –a stubborn

terminar to finish, end; **— por** to end up by

término end, limit; term, word

terno three-piece suit of clothes consisting of pants, jacket, and vest

ternura tenderness

terreno ground

terrestre on earth, terrestrial

testigo witness

testimonio affirmation; support

texto text

tiempo time; **con el —** in the course of time; **de un — a esta parte** for some time now

tierno, –a affectionate, warm

tierra land; **— de confín** borderland; **echar — a** to bury a matter, forget about

tigre *m.* tiger

timidez timidity

tímido, –a timid

tío uncle

tipo type; fellow, person

tiranizar to oppress

tirar to throw; to fire; **— la zapatilla** to transgress

tiro shot; **pegarse un —** to shoot oneself

tironear to shake back and forth; **—se (de)** to pull (on)

tísico, –a consumptive

titubear to hesitate

titular to title; **—se** to carry the title, be called

título title; **a — de** under the pretext of

tocar to touch, feel; to strike, toll; to concern

tocayo namesake

todavía still, yet

todo, –a all, whole; *pl.* all, everybody; **del —** completely; **sobre —** especially

toldería Indian camp

tolerar to tolerate, permit

tomar to take; to drink; **— el pelo** to tease, kid; **— por otros rumbos** to follow other paths; **— por su cuenta** to attend to; **— un café** to have a cup of coffee; **— vuelo** to become real

tomo volume; **de — y lomo** through and through

tono tone; manner

tonto, –a silly, stupid; *n.* fool

toparse con to run into

torcer (ue) to twist

torcido, –a crooked

tormentoso, –a stormy

tortura torture, grief

torturar to torment

tos *f.* cough

toser to cough

totalmente entirely

trabajar to work; to polish or perfect a literary work; **—se a** to court lasciviously

trabajo work; *pl.* hardship

tradicional traditional; ready-made

traducir   to translate
traer   to bring
tráfago   burden
tragar   to swallow; to devour; to endure, put up with
tragedia   tragedy
tragicomedia   tragi-comedy
traje   *m.* attire; suit
trajín   *m.* hustle and bustle
trámite   *m.* proceeding
trance   *m.* danger; en — de pecado   headed for sin
tranquilidad   tranquility
tranquilizar   to calm, relieve
tranquilo, –a   calm, peaceful; déjame —   let me alone
transcurrir   to elapse
transeúnte   *n.* passer-by
transformación   change
transformar   to change
transgresión   transgression
tranvía   *m.* street car
trapo   article of clothing
tras   after
trascendental   very important
trasero, –a   rear
trasmutar   to change, transmute
traspasar   to inflict grief on, afflict
traspirar   to perspire
trasplantarse   to migrate
trastabillar   to sway back and forth
trastada   sinful act
trastornar   to disturb, derange
trastorno   distress, disturbance
tratar   to treat, associate with, deal; — de   to try to; —se   to get along with each other; —se de   to be a question of
trazar   to mark out
treinta   thirty
tremendo, –a   great, imposing; dreadful
tren   *m.* thought process
trepar   to climb
tres   three
trescientos, –as   three hundred
tribulación   tribulation
tribunal   *m.* court of justice
triste   sad
tristeza   sadness
triunfar   to triumph
triunfo   triumph
trompear   to punch
trompeta   *m.* scoundrel
tronar (ue)   to thunder
tropezar con   to meet by chance
trozo   section, portion
truco   a card game
trueno   thunder
tu   your
tuberculoso   tubercular
tuntún   word imitative of a heart beat
tupé   *m.* gall, audacity
turbarse   to get upset
turbio, –a   turbulent
turco, –a   Turkish
turfístico, –a   pertaining to horse racing
turno   turn
turra   hussy
turulato, –a   stupefied

Vocabulario

u or

último, –a last, latest

ultratumba: de — beyond the grave

unánime unanimous

único, –a only, sole

uniformemente unanimously

uno (un), –a a, an, one; *pl.* some, about; **—s cuantos** a few; **—s pocos** some, a few

untar to grease (the palm), bribe

untuoso, –a falsely enthusiastic

urdir to contrive

urgencia urgency, haste; need

urgente urgent

uruguayo, –a Uruguayan

usar to use; to wear

usted, ustedes you

útil useful

utilizar to utilize

V

vacaciones *f. pl.* vacation

vacilación hesitation

vacilante irresolute

vago, –a vague

valer to be worth, cost; to be of use; **— la pena** to be worthwhile; **vale decir** that is to say; **no — un pito** not to be worth a mite

valgo *first person singular present indicative of* **valer**

valiente brave

valioso, –a valuable

valor *m.* courage; value

vanidad vanity

vano, –a empty, idle

vara unit of length, about 2.8 feet

varios, –as several

vaso glass

vasto, –a huge

vate *m.* poet

vaya *pres. subj. of* **ir**; **¡— . . .!** what a . . . !

vecino, –a neighboring; *n.* neighbor

vehículo vehicle

veinte twenty

veinticuatro twenty-four

veintidós twenty-two

veintitantos, –as twenty-odd

veintiuno twenty-one

vejete *m.* little old man

vejez old age

velocidad speed

vencer to conquer, defeat; to outdo; to overcome

vendar to bandage

vendedor *m.* seller

vender to sell

venenoso, –a poisonous

veneración veneration

venganza revenge

vengar to avenge; **—se de** to take revenge on

venia bow

venir to come; to suit; **—+** *pres. p.* to be; **— a +** *inf.* to end up by; **—se abajo** to collapse

venta sale

ventana window

ventanilla teller's window, window of a street car

ventiladorcito electric fan

ver to see; **tener que — en** to have to do with

veranear to spend the summer

verano summer

veras: de — really, actually

veraz truthful

verba loquacity, patter

verdad truth; **a la —** in truth

verdadero, –a true, real

verde green; risqué

vergonzante bashful, reserved

verso verse

vestibulito small vestibule

vestíbulo vestibule

vestido dress

vestir (i) to dress; **—se** to get dressed

vez *f.* time; **a veces** at times; **a la —** at the same time; **alguna —** every now and then; **cada — más** more and more; **de — en —** from time to time; **en — de** instead of; **otra —** again; **tal —** perhaps

vía path, course

viajar to travel

viaje *m.* trip

vicio vice; weakness, bad habit

vicioso, –a sinful; reprehensible; untrustworthy

vicisitud ups and downs of life

víctima victim

vida life; **darse buena —** to indulge oneself; **mujer de mala —** prostitute

vidrioso, –a glassy

viejo, –a old; *m.* old man

vigilante *m.* guard

vigilia period of time awake

vigoroso, –a vigorous

vil base, wicked

vincularse to associate, mingle

vínculo tie, bond

vino wine

violencia violence, force

viril manly

virtud virtue

viruela smallpox

visión view, vision; apparition

visita visit

visitante *n.* visitor

visitar to visit

vista sight, view

visto *p.p. of* **ver**

vistoso, –a showy

viuda widow

viudez widowhood

vivaz lively

viveza vigor, liveliness

viviente living

vivillo a clever, shrewd person

vivir to live

vivo, –a lively; smart, alert

vociferar to shout

volar (ue) to fly; to flee

volumen *m.* volume, work; size

voluntad will

volver (ue) to turn, return; **— a** + *inf.* to do again; **— a la carga** to persist at a task; **—se** to turn around, become

vos you

voz *f.* voice; word; a — en cuello very loudly; a media — under one's breath; en — alta aloud, in a loud voice

vuelo loftiness of speech; tomar — to become real

vuelta turn, return; dar — to turn around; dar —s to spin around; darle —s a las cosas to give thought to the matter; de — en la casa back home

vuelto change

vulgar ordinary, commonplace, coarse

vulgarmente commonly

Y

y and

ya already, now; soon; once; — no no longer; — que since; — ... — ... now ... now

yapa: de — in addition

yendo *pres. p. of* ir

yo I; su propio — his true self

Z

zafarse to free oneself, break loose

zaguán *m.* vestibule

zahorí *m.* clairvoyant

zalameramente in a flattering way

zapatilla: tirar la — to transgress

zapato shoe

zarandajas *f. pl.* trivial things

zarzuela a type of musical comedy

zumba jest, kidding

zumbón, –ona waggish, mocking